La fille du berger des arbres

La trilogie des gens de la foire médiévale

Gillian Summers

Traduit de l'anglais par
Renée Thivierge

AdA

Éditeur : François Doucet
Traduction : Renée Thivierge
Révision linguistique : Caroline Bourgault-Côté
Correction d'épreuves : Suzanne Turcotte, Nancy Coulombe
Montage de la couverture : Matthieu Fortin
Design de la page couverture : Kevin R. Brown
Illustration de la page couverture : Derek Lea
Mise en page : Sébastien Michaud
ISBN 978-2-89565-719-4
Première impression : 2008
Dépôt légal : 2008
Bibliothèque et Archives nationales du Québec
Bibliothèque Nationale du Canada

Éditions AdA Inc.
1385, boul. Lionel-Boulet
Varennes, Québec, Canada, J3X 1P7
Téléphone : 450-929-0296
Télécopieur : 450-929-0220
www.ada-inc.com
info@ada-inc.com

Diffusion
Canada :   Éditions AdA Inc.
France :   D.G. Diffusion
             Z.I. des Bogues
             31750 Escalquens - France
             Téléphone : 05-61-00-09-99
Suisse :   Transat - 23.42.77.40
Belgique :   D.G. Diffusion - 05-61-00-09-99

Imprimé au Canada

Participation de la SODEC. ꙅODꞓC
Nous reconnaissons l'aide financière du gouvernement du Canada par l'entremise du Programme
d'aide au développement de l'industrie de l'édition (PADIÉ) pour nos activités d'édition.
Gouvernement du Québec - Programme de crédit d'impôt pour l'édition de livres - Gestion
SODEC.

**Catalogage avant publication de Bibliothèque et Archives nationales du Québec et
Bibliothèque et Archives Canada**

Summers, Gillian

    La fille du berger des arbres

    Traduction de: The tree shepherd's daughter.
    Pour les jeunes de 13 ans et plus.
    ISBN 978-2-89565-719-4

    I. Thivierge, Renée, 1942-   . II. Titre.

PZ23.S893Fi 2008   j813'.6   C2008-941073-4

À mon ange
Qui a vécu pendant des années avec des chats détestables,
de gros chiens et des piles débordantes de livres dans
notre chalet du nord de la Géorgie.

Remerciements

Un grand merci à Maureen et à Nancy pour leur enthousiasme et leur sagesse, et à l'équipe de recherche sur la foire de la Renaissance — Shannon, Christina, Graham et Jack, qui ont enduré les cuisses de dinde, les joutes, les coups de soleil et une profusion de baisers de dames ; à Summer pour l'assistance vétérinaire ; à mes sensationnels réviseurs, Andrew Karre et Rhiannon Ross, qui ont lu, relu et fait d'extraordinaires et précieuses suggestions ; à mon bel agent Richard Curtis (tu es le meilleur !) et à toutes les personnes créatives et aidantes qui se sont jointes aux auteurs de littérature jeunesse du groupe *Yahoo*.

Un

Des arbres. Keelie Heartwood ne croyait pas que sa vie pouvait être plus déprimante qu'elle ne l'était déjà, mais la vue de la forêt verte devant elle l'emplit de morosité. Elle ressentait déjà le picotement de sa réaction allergique. N'importe quel type de bois la rendait malade, mais les arbres vivants étaient pires.

Elle s'avança, glissant un peu, et une odeur terrible l'accueillit. Elle baissa les yeux. Elle avait marché sur un amas de champignons en décomposition.

— Dégoûtant !

Le tonnerre gronda à travers les nuages sombres accrochés au ciel couvert, promesse de la reprise de la pluie. D'autres mauvaises nouvelles pour ses espadrilles. Ces derniers temps, toutes ces nouvelles avaient été mauvaises.

Sur le large chemin tortueux bordé d'arbres, ses chaussures engluées s'enfonçaient dans la boue noire, alors qu'elle s'efforçait de suivre le rythme rapide de Mme Talbot. La femme était l'avocate de sa mère, et Keelie la détestait presque autant que le Colorado lui faisait horreur. Derrière elles, les roues emballées du taxi qui les avait déposées mordaient dans le gravier non compacté ; la voiture dérapa sur la route pavée et fila comme un éclair. Keelie ne regarda pas en arrière, au cas où sa nostalgie de retourner en Californie paraîtrait sur son visage. Elle s'était juré de ne pas pleurer, mais des larmes affluaient dans sa gorge, menaçant de jaillir. C'était peut-être à cause des arbres. Il y avait beaucoup trop d'arbres, et son picotement se transformait en une nervosité généralisée.

Le cœur battant, elle releva sur son épaule son sac à bandoulière de cuir épais, ne voulant pas ruiner le peu de vêtements qu'il lui restait. La compagnie d'aviation avait égaré ses bagages, une autre tache sombre dans sa misérable journée, dans sa vie misérable.

L'effluve exaltant de la viande rôtie flottait dans l'air, perçant à travers l'odeur humide et terreuse qui recouvrait tout comme une couverture moisie. Son estomac gargouilla. La seule chose qu'elle avait mangée de toute la journée, c'était le minuscule sac d'arachides et de bretzels miniatures que lui avait lancé l'agent de bord dans l'avion en provenance de Los Angeles. Elle regrettait de ne pas avoir accepté l'offre de Mme Talbot de lui acheter un sandwich chez Au Bon Pain, à LAX[1].

Au moins, la pluie avait cessé, même si le ciel assombri et les grondements environnants laissaient présager qu'il recommencerait à pleuvoir dans quelques secondes. Des nuages noirs comme des boulets de canon spongieux pendaient lourdement au-dessus des arbres à feuillage persistant. Devant elles, la forêt s'éclaircissait, révélant deux grandes tours de pierres jaunes de style ancien, de chaque côté de gigantesques barrières en bois, munies de charnières en acier noir. L'entrée était flanquée de deux topiaires en forme

---

1. NdT : Aéroport international de Los Angeles.

6

de lion géant. Le premier était assis sur son postérieur feuillu, la patte posée sur un énorme bouclier en bois où il était inscrit : « Bienvenue à la foire de la Renaissance de High Mountain ». L'autre était accroupi comme s'il était prêt à bondir.

Encadré par les grands arbres de la forêt, l'ensemble ressemblait à un vestige du décor du *Seigneur des anneaux*. Factice, pensa-t-elle. Tout ici était factice, sauf les arbres. Elle sentit ses doigts qui picotaient à cause de tout le bois vivant autour d'elle. Elle n'avait jamais traversé une telle forêt. Une poussée d'urticaire menaçait de se déclencher à tout moment.

Les gens grouillaient autour d'un kiosque à billets, certains se regroupant, d'autres fouillant dans leur porte-monnaie ou leur sac à main pour payer le prix d'entrée. À côté du kiosque, une immense carte peinte représentant le champ de foire montrait l'étendue des lieux comportant de nombreuses rues et même un lac. Et une quantité décourageante d'arbres. Elle laissa tomber le lunch. Elle se sentait nauséeuse.

Devant elle, Mme Talbot contourna le kiosque de vente de billets et disparut à travers les barrières, absorbée dans son objectif. Keelie en était réduite à se frayer un chemin par elle-même dans la foule. Alors, qu'y avait-il de nouveau ? Sa maman avait, elle aussi, été une femme occupée. Keelie avait l'habitude de se débrouiller toute seule. Elle aurait bientôt seize ans, pas six.

Deux gros gardiens de sécurité vêtus d'une armure de cinéma coururent après Mme Talbot.

— Madame, arrêtez. Vous devez acheter un billet.

Keelie sourit, heureuse de voir que l'avocate avait été attrapée. Bien fait pour elle.

Keelie lança un faux sourire vers le receveur de billets, lissant ses cheveux derrière ses oreilles. Elle attendrait ici même le taxi qui la mènerait à l'aéroport aussitôt que la Talbot serait chassée d'un coup de pied au derrière.

Les yeux du receveur de billets s'écarquillèrent et il la salua bien bas.

— Vous êtes la bienvenue, Milady. Votre père vous attend à l'intérieur. Bienvenue à la foire de la Renaissance de High Mountain.

Il lui tendit une petite carte et une brochure.

Keelie regarda fixement les papiers dans sa main. Cet homme était-il un médium ?

— Keelie, grouillez-vous !

Talbot lui faisait signe. Les deux gardiens regagnaient le kiosque à billets, l'un d'eux comptant de l'argent.

Keelie grogna, son allégresse ayant été de courte durée. Elle s'approcha des lions. Personne ne l'arrêta. Un mouvement perçu du coin de l'œil la fit se retourner. Le lion avait-il haussé les épaules ? Elle aurait pu jurer qu'elle avait vu une ondulation verte parcourir son corps. Impossible. Peut-être s'agissait-il d'un coup de vent.

Un vacillement à sa droite. La queue à gland du lion accroupi avait remué, comme s'il était prêt à sauter de son pot de pierre et à se lancer dans les bois. L'homme costumé à l'entrée lui jeta un coup d'œil et lui fit signe de passer. Il n'avait pas remarqué le mouvement. Soit on attendait Keelie, soit on laissait entrer les gens dans cet endroit par pur laxisme…

Elle frissonna en passant sous la bannière et à travers la haute barrière. On aurait dit une bruyante forteresse. Une prison tapageuse. Des tambours primitifs battaient la mesure avec les trompettes résonnantes, les violons et les cornemuses, dans un mélange étourdissant que ces pauvres idiots semblaient apprécier.

Malgré la phrase amicale inscrite sur le bouclier du lion, elle ne pouvait considérer cela comme un accueil. Elle n'avait certainement pas voulu se retrouver ici.

Elle jeta un coup d'œil à sa montre. Deux heures dans sa nouvelle vie et déjà ses chaussures étaient ruinées, ses bagages égarés, son dos endolori, et elle avait probablement abîmé le vernis sur ses ongles. Sans mentionner cet état nauséeux à en avoir la chair de poule qu'elle avait ressenti dans les bois. Et elle voyait des choses.

Elle voulait — non, elle en avait besoin — un bain chaud et un massage. Autrefois, maman aurait appelé TJ au SPA de jour *Beautiful Dreamer* et pris un rendez-vous pour un massage côte à côte aux pierres chaudes. Keelie aurait voulu prendre le prochain avion pour retourner en Californie et regagner la civilisation. De retour avec maman.

— D'accord, bébé, disait maman à chaque fois qu'elle avait vu ou ressenti quelque chose d'étrange, quelque chose d'inexplicable. Parlons-en toutes les deux.

Plus elle grandissait, plus elles avaient de ces conversations. Maman faisait toujours en sorte qu'elle se sente à nouveau normale.

Sauf qu'il n'y avait plus de maman. Elle prit une grande inspiration, l'air parvenant laborieusement à ses poumons. Les pins se resserraient tout autour d'elle et elle croyait les entendre murmurer. La claustrophobie menaçait de l'envahir, mais dans quel endroit pouvait-elle s'enfuir où il n'y avait pas d'arbres ?

— Dépêchez-vous, Keelie.

La voix de Mme Talbot arriva de quelque part à l'avant.

— Je dois reprendre la route dans trente minutes, sinon je manquerai mon vol de retour.

Mme Talbot, qui travaillait aussi dans le cabinet d'avocats de maman, s'était apparemment retrouvée avec la courte paille, et il était évident qu'elle n'en était pas enchantée. Keelie imagina comment s'était déroulée la réunion.

— Vous emmenez l'enfant au Colorado ?

— Ne peut-on pas tout simplement la laisser à l'aéroport ? devait avoir demandé Talbot.

Mais non, ç'aurait été bien trop facile, et depuis l'incident du premier week-end, elle était déjà étiquetée comme un risque en vol. Une fugueuse potentielle que l'on devait escorter comme un bébé. Exaspérant, même si c'était vrai. Irritée, Keelie refoula les larmes qui menaçaient de ressurgir.

— Retiens-toi, murmura-t-elle. Ne montre pas que tu as peur.

Elle ne voulait pas être larmoyante lorsqu'elle verrait son père pour la première fois depuis sa tendre enfance. Son père biologique, se rappela-t-elle.

La boue faisait un bruit de succion autour de ses pieds pendant qu'elle s'efforçait de suivre le tailleur bleu foncé impeccable de l'avocate. Elle n'était pas habillée pour la circonstance. Ni l'une ni l'autre ne l'était.

Les visiteurs qui essaimaient vers la sortie semblaient fatigués, mais ils se remémoraient en riant les parties favorites de leur journée. Keelie roula des yeux comme ils passaient. S'ils avaient tous vécu les mêmes événements, pourquoi les raconter à nouveau ? Souffraient-ils tous d'une amnésie temporaire ?

Mme Talbot avança à contre-courant à travers la marée humaine, marchant de côté sans effort pour éviter de se heurter aux touristes. Comment y parvenait-elle ? Ses talons hauts auraient dû s'enfoncer dans la boue, mais elle se déplaçait aussi aisément que si le chemin rustique avait été le plancher de granit poli du cabinet d'avocats Talbot, Talbot et Turner.

Keelie accéléra le pas, déterminée à ne pas s'arrêter. Pas de pleurnicheries, se dit-elle. Mme Talbot fit une pause devant un kiosque de bijoux et parla à la commis derrière le comptoir. Elle pointa le doigt vers Keelie et brandit une chemise. Keelie savait ce qui était écrit sur l'étiquette bien nette : Keelie Heartwood, projet numéro X dans la vie affairée de Mme Talbot.

La commis derrière le comptoir, le visage mince, grassouillette et étroitement corsetée dans son costume médiéval, hocha la tête.

— Je ne sais pas, madame, dit-elle.

On aurait dit que son énorme poitrine allait jaillir de son corsage, comme des cantaloups captifs. Elle regarda Keelie en fronçant les sourcils.

Un homme usé, à l'allure archaïque, portant un costume bizarre couvert d'un tablier de cuir terriblement graisseux, donna un petit coup sur l'épaule de Mme Talbot.

Keelie dissimula un sourire alors que Mme Talbot réprimait un cri.

— Elle veut parler du sculpteur sur bois, dit le vieil homme à la commis, parlant avec un accent britannique outrageusement artificiel.

Il se tourna vers Keelie.

— Donc, vous êtes l'une d'eux. Nous avons entendu parler de votre arrivée. Il vous faudra continuer un peu votre route, mademoiselle. Heartwood se trouve dans l'édifice de deux étages, près du cercle de joute équestre. N'est-ce pas, Tania?

Il dressa un épais sourcil en direction de la commis à l'opulente poitrine.

Joute équestre. Keelie hocha la tête. C'était trop. Et que voulait-il signifier quand il disait qu'elle était l'une d'eux? Elle n'avait absolument rien à voir avec cet endroit. Elle fit semblant d'examiner les colliers et les breloques exposés. Une boîte de pierres polies attira son attention.

— Combien pour celles-là?

— Juste deux dollars, ma chérie.

Le mot était affectueux, mais le ton de la femme était froid.

Keelie tira deux billets neufs de son sac et les déposa sur le comptoir, évitant soigneusement de toucher le bois. Mme Talbot l'appela de l'endroit où elle se trouvait, un peu plus loin sur le chemin de terre. Keelie l'ignora. Elle examina les pierres dans la boîte et en sortit une de forme ovale et d'un rose veiné de blanc.

— Je prendrai cette pierre rose. Qu'est-ce que c'est ?

— Du quartz rose.

Les dollars avaient disparu.

— Allez, cette femme vous appelle. Et merci pour l'encouragement. C'est la seconde semaine complète de mauvais temps. Une de plus et nous serons tous dans le margouillis.

Keelie prit l'objet, craignant que la femme ne commence un rituel d'imposition des mains et une incantation aux dieux de la pluie. Le tonnerre gronda à nouveau et le visage de Tania, la « séquestreuse » de melons, se plissa d'inquiétude.

— C'est une bonne chose que ce soit presque l'heure de la fermeture, dit-elle. On croirait qu'une autre tempête du diable est en train de se préparer.

Au-dessus, les bannières colorées claquaient et se tendaient sur leur cordage sous l'effet du vent. La forte brise avait une odeur pénétrante d'ozone — il allait vraiment pleuvoir. Keelie ramena son sac de cuir sur son épaule, puis jeta un coup d'œil à son pull blanc et à ses pantalons capri en toile bleu clair.

— Je ne devrais pas rire de la Talbot, grommela-t-elle. Je suis moi-même trop habillée pour le *Pays imaginaire*.

Sur le large chemin de terre, une famille s'esclaffa comme ses membres sortaient en trébuchant d'une tente où était inscrit « Labyrinthe magique », se butant follement les uns contre les autres. Keelie les détestait d'être heureux, d'être ensemble. La mère leur jeta un coup d'œil en passant, les sourcils levés alors qu'elle toisait le costume de Mme Talbot. Keelie estima que leurs vêtements les faisaient paraître aussi singulières que les clowns, les marcheurs sur échasses et les paysans médiévaux qui fourmillaient sur le site. Son estomac recommença à gargouiller.

— Madame Talbot, pouvons-nous…

L'avocate avait disparu. Keelie regarda autour d'elle. Pas de tailleur bleu nulle part.

Elle entendit un craquement derrière elle. Une étagère de supports à bijoux était tombée. Des colliers étaient répandus sur le sol boueux.

— Mes affaires !

Tania, la commis, raclait le sol à tâtons pour les ramasser.

— Cette foire est maudite.

— Chut, ma petite. Il ne faudrait pas que la direction entende vos paroles.

Le vieil homme avait perdu son accent.

La place était bondée de visiteurs, qui ne se dirigeaient pas tous vers les sorties, et il était difficile de marcher en ligne droite. Elle pensa qu'elle avait aperçu le tailleur bleu un bref instant, mais elle fut vite entourée, avec l'arrivée d'une foule de faux paysans applaudissant et chantant, qui descendaient le chemin de la colline.

Un homme énorme, portant un veston rouge doublé de fausse fourrure et orné de cloches d'argent carillonnantes, cria d'une voix puissante à travers un mégaphone :

— Écartez-vous pour faire place au roi et à la reine !

— Hourra ! Hourra ! cria la foule des paysans déguisés qui cernaient Keelie de toutes parts.

Elle tenta de se frayer un chemin afin de s'en libérer, retenant sa respiration. C'était humide et chaud, et plusieurs des paysans poussaient l'authenticité un peu trop loin. Son nez détecta que certains avaient un sérieux besoin de revenir à l'usage d'un désodorisant des temps modernes.

Un éclair de bleu voltigea à travers les arbres de l'autre côté du chemin : Mme Talbot !

Keelie se dégagea de l'étreinte de la foule, puis vit l'avocate qui agitait sa chemise au visage d'un homme. L'homme portait un chapeau de clown et des pantalons de soie à pièces multicolores. Et des échasses. Il se pencha à la hauteur de sa taille, essayant de lire les papiers que tendait Mme Talbot. Une fille aux cheveux noirs et à l'allure gothique s'approcha, vêtue d'une robe noire ajustée, aux longues manches flottantes retroussées révélant de fausses manches boutonnées du coude au poignet. Elle parla à Mme Talbot et tendit la main vers une clairière de l'autre côté de la colline, puis elle se retourna et se mêla à la foule grouillante.

— Longue vie au roi et à sa nouvelle reine, cria l'homme perché sur des échasses.

— Ouais, et que sais-je encore, dit Keelie.

Longue vie au roi et à sa nouvelle reine. Bien, elle l'espérait. Longue vie à eux. Elle se demanda ce qui était arrivé à la vieille reine. Probablement qu'elle était revenue à la raison et qu'elle s'était enfuie de cet asile de fous.

Keelie refoula les larmes qui semblaient la prendre par surprise de temps en temps, même si Elizabeth, la mère de Laurie, lui avait dit qu'elle prenait très bien les choses. Ouais, alors cela signifiait qu'elle était capable de faire semblant que tout allait bien lorsqu'elle était en public, et elle n'allait certainement pas défaillir maintenant. Elle cligna des yeux rapidement pour chasser l'humidité sans avoir à s'essuyer les yeux et risquer de se trahir.

À travers une vision brouillée, elle vit un autre éclair bleu foncé. Elle manœuvra rudement parmi la foule, ignorant les regards curieux que certains lui jetaient. Elle prit soudain conscience qu'elle n'avait plus la nausée. Elle baissa les yeux sur la douce pierre rose dans sa main. Qu'importe si ça fonctionnait. Elle la mit dans sa poche.

À l'autre extrémité de la foule, une multitude de gens regardaient un homme qui tenait un oiseau dont la tête était recouverte d'un chaperon de cuir. La fauconnerie. Bien; voilà qui était intéressant. Elle avait étudié l'histoire médiévale en huitième année à l'Académie Baywood et elle avait fait un travail sur la fauconnerie.

Après s'être rapprochée, elle fut en mesure de voir que le gros faucon avait aussi de longs rubans de cuir attachés à ses pattes. Des longes, se rappela-t-elle.

Pauvres oiseaux. Eux aussi étaient prisonniers. Tout comme l'avait dit maman, ici les gens étaient un paquet d'abrutis au comportement enfantin, qui voulaient vivre comme au Moyen Âge. Ils avaient complètement perdu contact avec la réalité. Qui voulait revivre une époque où il n'y avait pas d'installations sanitaires et où les gens se promenaient avec des pommes de senteur qu'ils portaient à leur nez pour couvrir l'odeur des corps malpropres?

Maman l'avait avertie à propos de ces gens de la Renaissance. Et à propos de son père qui avait choisi la vie à la médiévale et avait pris la fuite pour se joindre au cirque.

Un hibou hulula près de Keelie et elle s'aperçut qu'il y en avait d'autres dans l'enceinte, ainsi que des aigles et des faucons.

Dans le laboratoire de biologie de M. Stein à l'Académie Baywood, il y avait un hibou empaillé, mais il paraissait chauve et mangé par les mites. Sur son support, le hibou blanc, les plumes duveteuses et douces, tourna la tête pour la suivre de ses yeux jaunes énormes et immobiles. Keelie aurait aimé le toucher.

Un homme portant une chemise blanche aux manches bouffantes et des bottes souples à la hauteur des genoux s'avança au centre du cercle, un faucon sur sa main gantée. Malgré la taille de l'oiseau, l'homme le tenait comme si son poids était négligeable.

— Quelqu'un peut-il me dire pourquoi les yeux de cet oiseau sont couverts?

Sa voix était forte et imitait aussi l'accent anglais. Des voix offrirent des réponses.

Keelie regarda l'oiseau, dont les ailes battaient l'air. Il se balançait d'une patte à l'autre, comme s'il était impatient.

— Allo! Les oiseaux vous intéressent-ils?

Au son de la voix, elle se retourna rapidement. Elle n'avait vu personne s'approcher. La femme avait une coupe de cheveux à la garçonne et était habillée dans une version féminine du costume de fauconnier, avec une ample chemise de poète et de grandes bottes. Elle fit un signe de tête dans la direction du hibou qu'admirait Keelie.

— Voici Moon. C'est une chouette harfang, dit la femme. Elle mord, alors ne t'approche pas trop près.

— Elle est magnifique, dit Keelie.

Sa voix semblait bougonne à ses propres oreilles. Elle ne voulait pas être ici, et elle n'avait pas planifié de vivre dans les bois du Colorado avec une bande de hippies cinglés, mais elle n'était pas menteuse. Les oiseaux étaient incroyables.

Au bruit de pieds qui couraient, elles levèrent toutes les deux les yeux.

— J'ai besoin d'autres appâts, dit un homme à bout de souffle, la sueur coulant sur son visage rougi par le soleil, suivant les sillons creusés autour de ses yeux.

— Ariel est dans l'arbre.

Il indiqua de la main le sommet des grands pins dans la clairière.

Keelie leva les yeux vers le faîte des arbres agités par le vent, incertaine de ce qu'elle cherchait. Une femme qui grimpait? Des branches oscillaient et des rameaux épineux bougeaient furieusement dans le vent, mais près d'une fourche dans le tronc d'un arbre de bonne taille, elle vit la silhouette immobile d'un gros oiseau. Ariel, devina-t-elle. Elle voulut lui dire de s'envoler librement. Keelie s'évaderait si elle le pouvait. Si elle avait eu des ailes, elle se serait envolée vers la maison.

Ou peut-être qu'elle retournerait dans le passé et chérirait chaque jour passé avec sa maman. Elle dirait à sa mère de ne pas prendre le vol de retour de San Francisco à Los Angeles. Elle lui dirait de ne pas se fier à l'avion de transport régional.

Elle ressentit une douleur à la poitrine. Elle prit une profonde respiration. Plus de pleurs. Plus jamais.

— Envole-toi librement et ne regarde jamais en arrière, murmura-t-elle.

— Keelie, suivez-moi, dit Mme Talbot. Il se fait tard.

Elle se tenait à environ six mètres d'elle et, pour la première fois, paraissait un peu fâchée. Une minuscule gouttelette de boue tachait l'un de ses bas.

L'oiselière examina Mme Talbot de haut en bas, puis se mordit la lèvre, comme si elle essayait de retenir ses paroles.

— Pouvez-vous me dire où je peux trouver M. Zekeliel Heartwood? C'est sa fille. J'ai promis de la livrer en personne et il se fait tard. Je dois reprendre un vol vers la Californie.

Le sourire de Mme Talbot semblait faux.

La femme à l'oiseau pointa le doigt vers une enseigne penchée au croisement de chemins, couverte de plaques de rues clouées de façon erratique.

— Suivez le chemin de la Nymphe des eaux vers le rang des Bois. Il se trouve à gauche. Vous ne pouvez le manquer.

Elle se retourna vers Keelie.

— Et vous êtes sa fille. J'ai honte de ne pas l'avoir deviné. Vous êtes son portrait vivant.

Elle sourit.

— Je suis Cameron. Je suis une amie de votre père.

Une amie? Keelie l'aurait parié. Même si elle était certaine que la foire était remplie de débiles et de cinglés, pour une raison ou une autre, elle fut traversée d'un élan d'affection pour Cameron. Elle fronça les sourcils et s'éloigna rapidement, puis elle ralentit lorsqu'elle se rendit compte qu'il n'était pas nécessaire qu'elle suive le taillleur bleu de Mme Talbot. Elle connaissait le chemin. Les instructions de Cameron étaient claires.

Quelques mètres plus loin, le chemin se divisait. Sur la partie gauche de la fourche, il était indiqué «rang des Bois». C'était bien sa chance! Encore d'autres bois. À droite, il était marqué : «Cercle de joute équestre». Elle sortit la carte. En effet, sur une grande forme ovale, il était écrit: «Joute équestre». Intéressée et n'ayant nulle envie de voir si Mme Talbot avait réussi dans sa quête, elle prit la fourche de droite.

Elle fit un saut vers l'arrière alors qu'un gros oiseau volait devant elle, descendant en piqué au-dessus du chemin avant de gagner obliquement le couvert des arbres. Pendant une seconde, elle pensa qu'il la frapperait. Était-ce le faucon? Elle leva les yeux et vit un éclair rouge vif. Ce n'était pas le faucon. Il y avait beaucoup trop de faune et de flore autour d'elle à son goût.

Le cercle de joute équestre n'était pas du tout un cercle. Il ressemblait à un terrain de football sablonneux, avec une estrade à une extrémité et un mur de bois à l'autre bout. Des gens excités grouillaient autour et les gradins étaient bondés. Des vendeurs de nourriture criaient pour offrir leurs brochettes de bœuf et leurs cuisses de dinde.

— Voilà, en brochettes, votre nourriture empoisonnée, murmura Keelie, agrippant étroitement son sac.

D'après maman, l'endroit était rempli de voleurs.

Comme elle grimpait la route vallonnée, elle eut une meilleure vue de ce qu'il y avait au-delà et s'arrêta, la bouche ouverte. Des chevaliers revêtus d'une armure galopaient les uns vers les autres sur des chevaux géants, tout comme au cinéma. Pendant un moment, elle n'était plus dans une foire de la Renaissance du vingt et unième siècle. Elle était dans l'Angleterre du seizième siècle.

Les chevaux étaient drapés de tissus brillamment colorés qui ondulaient avec leurs mouvements, et l'armure des chevaliers semblait réelle, même si la plupart paraissaient quelque peu bosselées et usées, plutôt que reluisantes.

Ils tenaient de longues lances de bois, et chaque fois qu'ils passaient, chacun essayait de renverser l'autre en le frappant avec la pôle, ce qui avait pour effet de faire délirer la foule. Des débiles assoiffés de sang — quel concept!

Derrière elle, les oiseaux poussaient des cris funèbres qui concurrençaient les longues trompettes des fanfares, les hurlements de la foule et le bruit métallique des armures et des épées, une confusion de sons qui se répercutaient et qui tourbillonnaient dans son corps.

Son père était tout près. Cet endroit était maintenant censé être son lieu de résidence. Comme c'était effrayant! Elle regarda autour vers les foules qui applaudissaient et les joueurs costumés. Elle ne connaissait personne à part Mme Talbot. Même si elle ne l'aimait pas, elle faisait partie de son ancienne vie, et Keelie voulait se raccrocher à chaque petit morceau de ce qu'il en restait.

Lorsqu'elle partirait, Keelie demeurerait seule dans ce pays enchanté et… insensé. C'est-à-dire, pas vraiment seule. Elle serait avec son père et elle en avait assez entendu parler pour savoir que la vie serait bien plus un cauchemar qu'un conte de fées.

Elle imagina ce qui se produirait si ses amis apprenaient que son père n'était rien de plus qu'un bohémien, un homme qui gagnait sa vie entre les foires de la Renaissance, à se rendre d'un spectacle à l'autre, colportant ses marchandises au public comme certains vendeurs de remèdes de charlatan du *Wild West*. Cette seule pensée la remplit d'embarras.

Lorsque ses amis lui posaient des questions sur son père, elle leur disait qu'il était employé du gouvernement, et qu'il travaillait pour le Service national des parcs, en Alaska. Il se trouvait trop loin pour revenir à la maison. C'était certainement préférable à la vérité. L'Alaska semblait très zen et très plein air, mais ceci… ceci n'avait rien à voir avec la réalité. Elle observa une femme qui passait, transportant des guirlandes de fleurs à vendre comme ornement pour les cheveux. Elle portait un corsage lacé et une jupe flottante. Ces vêtements semblaient constituer la tenue populaire en ces lieux. Certaines femmes portaient leur corsage plus serré que d'autres. Serré comme un parc pour caravanes.

Des gouttes de pluie frappèrent Keelie et elle toucha ses cheveux coupés carrés, doux et brillants depuis sa séance matinale de coiffure avec du gel et un fer à défriser. Maintenant, ils commenceraient à frisotter et à boucler dans toutes les directions. Elle avait perdu une heure pour rien.

Dans les arbres derrière elle, le faucon poussa des cris stridents. Elle songea qu'elle ressemblait au faucon, attachée, les yeux bandés, et à qui on disait quoi faire. Mais peut-être que le faucon était effrayé. Peut-être qu'il avait besoin de la sécurité du bras de l'oiseleur. Qui pouvait le dire ? Personne n'avait demandé au faucon ce qu'il voulait avant de le capturer et de l'apprivoiser. Personne n'avait demandé à Keelie ce qu'elle voulait avant de bouleverser sa vie.

Traînant le sac, elle capta une bouffée d'une délicieuse odeur d'herbe. Pas une effrayante odeur d'arbre. Plutôt comme l'arôme d'un pré au matin, ou c'est ainsi qu'elle l'imaginait. Ses allergies l'avaient éloignée des forêts et des parcs. Elle suivit l'arôme jusqu'à une baraque avec une enseigne de bois où l'on pouvait lire : «Herbes médicinales». À l'entrée, il y avait une plus petite affiche : «Remèdes pour muscles endoloris et mauvaise cuisine». Était-ce une blague ?

À l'intérieur, les étagères étaient remplies de paniers, de bouteilles et de différentes sortes de savons et de lotions. Toute une section était intitulée : «Remèdes à base de plantes». C'est ce qui attira son attention. Elle adorait tout ce qui avait rapport avec la médecine, malgré le fait que sa mère l'aurait prestement éloignée des lieux. Elle lui avait jeté un regard mauvais lorsque Keelie avait mentionné vouloir faire du bénévolat à l'hôpital et lui avait dit de se concentrer sur ses études. Elle voulait dire, bien sûr, ses futures études en droit.

Keelie se sentait coupable d'être dans la boutique, même si sa mère était partie et ne pouvait lui dire de s'en éloigner. Trahirait-elle les désirs de maman si elle ne faisait que regarder un bref instant les teintures et les baumes à base de plantes et en respirer quelques-uns? Les échantillons de flacons déjà ouverts sentaient merveilleusement bon.

La dame responsable de la boutique portait une robe flottante violette, lacée sur le devant avec une corde en cuir argenté. Un tablier immaculé était fixé à sa poitrine avec des épingles droites, et les attaches formaient une boucle derrière sa taille. Ses grandes manches flottantes traînaient presque sur le sol et étaient lacées aux épaules par une corde argentée similaire.

Keelie aurait aimé porter ce type de costume — si elle devait demeurer ici, bien entendu.

— Puis-je vous aider à trouver quelque chose?

Keelie souleva un pot intrigant.

— À quoi cela sert-il?

— C'est une sorte de liniment pour les genoux endoloris.

— Keelie Heartwood, où êtes-vous?

L'appel provenant de l'extérieur fit presque arrêter son cœur de battre. Elle avait oublié Mme Talbot! C'était comme si la voix de sa mère l'avait appelée, lui rappelant que ce n'était pas son monde. La dame aux herbes semblait aussi très surprise, et sembla sur le point de parler.

Keelie ne lui en donna pas la chance. Elle sortit, levant les yeux vers la colline, en direction du son de la voix de Mme Talbot. Elle trébucha sur l'extrémité surélevée d'un pavé plat gris et chuta durement sur les genoux.

Son sac tomba de son épaule et heurta le côté de la pierre, répandant ses affaires en bas de la colline. Keelie bondit sur ses pieds et courut, attrapant ses choses avant que quiconque ne puisse les prendre. Sa brosse à cheveux, remplie de feuilles d'arbres; ses sous-vêtements de rechange, couverts de boue; son journal, en sécurité — Dieu merci! Avec chaque objet qu'elle ramassait, les larmes qu'elle avait combattues plus tôt remontaient un peu plus vers la surface. Aucun plissement des yeux ne pourrait les refouler. Elle passa son bras en travers de son visage et avança la main pour s'emparer de son sac de toilette de plastique transparent.

Une main l'atteignit avant elle, et Keelie leva les yeux vers la personne qui se redressait. Des bottes à hauteur des genoux, des collants vert émeraude, une veste sophistiquée et ajustée, de couleur noir et or, un faucon brodé sur la poitrine et une cape de satin vert et noir.

Quel costume ! Et par-dessus tout, un beau visage qui ressemblait à un surfeur de Californie, blond et bronzé par le soleil.

Le garçon sourit et lui tendit le sac de toilette. Elle le lui prit, incapable de prononcer une parole, hésitant entre une extrême excitation et une honte incommensurable.

— Voici votre sac, Keelie Heartwood.

La femme de la boutique aux herbes avait ramassé son sac en cuir. Les affaires qui n'avaient pas dévalé la colline en émergeaient de manière désordonnée.

— Merci.

Keelie y enfonça ses sous-vêtements avant que le type ne puisse les voir, puis y jeta le reste de ce qu'elle avait réussi à ramasser.

— Avez-vous toutes vos affaires ?

Sa voix était grave et douce.

— Oui. Je veux dire, je ne sais pas.

— J'ai votre miroir.

Elle se retourna. Un homme gigantesque lui tendait son miroir de poche, la petite coquille de plastique bleu entre deux doigts très crasseux. Chaque centimètre de son corps était couvert de boue formant une croûte, et derrière lui, il y avait trois autres hommes tout aussi boueux et crasseux.

Le type à la tête boueuse lui tendit le miroir. Elle avança le bras pour le saisir, et il rit et le lança vers ses copains pleins de boue. Keelie savait qu'il voulait faire une blague, mais tout ce à quoi elle pouvait penser, c'était au matin du dernier Noël, où elle avait trouvé le miroir dans le bout du bas que sa mère avait préparé pour elle. Des miroirs et du rouge à lèvres. C'était une tradition.

Des larmes coulèrent sur ses joues et elle ne les essuya pas. Pourquoi ne pleuvait-il pas pour que tous ces zozos avec leurs trucs stupides et enfantins aillent à l'intérieur et la laissent seule ? Personne ne pourrait voir ses larmes s'il pleuvait, et elle avait l'impression qu'elle pleurerait toute la journée et toute la nuit.

— Eh là, Blurp ! cria le prince derrière elle. Remettez son miroir à la dame, sinon je vous frappe avec mon épée !

Blurp, le type à la boue, rit à gorge déployée, puis tourna les yeux vers Keelie. Quelque chose passa sur son visage. Peut-être du regret, même s'il était trop couvert de boue pour qu'elle puisse le dire.

— Gamin, dit-il, en lui lançant son miroir.

Le prince le nettoya avec son superbe manteau de satin et le lui offrit, s'inclinant à partir de la taille.

Keelie hocha la tête, mais son nez allait couler si elle disait quelque chose, et elle ne pouvait arriver à sourire.

Une fille vêtue d'une jupe à cerceau rose et or avançait malaisément dans la boue, une harpe dorée serrée entre ses bras. Elle jeta un œil méprisant aux types boueux, puis fronça les sourcils vers Keelie et le prince. De longues boucles dorées ruisselaient sur son dos, comme une princesse de conte de fées dans un livre d'histoires.

— Lord Sean des Bois, la reine est à votre entière disposition, dit-elle, toisant Keelie des pieds à la tête.

Lord Sean ? Qu'est-ce que cela voulait dire ?

— Merci, Lady Elia.

Il se retourna vers Keelie, paraissant embarrassé.

— Je dois partir. J'espère que vous avez tout retrouvé.

— Je crois que oui, merci.

Sa voix semblait un peu étranglée, mais au moins les paroles étaient sorties.

— Oh! pauvre enfant, dit Lady Elia, esquissant une moue.

Pauvre enfant? D'où sortait donc cette Elia pour la traiter ainsi d'enfant? Elles semblaient avoir le même âge. Keelie sentit ses yeux se froncer de méfiance. La princesse désinvolte de conte de fées faisait la moue comme quelqu'un qui voulait être admirée. Keelie connaissait ce genre de fille. Ses longs cheveux ondulés et ses yeux verts lui attiraient probablement beaucoup d'attention.

— Avez-vous eu un accident? demanda la fille dorée. Devons-nous appeler la sécurité?

Elle tira sa jupe d'un petit coup sec vers l'arrière comme si Keelie pouvait la maculer de boue. Keelie la détestait déjà.

— Ce n'est pas nécessaire, dit Lord Sean des Bois. Elle dit qu'elle va bien. Je crois que c'est vrai. Exact, Keelie? Je puis vous appeler Keelie, n'est-ce pas?

Avait-elle bien entendu? Keelie hocha la tête avec stupeur, redoutant de le regarder, au cas où elle se serait méprise sur le sens de ses paroles.

— Keelie Heartwood! Venez ici immédiatement. J'ai trouvé votre père.

La voix stridente de Mme Talbot résonna à travers la foule.

— Plus tard, vous aurez le temps de jouer avec vos nouveaux amis.

Jouer? Mortifiée, Keelie se figea. La fille rose et or se croisa les bras et la regarda fixement, les yeux plissés.

Keelie était sûre que l'utilisation du mot «amis» par Mme Talbot était prématurée.

Des murmures se déclenchèrent tout près d'elle.

— Heartwood, crut-elle entendre quelqu'un susurrer.

Elle ne voulut pas écouter ce qu'ils disaient. Abrutie! pensa-t-elle. Elle était une abrutie d'être venue ici et une abrutie de soupirer pour le prince. Lord Sean. Comme si...

Elle virevolta et gravit la colline en courant, essayant de fuir son humiliation. Glissant dans la boue, elle se déplaçait pourtant assez rapidement pour arriver au sommet sans regarder en arrière. Son père était quelque part là-haut, et c'était déjà assez compliqué.

Deux

Mme Talbot se tenait debout au sommet de la colline, dans une expression d'incrédulité, regardant Keelie qui s'approchait. La petite femme brune souriante à côté d'elle ressemblait à la femme du bonhomme en pain d'épice d'un livre pour enfants.

Keelie baissa les yeux sur ses pantalons capri et vit qu'ils étaient tachés de boue. Elle s'arrêta, mal à l'aise, devant l'avocate.

— Je suis madame Butters, de la boutique de thé juste au-delà de la clairière là-haut, dit la petite femme brune. Lorsque je vous ai vue tomber, je me suis dit : *madame Butters, nous devons donner à cette pauvre fille ce qu'il faut pour se nettoyer.*

Elle lui tendit une serviette et un linge mouillé.

Keelie avançait le bras pour prendre le linge quand Mme Talbot dressa la main, les sourcils encore plus profondément froncés qu'avant.

— Vous m'avez retardée de deux minutes, Keelie. Faites davantage attention.

Elle se tourna vers Mme Butters et lui fit un sourire amer.

— Mme Butters, Keelie reviendra bientôt. Elle doit d'abord voir son père. Suivez-moi. Nous avons presque terminé.

Presque terminé, avait-elle dit, comme si Keelie était une tâche à terminer rapidement. Elle ignora les regards et les petits rires nerveux des gens qui passaient près d'elles. Elle devait ressembler à une jeune enfant, sale et réprimandée, courant derrière sa mère en colère.

Mme Butters suivait les passants sur le chemin, paraissant soit se marmonner à elle-même ou leur parler. Mme Talbot fonçait devant, ne leur portant aucune attention.

Keelie entendit une foule qui applaudissait. Le bruit provenait des arbres, et comme elles arrivaient au sommet du chemin, elle vit en bas les drapeaux brillamment colorés du terrain de joute équestre. Les applaudissements provenaient de l'estrade couverte.

Deux chevaliers en armure galopaient l'un vers l'autre sur des chevaux géants, chacun tenant une longue lance. La scène semblait réelle. Keelie ralentit, puis s'empressa de remonter le chemin où les arbres s'éclaircissaient. De là, elle avait une meilleure vue de la bataille en bas. Un chevalier et son cheval étaient vêtus de rayures noires et blanches et son adversaire était tout en vert.

Keelie ralentit encore, certaine qu'ils allaient se manquer. Il semblait trop dangereux de le faire pour vrai. Dans un énorme fracas métallique, les lances des chevaliers frappèrent les boucliers brillamment décorés qu'ils transportaient. Le chevalier en noir et blanc fut renversé, et se retrouva presque allongé sur le dos de son cheval, avant de se redresser sur sa selle de forme bizarre.

Ils l'avaient fait : ils s'étaient vraiment frappés l'un l'autre ! Stupéfaite, Keelie remarqua que la foule était debout, applaudissant et hurlant, comme s'il s'agissait d'une joute de football.

Alors que le chevalier vert faisait tourner son cheval, elle vit un lion dessiné sur le bouclier du chevalier. Il tendit une main cuirassée. Un écuyer au sol lui jeta une lance.

— Keelie Heartwood !

La voix de Mme Talbot flottait au-dessus du bruit de la foule.

Keelie s'arracha de la joute. C'était le meilleur spectacle qu'elle avait vu jusqu'à maintenant.

Elle se précipita vers une clairière comportant plusieurs bâtiments ; non qu'elle tenait beaucoup à en finir avec cette histoire, mais chaque fois que Mme Talbot l'appelait par son nom, tout le monde autour se retournait et regardait dans leur direction.

Il y avait quatre panneaux indicateurs sur le poteau de bois au bout du chemin. Le plus élevé se lisait « La charmille de Roses », puis « Le placard de Galadriel » et « Village Smithy, épées, armures, fers à cheval » ; mais c'est le dernier qui capta l'attention de Keelie. Il se lisait simplement « Heartwood ». Elle jeta un coup d'œil sur sa carte. Sans aucun doute, c'était là. La fin de tout.

Le cœur battant, Keelie pénétra dans la clairière: Devant elle, Mme Talbot attendait, les bras croisés, devant un bâtiment de deux étages en pierre et en bois avec un toit de chaume, directement sorti d'un conte de fées. Il lui paraissait familier et elle comprit immédiatement pourquoi.

Son père lui en avait envoyé une réplique le jour de Noël, l'année de ses cinq ans. Le jouet comportait une maison médiévale de deux étages avec de petits animaux et des meubles. Son père lui avait envoyé une reproduction de sa boutique !

Mme Talbot s'avança dans l'ombre du rez-de-chaussée ouvert de l'immeuble, et un homme grand et mince apparut brièvement près de la lisière ombragée. Keelie ne pouvait voir son visage, mais elle serra son sac encore plus fort contre sa poitrine, comme une couverture rassurante. Ce devait être lui.

Zeke Heartwood. Son père.

Keelie traversa rapidement la clairière et grimpa sur les dalles froides du plancher du bâtiment. Autour d'elle, se trouvaient des meubles en bois et l'odeur de bois débité flottait. Elle sentit la présence des meubles, mais au lieu des sensations indésirables que produisait le bois chez elle, elle eut l'impression d'être entourée d'amis. Des flâneurs étaient encore sur les lieux, et elle s'avança pour s'éloigner d'eux à travers les étroites allées, entre les étalages, cherchant l'homme qu'elle avait aperçu plus tôt.

Tout près, une table luisait comme du miel chaud. Elle était magnifique. Les mains de Keelie tremblaient et sa respiration se fit saccadée. Cela avait probablement plus à voir avec la présence du bois qu'avec la proximité de son père. Elle n'allait certainement pas se remettre à pleurer.

Il fallait en finir. Même si elle vomissait ou se couvrait de cloques, elle ferait cesser ce terrible tremblement. Elle laissa ses doigts tremblants traîner sur le dessus de la table. La surface était soyeuse ; pourtant ses doigts picotèrent à son contact, comme s'ils avaient été éraflés. La vision d'un arbre avec une voûte délicate de feuilles dentelées lui vint à l'esprit. Un aulne, pensa-t-elle. Elle fronça les sourcils et se frotta le bout des doigts pour chasser la sensation. Son don bizarre l'avait vraiment suivie jusqu'ici. Elle pensa que c'était vraisemblablement le fruit de son imagination, mais c'était la réalité. Il n'y avait pas eu beaucoup de bois dans l'avion ou dans la cabine, et elle avait toujours évité les arbres vivants. Impossible de le faire ici.

Excentrique. Un écho de ce qualificatif sarcastique résonnait dans son crâne depuis le jardin d'enfance. Elle avait appris à garder pour elle cet étrange sortilège. Ce n'était vraiment pas utile, tout comme de prédire l'avenir. Elle ne pouvait qu'identifier le bois. Certaines personnes captaient la présence des esprits, elle captait l'essence des arbres.

Le don ne lui avait été utile qu'une seule fois, lorsqu'elle avait étonné sa classe en identifiant correctement tous les feuillus sur le campus sans consulter, en aucun moment, le guide d'identification. Son professeur de biologie avait fait des commentaires sur sa perception unique. Ses amis avaient été impressionnés et avaient cru qu'elle avait bien étudié, mais M. Brooks l'avait observée attentivement. Il avait remarqué qu'elle avait donné le nom après avoir touché l'écorce de chaque arbre. Il était malheureux qu'elle ait ruiné le moment en dégueulant. Elle avait tout juste eu le temps de se rendre derrière un buisson avant de vomir son repas.

Elle enfonça la main dans sa poche pour la cacher, pour arrêter le tremblement. Elle toucha le quartz rose, et le bourdonnement ainsi que le picotement diminuèrent. Était-ce à cause de la pierre ? Elle retira brusquement sa main.

Une boîte à proximité attira son attention ; le grain de son bois était prononcé comme des veines sur une peau pâle. Elle eut très envie d'y toucher. Ses mains se refermèrent en un poing et elle les enfonça de nouveau dans ses poches, saisissant le quartz rose. La sensation du bois diminua de nouveau, lui permettant d'apprécier la beauté des meubles. Elle eut le souffle coupé de plaisir lorsqu'elle vit un ensemble de bancs et de chaises. Des vignes tressées avaient servi à assembler les pièces rustiques, qui ressemblaient ainsi à des meubles extérieurs pour un royaume magique dans la forêt. Des cristaux luisants étincelaient sur les nœuds des branches et dans les fissures créées par les vignes qui reliaient le tout. Elle n'allait jamais plus relâcher la pierre.

Quelque chose de poilu se frotta contre la cheville de Keelie. Surprise, elle poussa un cri et tenta de reculer, puis trébucha. Les mains dans ses poches, elle ne put retrouver son équilibre et atterrit, durement, sur ses genoux. Pas encore, pensa-t-elle, consternée. Son téléphone cellulaire frappa bruyamment le sol et se sépara en deux morceaux boueux. Le quartz rose vola en l'air.

Après un moment, la douleur s'était suffisamment atténuée pour qu'elle puisse recommencer à respirer, même si le bourdonnement était réapparu. Un énorme chat orange s'assit tout près, la regardant avec d'énormes yeux de la couleur des feuilles. Il avait l'air de quelqu'un qui savait, comme s'il reconnaissait Keelie et connaissait la raison de sa présence ici. Et qu'il ne l'appréciait pas, pensa-t-elle.

— Crois-moi, je ne veux pas être ici, marmonna-t-elle, frottant ses genoux endoloris.

Deux chutes en une seule matinée. Elle n'avait pas l'habitude d'être si empotée. Le chat cligna des yeux et regarda au loin avec le désintéressement typique d'un minet.

Keelie s'assit, s'étirant les jambes. La douleur de ses genoux était lancinante et ses pantalons étaient éraflés. Une petite tache de sang avait percé à travers le tissu à l'endroit d'un genou. *Ouch!* Elle craignait de regarder. Une vague de nausée l'envahit. Pas à cause de la vue du sang. Elle était capable de supporter cela. C'était la pression qu'exerçait le bois sur elle. Elle palpa le sol pour retrouver le quartz rose et soupira de soulagement lorsque ses doigts se furent refermés sur lui.

— Ça va?

Elle leva les yeux. Mme Talbot était debout à côté d'elle et la dominait.

— Je survivrai, dit Keelie, ayant quelque peu retrouvé son identité californienne. Mais j'aurai certainement quelques bleus.

Des plaques de boue séchée parsemaient le sol à l'emplacement de sa chute.

— Au moins, j'ai été en partie débarrassée de cette boue.

— Vous ne seriez pas pleine de boue si vous étiez restée avec moi, dit Mme Talbot.

Une main aux longs doigts effilés lui tendait les morceaux de son cellulaire visqueux et couvert de boue. Elle avança le bras pour le saisir, mais le téléphone disparut, et des doigts frais agrippèrent sa main tachée et crasseuse. Elle leva les yeux, éberluée.

L'homme élancé aperçu dans l'ombre était debout à l'endroit où se trouvait Mme Talbot un moment plus tôt. Elle oublia de respirer pendant qu'elle regardait l'image familière et pourtant étrange de son propre visage. Il avait les mêmes yeux d'un vert mystérieux, la même structure osseuse, les mêmes cheveux. Ici se trouvait l'origine de son apparence. Pas maman avec ses cheveux noirs droits et ses yeux bruns en amande. La gorge de Keelie se contracta.

Elle voulait que la chaleur qu'elle voyait dans ces yeux lui soit destinée. Trahirait-elle maman si elle laissait son père la réclamer ? Elle avait souhaité ce moment depuis son enfance. Maman le savait. Keelie déglutit, puis elle prononça le mot.

— Papa.

— Keelie.

Elle sentit ses doigts trembler légèrement contre les siens. Ses grands yeux étaient soudés aux siens comme s'il cherchait à les graver dans sa mémoire. Sa main serra les siennes encore plus fort.

Elle se souvint soudainement de celui qui la tenait à hauteur de son épaule, où elle se sentait en sécurité dans ses bras solides. Comme elle devait être petite pour pouvoir s'asseoir ainsi dans le creux de ses bras… Ils marchaient dans les bois remplis d'arbres géants, qu'il pointait en les nommant, sous la voûte aux vives couleurs automnales de la forêt luxuriante. Il indiquait un aulne et disait qu'une dryade y habitait. Pourquoi se souvenait-elle tout à coup de ce détail?

Le visage de maman passa fugitivement dans son esprit. Elle vit à nouveau la petite ride qui se formait entre ses yeux quand elle désapprouvait quelque chose. Keelie se sentit faible et idiote de s'abandonner à ce besoin d'un père. Simplement parce qu'elle s'apitoyait sur elle-même, ce n'était pas une raison suffisante d'appeler Zeke Heartwood «papa», un mot qui était pour elle aussi rempli d'amour que «maman». Un mot que l'on devait toutefois mériter.

Comme était-ce possible de vouloir l'amour de quelqu'un qui vous avait abandonnée quand vous étiez un petit enfant? Laurie aurait ri d'elle si elle avait été ici. Elle lui aurait dit de ne pas être si avide.

La chaleur lui monta aux joues. Elle ne voulait pas que son père la voie pleurer. Elle retira rapidement sa main de la sienne et se leva. Elle remonta son sac à bandoulière sur son épaule et tendit la main pour récupérer son téléphone cellulaire.

Il examina attentivement son visage avec ses yeux verts de la couleur des bois — la même couleur que les siens, couleur tellement rare que des étrangers lui demandaient si elle portait des verres de contact. Secrètement, elle était fière d'avoir hérité ce trait de son père. Un morceau de lui qui faisait partie d'elle pour toujours.

— Keelie, tu as des yeux magnifiques, disait parfois maman en caressant ses cheveux.

Son regard était distant à ces moments-là. Les yeux bruns de maman pouvaient être froids et sombres, comme de petits éclats de roc, et il était rare qu'elle soit mélancolique.

Son père tendit à Keelie son cellulaire et la batterie. Elle les réunit d'un coup sec et remit le téléphone dans son sac, sans se préoccuper de le nettoyer.

— Où est Mme Talbot?

Il semblait déçu. Parfait. Qu'espérait-il? Une fête de réconciliation?

— Elle est partie, dit-il, toujours agenouillé sur les dalles.

Le sang se retira du visage de Keelie. Ses lèvres semblaient froides et rigides. Mme Talbot ne l'intéressait pas, mais elle était son dernier lien avec la vie qu'elle avait partagée avec sa mère, et maintenant elle l'avait abandonnée à cet absurde spectacle médiéval.

— Elle ne m'a pas dit au revoir, cria-t-elle, et elle détesta le son pitoyable de sa voix.

Son père se leva, la dominant amplement.

— Elle a dit qu'il lui fallait attraper son vol de retour vers la Californie. Ne t'inquiète pas, Keelie, tout ira bien. Je ne te laisserai pas.

— Encore une fois, tu veux dire?

Keelie s'efforça de refouler ses larmes. Le regard blessé de son père lui apporta un peu de réconfort. Elle souffrait elle-même depuis deux semaines. *Prends ça, Zeke Heartwood. C'est ce qui arrive quand tu déracines quelqu'un et que tu l'obliges à quitter sa maison.*

Une femme s'éclaircit la gorge.

— Excusez-moi, mais combien pour ce vaisselier?

Elle regardait Zeke, attendant une réponse.

La femme avait des cheveux blonds décolorés avec un centimètre de racines visibles, et elle portait une veste lacée en cuir, sans blouse dessous, et une longue jupe de cuir. Des tasses, une épée et un petit sac en cuir étaient accrochés à une ceinture noire munie de pointes argentées. Elle portait de larges bracelets de cuir, de style Xena, la princesse guerrière[2], hérissés de pointes argentées.

---

2. NdT : Xena, Warrior Princess - série télévisée américaine – 1995-2001.

Aucune des femmes costumées que Keelie avait vues jusqu'à ce moment n'était habillée de manière aussi extravagante.

Son père sembla observer attentivement la réaction de Keelie, puis se retourna vers la dame.

— Je reviendrai pour répondre à vos questions. Je dois m'occuper de ma fille.

Malgré sa résolution de se montrer moins avide, une boule se forma dans la gorge de Keelie lorsqu'il la désigna comme sa fille.

— Allons à notre appartement, dit-il. Notre appartement.

L'un des joueurs boueux qui l'avait taquinée plus tôt entra dans la boutique. Il transportait un sac d'épicerie en papier d'où dépassait un bout de tissu jaune. Lorsqu'il vit Keelie, il parut penaud.

— Zeke, dit-il, tout en toisant d'un air décontracté la femme vêtue de cuir noir, je croyais que ta fille aimerait emprunter ceux-ci. De constater que les gens peuvent la prendre pour l'un des personnages de *Muck n'Mire* dans son accoutrement, nous avons pensé lui régler son sort.

Il fit un large sourire et tendit le sac à son père.

Zeke l'ouvrit et en sortit une pile de tissus. Il secoua le matériel qui se déplia pour révéler une tunique : elle semblait propre mais paraissait d'un brun miteux tant elle était tachée de terre ; il y avait aussi une énorme jupe longue de couleur jaune. Il la retourna, l'examinant.

Horrifiée, Keelie constata qu'il y avait de grosses empreintes rouges de mains à l'arrière de la jupe. Le dernier article qu'il retira du sac ne valait guère mieux — un corsage violet avec des rubans roses effilochés. Devant et derrière, de gros carrés étaient cousus avec d'énormes points zigzag.

— Ça ne peut être pour moi, murmura-t-elle.

— Il te faudra des costumes pour chaque jour, dit son père. Tu veux t'intégrer, n'est-ce pas ?

— M'intégrer à quoi, au cirque ?

La chaleur gagna ses joues à la pensée de se promener dans ce costume hideux.

Le type à la boue se mit à rire, mais son père fronça les sourcils vers elle comme s'il se rendait soudainement compte que les filles n'étaient pas que des poupées souriantes comme dans *Sugar & Spice. Prends ça*, pensa Keelie.

— Ils sont propres, dit Zeke. Tu n'auras qu'à les porter en attendant de trouver quelque chose d'autre. Merci, Tarl.

— Vous ne laisserez pas cette pauvre enfant porter ce costume de clown en technicolor, n'est-ce pas ?

La pépée blonde décolorée au costume de motard médiéval paraissait outragée.

L'homme à la boue haussa les épaules.

— Peu importe. J'essayais simplement d'aider.

Ouais, pensa Keelie. M'aider à me faire ostraciser. Elle garderait ses vêtements normaux pour toujours, si elle le devait. Mais la boue séchée qui collait à sa peau commençait à lui donner des picotements. Elle donnerait tout pour une douche chaude.

— Mon chéri, tu ne feras que la couvrir de ridicule si tu lui fais porter ces guenilles. Elle a besoin d'un costume décent.

La blonde croisa le regard de Keelie et lui fit signe de la tête. *Les hommes*, semblait-elle dire.

Keelie lui sourit pour la remercier de son aide, même si sa conception de vêtements décents était probablement illégale quelque part. Amusant que le cauchemar à la dernière mode sur deux pattes se range de son côté. Elle promena son regard de l'homme boueux à son père puis à la pépée au costume de motard. Elle ne s'adapterait jamais à ces gens. Et elle ne voulait pas vivre dans un univers de facticité, de comédie et de déguisement.

La motarde médiévale commença à s'éloigner, examinant les meubles un à un. Zeke semblait soulagé. Tarl, l'homme à la boue, la suivit des yeux.

— Je suis installé au Shire! lui cria-t-il. La grosse tente Viking, c'est la mienne, avec le dragon de bois sur le devant. Venez plus tard prendre une bière.

La femme le regarda des pieds à la tête.

— Certainement. Je viendrai. Après la tombée de la nuit, d'accord?

Keelie avait la nausée. La pensée de ces deux anciennes reliques peu attrayantes en train de le faire était trop répugnante.

Zeke ne sembla rien remarquer de bizarre.

— Merci pour les vêtements, Tarl, redit son père. Je te suis reconnaissant d'être venu à la rescousse.

Il échangea un regard entendu avec Tarl, le dingue boueux.

Que se passait-il? Peut-être était-ce parce que Zeke était maintenant encombré d'une fille? Une sorte d'affaire «entre nous les gars»? Ou peut-être que cela avait à voir avec la motarde de la Renaissance?

Keelie jeta un coup d'œil dans la boutique à la clientèle féminine, qui regardait à l'occasion son père avec des regards affamés. Ouais, elle gênerait vraiment son style de vie.

Tarl, l'homme à la boue, adressa à Keelie un sourire qu'elle ne lui rendit pas. Elle se détourna et fit semblant de contempler ses ongles, puis remarqua que la terre avait formé une croûte sous son manucure français. Ouille!

— Je te verrai plus tard, Zeke. Et vous aussi, Keelie.

Keelie fit comme si elle ne l'avait pas entendu. Elle savait qu'elle se comportait comme une sale gosse, mais ça lui était bien égal. *Laissons le vieux Zeke imaginer dans quoi il s'était embarqué.* Peut-être qu'il l'expédierait là d'où elle venait, comme un chiot de Noël devenu trop gros. Elle s'imagina arrivant à LAX avec une note épinglée à sa blouse : «Désolé. J'ignorais que les filles pouvaient être aussi détestables.»

Elle fit courir ses mains sur une chaise de bois, geste qui déclencha un bourdonnement d'énergie sous sa main. Elle retira prestement sa main et regarda fixement la chaise. Sa réaction au bois était bien pire ici. Maman disait que cette allergie provenait du côté paternel de la famille. Ce n'était certainement pas le bon moment pour s'en enquérir. Elle pouvait constater qu'elle avait vraiment cassé les pieds au paternel.

— Laisse-moi te montrer où tu habiteras, dit son père.

Il semblait fatigué.

Non, maintenant, ce n'était vraiment pas le moment de poser des questions.

— Viens, tu pourras te changer en haut.

Il lui tendit le sac d'épicerie rempli des affreux vêtements.

À contrecœur, elle l'accepta. Non qu'elle ait projeté de se changer. Pas dans ces vêtements. Pas dans le rôle de sa fille. Elle était la fille de sa mère. Elle serait toujours Keelie Hamilton. Elle était condamnée à être une Heartwood, mais il ne s'agissait que d'un autre nom pour elle. Elle était la fille de Katherine Hamilton.

— Qu'est-ce que le Shire?

— Ce n'est pas un endroit pour toi.

Il fit un signe de tête à une femme qui passait près de lui.

— C'est le camping pour les travailleurs de la foire qui n'ont pas d'espace pour dormir dans leurs boutiques.

— Pourquoi ne puis-je y aller?

— Parce que je l'ai dit.

Elle rit. Il s'arrêta et la regarda.

— Quoi? Tu crois que tu peux me dire ce que je ne peux pas faire? Te fais pas d'illusion, le paternel.

— Je sais qu'ici c'est très différent de Los Angeles. Mais tu ne sais pas vraiment à quel point c'est différent. Jusqu'à ce que tu t'y sois familiarisée, il est préférable que tu restes aux alentours de la maison.

— Ma maison est au 125, Hemlock Drive, Los Angeles, en Californie. J'aimerais rester dans les environs de ma maison, Zeke.

Ses épaules se tendirent, mais il se retourna et se mit à marcher.

Pendant qu'elle suivait son père à travers le labyrinthe de meubles, elle passa mentalement en revue une liste de ses objectifs de vie : terminer ses études collégiales, aller à l'université, puis à la faculté de droit. Elle deviendrait une avocate, comme maman l'avait toujours voulu. Peut-être serait-elle une associée un jour. Cela avait toujours été le rêve de maman et elle se ferait une fête lorsque cela arriverait.

— Mme Talbot t'a-t-elle parlé de mes bagages ? demanda-t-elle. La stupide compagnie aérienne les a égarés.

Ses possessions les plus précieuses se trouvaient à l'intérieur de ses valises. Les objets tangibles qui la reliaient à maman : la combinaison-pantalon que portait Keelie le premier jour du jardin d'enfance, Boo-Boo son lapin en loques, et les albums avec les photographies de maman. Elle ne croyait pas pouvoir les regarder maintenant, mais elle voulait les ravoir.

Il haussa les épaules.

— Elle m'a remis ton dossier. Nous n'avons pas vraiment eu le temps de parler. Elle a dit que tout ce dont j'avais besoin se trouvait dans la chemise : carnet de vaccination, acte de naissance et bulletins scolaires.

Des larmes soudaines tremblèrent sur ses paupières inférieures. Elle agrandit ses yeux à quelques reprises pour répandre les larmes et ne pas avoir à les essuyer. Tout ce dont elle avait besoin de savoir sur elle dans une chemise ? Il ne connaissait rien d'elle. Il avait manqué une grande partie de sa vie. Maintenant, l'avocate de sa mère avait réduit son existence à trois morceaux de papier. Keelie tourna la tête. Elle ne pleurerait pas. Elle refusait de laisser son père la voir pleurer.

Le tonnerre gronda et la pluie gicla sur le sol saturé. Du côté du cercle de joute équestre, les gens de la foule applaudissaient, trop excités ou trop idiots pour se mettre à l'abri de la pluie. Keelie se demanda si son chevalier doré avait gagné.

Des éclairs zébrèrent les nuages noirs, leur luminosité l'aveuglant pour une seconde. Le feu la brûla. Elle eut l'impression que sa tête se fendait en deux.

— Au secours! cria-t-elle. Dans le pré — le feu!

Vaguement, elle vit son père qui la fixait, la bouche ouverte.

— Quoi? Du feu, où?

Keelie se prit la tête, essayant de calmer la douleur.

— Il y a un arbre en feu. Dans le pré. Il appelle à l'aide.

Son père partit en courant, la laissant là, seule, et sans une aspirine. Que se passait-il? Recevait-elle des messages vocaux des arbres maintenant? Où diable était ce pré?

Elle s'assit sur le plancher de dalles, se méfiant des chaises de bois tout près, ne voulant pas risquer qu'elles envoient des messages à travers son postérieur. Elle ignorait où aller; elle attendrait donc que son père revienne. Elle connaissait sa position sur sa liste de priorités. Tout en bas.

Aussitôt qu'elle le pourrait, elle téléphonerait à Laurie et mettrait leur plan à exécution. Il fallait que Keelie retourne en Californie.

Trois

— Alors, comment dois-je t'appeler? Zeke? Lord Heartwood?

Keelie était assise sur le sofa vert rembourré, emmitouflée dans une courtepointe couleur de feuilles, une tasse de thé chaud entre les mains. Sa chevelure mouillée hirsute lui chatouillait les joues pendant qu'elle examinait l'appartement au-dessus de la boutique.

Il avait fallu deux heures à son père pour revenir et cela l'aurait bien servi si elle était morte de pneumonie. Au moins, elle serait avec maman.

— Appelle-moi papa.

— Ça va pas?

— Je suis ton père tout de même.

— Bien, tu n'agis pas comme si tu étais un père. Pourquoi es-tu parti comme ça? Ce n'était qu'un idiot d'arbre?

Son sourire s'évanouit.

— Comment pouvais-tu savoir que l'arbre était en flammes ? As-tu vu la foudre le frapper ?

Keelie fut soulagée qu'il ait fourni la réponse.

— Ouais ! Et j'ai vu de la fumée.

Il ne paraissait pas la croire.

— J'ai couru parce que le feu ici, c'est très sérieux. Nous habitons dans une forêt. Si l'incendie s'était répandu, nos vies auraient été en danger.

— Oh ! C'est la première chose sensée que j'ai entendue dans cet endroit loufoque.

De la fenêtre à côté d'elle, elle pouvait voir l'arène de joute équestre en bas de la colline. Les jouteurs étaient partis et le terrain était vide, sauf deux ou trois ouvriers qui ramassaient les ordures.

Elle se demanda si son chevalier doré avait gagné et l'imagina en train de se pencher pour recevoir un baiser de la fille à la parfaite chevelure dorée. Elle fronça les sourcils. Mauvaise image. Elle avait plutôt besoin de l'imaginer en train de l'embrasser, elle.

À quoi pensait-elle ? Elle ne serait pas ici assez longtemps pour lui tenir la main, encore moins pour l'embrasser.

— Donc, qu'est-ce que ce sera ? Papa ?

Son père cherchait toujours une appellation.

Elle l'avait déjà appelé papa, mais c'était une erreur. Elle avait été emportée sur le moment. « Papa » semblait si intime, si près. Tout ce que les deux n'étaient pas.

— Et que dirais-tu de père, alors ?

Il prit sa propre tasse, ornée d'un motif de feuilles.

— Cérémonieux, mais acceptable, dit-elle. Lorsque je parle de toi à quelqu'un d'autre, préfères-tu Zeke ou Lord ou quelque chose du genre ?

Il lui fit un large sourire.

— Lord ou quelque chose du genre ? Maintenant, lequel de nous deux est cérémonieux ?

Elle lui rendit son sourire. Malgré sa récente propension à la noirceur, elle était habituellement assez gentille. Et cela lui faisait plaisir qu'ils aient leur première conversation normale. Elle ne voulait pas qu'il soit complètement en dehors de sa vie. Où irait-elle pendant les vacances?

Elle se demanda quelle sorte de spectacle absurde il y avait à la célébration de l'Action de grâces. Cela inclurait probablement cette malfaisante boule de poils.

Après le retour de son père, elle était tombée dans une flaque de boue, alors qu'elle s'apprêtait à monter l'escalier de la boutique. Ses pantalons capri étaient trempés, maculés de vase brune, tout cela parce que ce stupide chat de boutique l'avait de nouveau fait trébucher. Par exprès, elle en était sûre.

Alors qu'elle était assise dans la boue froide, son sous-vêtement collé à la peau, elle avait vu le chat monter en courant les marches, devant son père qui l'avait regardé sévèrement, avant que le chat ne saute gracieusement en bas pour la rejoindre.

Son père tendit le bras pour gratter les oreilles du chat, qui leva le menton et ronronna, les yeux fermés.

— Que se passe-t-il avec ce chat? J'ignorais que tu en avais un.

Zeke soupira comme s'il était déjà épuisé de l'avoir sur les bras.

— Tu dois faire attention à Knot. C'est un chat sournois.

Elle regarda son père, surprise qu'il ait un chat. Il avait eu le temps de s'occuper d'un chat, mais pas d'une fille.

— Tu sais que maman était allergique aux chats.

— C'est ce qu'elle disait.

Il ne semblait pas convaincu. Donc, maintenant maman était aussi une menteuse?

— Knot est différent de la plupart des chats. C'était le seul chat que ta mère pouvait caresser.

Un souvenir lointain le fit sourire.

— Nous étions une famille heureuse, que tu le croies ou non.

Elle eut la chair de poule. Une famille heureuse. Keelie regarda le visage de son père et vit la douleur dans ses yeux. Peut-être qu'à une époque ils avaient été une famille heureuse, mais il avait tout gâché lorsqu'il était parti. Toute chance pour eux deux de former à nouveau une famille heureuse était ruinée à cause de cette réalité. Après treize ans de *rien*, il ne méritait pas d'être appelé papa ou père. Elle l'appellerait Zeke.

Le chat ouvrit les yeux et la regarda, presque comme s'il lui lançait un défi. Les chats pouvaient-ils être intelligents ? Elle aurait voulu le chasser par la fenêtre, d'un coup au derrière.

Le chat était une relique de son enfance, remontant au temps où maman et papa étaient ensemble. Elle regarda à nouveau fixement le chat malfaisant. Il ne semblait pas aussi vieux. *Combien de temps vivent les chats ? — Knot doit être vraiment vieux.*

— Très. Mais il vient d'une lignée de chats qui vivent longtemps. Il pourrait nous survivre.

Son père sourit.

— L'hypothermie tue des millions de gens chaque année, Zeke. Je pourrais être la prochaine victime.

— Il y a une grande baignoire dans la salle de bain, dit-il en pointant la seule vraie pièce de l'appartement. Tu peux laver tes vêtements dans l'évier. J'ai déposé le sac avec le costume de Tarl près de ton lit. Tu n'auras pas à le porter longtemps, seulement jusqu'à ce que nous récupérions tes bagages de la compagnie d'aviation et que nous te trouvions des atours décents.

Elle se plissa le nez au souvenir du hideux costume boueux.

— Merci... Au moins, ils sont secs. Qu'est-ce qu'un atour ?

— C'est comme ça que nous appelons les costumes que nous portons ici. Étant donné qu'il s'agit d'une foire de la Renaissance, tu dois porter des costumes de la Renaissance, au moins le jour où le *populo* est sur les lieux.

— Le *populo*? Cela ressemble à une maladie.

Il rit.

— Ça peut sembler en être une en effet. Mais c'est ainsi que nous désignons les visiteurs.

— Oh!

Elle mit un univers de sentiments dans cette seule petite syllabe.

Il la regarda, silencieux.

— Bien sûr, nous les appelons aussi notre pain et notre beurre, et nous sommes toujours polis envers eux. Courtois, en fait.

— Je ne l'oublierai pas.

Croyait-il qu'elle était un bébé? Elle porterait le costume de clown jusqu'à ce que son pull et ses pantalons capri soient lavés et secs. L'annonce de son refus de s'habiller comme les internés de cet asile pouvait bien attendre.

Entre-temps, elle téléphonerait à la compagnie d'aviation et prendrait sa voix d'avocate pour demander qu'ils retrouvent ses bagages et les lui rendent. Maman serait fière de son allant, de sa fermeté, et du fait que Keelie se voit déjà comme une avocate.

Elle se servirait de la voix d'avocate pour garder les habits du *populo* aussi. Il n'était pas question pour elle de jouer la lilliputienne du Magicien d'Oz.

Son père descendit et elle se leva d'un bond pour examiner sa nouvelle maison. Maison temporaire, se rappela-t-elle. Le salon principal était une pièce ouverte, claire et spacieuse. Des carillons éoliens étaient accrochés à quatre énormes madriers de bois qui traversaient le plafond. Des tapisseries remplies de licornes et de fleurs étaient suspendues aux murs blancs. Des rideaux isolaient deux sections, formant des chambres privées. Le premier rideau était ouvert et maintenu par un cordon à glands de soie. À l'intérieur, il y avait un grand lit de bois au matelas élevé et recouvert d'oreillers colorés. Un sac en papier quelconque était posé par terre, à côté du lit, une main rouge clairement visible sur le tissu jaune émergeant sur le dessus.

Elle inspecta la pièce sans rien toucher, ses yeux sautant d'une chose à l'autre, essayant de tout saisir à la fois. C'était comme si elle marchait dans une maison de conte de fées.

Un sentiment d'appartenance et de liberté monta en elle, même si cet endroit différait totalement de sa maison en Californie. Maman préférait les meubles foncés en cerisier, qui avaient appartenu à sa grand-mère Jo. Les énormes meubles avaient toujours semblé tellement étouffants, et ils n'étaient pas amicaux. Elle les avait évités, préférant le chrome et le style rétro de sa propre chambre.

Les carillons tintants produisaient une musique continuelle, un chant réconfortant. Elle sourit. Maman aurait dit que c'était rempli de courants d'air.

Keelie remarqua un ensemble de photographies encadrées, sur une table de coin. Elle s'en approcha et prit un cadre ayant des cœurs gravés sur la partie supérieure. Keelie, âgée de six ans, lui souriait, fière de sa dent manquante.

Toutes les photographies la représentaient. Il y avait chaque photo d'école prise d'elle depuis le jardin d'enfance, dont sa photographie de neuvième année de l'an dernier.

Elle se retourna au moment où la porte s'ouvrait derrière elle.

— Keelie, je serai à une réunion près des barrières avant, jusqu'à très tard, et alors nous pourrons parler, dit papa. Si tu as faim, prends quelque chose dans le réfrigérateur. Ne t'éloigne pas. Il fait sombre assez tôt.

Keelie pivota sur ses pieds nus.

— Tu retournes travailler ? Je viens juste d'arriver.

Elle voulait être seule, mais il lui semblait injuste de sa part qu'il la laisse là. Bien sûr, il était bon à ce jeu. Il l'avait bien pratiqué !.

— Je veux aussi passer du temps avec toi, mais il y a une réunion des vendeurs de la foire.

— Je suis si désolée que maman ait choisi ce moment si peu opportun pour mourir, cria-t-elle.

Elle se figea, choquée. Elle n'était pas une hurluberlue déchaînée. Que lui arrivait-il ?

Il parut abasourdi.

— Non, Keelie, ce n'est pas du tout ce que je voulais dire.

Son visage lui faisait mal à force de retenir la dernière ronde de larmes.

— Va-t-en, d'accord ? J'ai besoin d'être seule.

Elle sanglota et déglutit avec effort pour empêcher le prochain sanglot de remonter à la surface.

— Quand tu seras habillée, tu pourras aller explorer, dit-il. Il y a beaucoup de choses à voir, même si tout est fermé. Reste loin du Shire.

Il soupira.

— Si tu le désires, tu peux aussi rester ici. Mme Talbot avait annoncé ton arrivée pour la semaine prochaine, donc je ne suis pas prêt pour t'accueillir, mais étant donné que tu es là, nous devons nous arranger. C'est ma responsabilité de prendre soin de toi, et cela inclut l'aspect financier, donc mon commerce. C'est ce que je voulais dire, Keelie. Tu n'es ni un fardeau, ni un inconvénient.

Il marcha vers elle et l'embrassa sur la joue. Elle accepta le baiser, mais évita de le regarder. Elle avait vraiment besoin de solitude — son estomac gargouilla — et de nourriture. Elle avait faim et se sentait confuse.

Après son départ, elle trouva la petite salle de bain derrière une porte de planches. Un énorme bain sur pattes munies de griffes comportant une douchette occupait la

majeure partie de la pièce, de même qu'un évier de porcelaine étincelant, la cuvette peinte avec des feuilles vertes
enroulées. Elle trouva des serviettes propres dans un panier
et du savon parfumé à la lavande dans le bain. Voilà qui
était beaucoup mieux. Cela lui rappelait les salles de bain au
Chico Hot Springs, où elle avait pris des vacances avec sa
mère.

Elle mit beaucoup de temps à se laver, mais enfin elle
n'était plus tachée de boue. Elle avait l'impression d'être une
personne différente, particulièrement après avoir revêtu les
stupides vêtements que l'homme à la boue lui avait prêtés.
Tout comme elle l'avait soupçonné, elle avait l'air d'une
folle. Elle songea à la fille magnifique avec la jupe à cerceaux
rose et or, aux cheveux dorés parfaitement coiffés, celle qui
embrasserait Sean le chevalier doré. Keelie baissa les yeux
sur les rubans roses effilochés de son corsage violet. Elle
regarda par-dessus son épaule. Les empreintes de mains
rouges sur son postérieur brillaient presque sur la jupe
jaune. La blouse était miteuse, mais propre. Au moins sa
peau était débarrassée de la boue croûteuse. Elle aurait dû
apporter un vêtement de rechange.

Elle tenta de défaire les nœuds de ses cheveux avec ses
doigts. Son aérosol pour démêler ses cheveux se trouvait
dans ses bagages, tout comme son shampoing, son assou-
plisseur, son fer à défriser et son gel. Sa tête était couverte
de boucles et de frisettes à cause de l'humidité de l'air. Elle
passa ses doigts dans une mèche de ses cheveux bruns. Sauf
pour la femme au hibou, personne à ce festival ne portait de
cheveux courts, ce qui était bien. De toute façon, elle ne
voulait pas s'intégrer à la place.

Keelie se toucha la joue à l'endroit où son père l'avait
embrassée. Elle s'était sentie bizarre. Elle n'avait même pas
tenté de s'éloigner. Toute la journée avait été dingue. Parfois
elle voulait se sauver, retourner à la civilisation, et d'autres
fois elle voulait être une petite fille dans ses bras. C'était

probablement une réaction au stress causé par la mort de sa mère et le déménagement.

Peut-être que ce dont elle avait besoin, c'était de rester occupée et de continuer à bouger pour ne pas trop avoir à réfléchir. Car réfléchir pourrait raviver des pensées au sujet de sa maman, et de sa vie bouleversée, et alors les larmes recommenceraient.

Elle jeta un coup d'œil par la fenêtre à panneaux multiples qui donnait sur le cercle de joute équestre. La pluie avait cessé et les jouteurs pratiquaient dans les ombres croissantes du terrain tout en bas. Maintenant que la foire était fermée, elle décida de vérifier ce qui se passait après les heures d'ouverture, bien que tout ce qu'elle voulait, en fait, c'était de voir si Sean était là, sans la princesse Elia à la chevelure parfaite.

Elle baissa les yeux sur ses pieds. Pas de chaussures, mais si elle marchait sur des plaques d'herbe, ses pieds demeureraient alors propres, ou au moins dépourvus de boue. Après tout, le terrain de joute équestre était pratiquement à côté. Elle regagna en courant la salle de bain où elle avait laissé ses vêtements sales sur le sol. Ses pantalons capri étaient un désastre, mais elle n'allait faire la lessive que plus tard. Elle fouilla dans la poche pour trouver le quartz rose et le glissa dans son soutien-gorge. Par chance, la partie supérieure était suffisamment ample pour que personne ne puisse voir la bosse bizarre.

Une rapide recherche dans la minuscule cuisine lui apprit qu'il n'y avait pas grand-chose à manger, mais elle découvrit une boîte remplie de biscuits à l'avoine. Parfait. Elle en fourra un dans sa bouche et en prit deux autres, puis fit claquer la porte derrière elle et descendit avec précaution les marches de bois, ses orteils nus picotant. Du pin jaune de Georgie.

Descendre la colline en sautillant d'un carré d'herbe verte à un autre était plus difficile qu'elle ne l'avait prévu.

Lorsqu'elle arriva à un endroit où le prochain carré était à plus d'un mètre de distance, Keelie regretta d'avoir abandonné ses cours de ballet. Elle bondit et atterrit au beau milieu d'une flaque. Heureusement, il n'y avait pas de boue. Le terrain de joute équestre était indiqué sur l'enseigne voisine de l'estrade, qui avait été plus tôt remplie de touristes. Le *populo*, dans le jargon local. Partout autour d'elle, les armures émettaient un son métallique, les chevaux et les conducteurs s'appelaient les uns les autres, et les harnais cliquetaient. Elle se demanda de quel côté était le Shire. Sa carte du site, trempée comme toutes ses affaires, était au fond de son sac à main, à l'appartement. Le camping des ouvriers n'y était probablement pas indiqué.

Deux chevaliers en armure, casque enlevé, passèrent bruyamment, aussi boueux que l'avait été Keelie plus tôt. Ils ne semblaient pas s'en préoccuper. L'un d'eux lui fit signe de la main au passage. Elle n'eut même pas le temps de lever la main pour retourner le geste qu'ils étaient déjà partis.

Deux massifs d'herbe poussaient entre elle et la barrière de bois brut à l'extrémité du terrain. Un cheval géant était attaché à l'un des poteaux. Il tourna sa tête massive et la regarda directement, puis il la salua d'un geignement.

On aurait presque dit qu'il voulait faire connaissance. Elle ne s'était jamais approchée si près d'un aussi gros animal, mais elle n'était pas effrayée. Keelie évalua la distance vers le prochain massif et sauta, mais manqua son coup. L'eau gicla tout autour.

Le cheval secoua la tête comme s'il l'approuvait, et Keelie éclata de rire. Elle s'arrêta, étonnée, prenant conscience que c'était la première fois qu'elle riait depuis bien des jours.

Dans l'eau à la hauteur des chevilles, elle gloussa. Le cheval la frôla avec son nez, et elle le caressa.

— Heureuse de te rencontrer, moi aussi, dit-elle.

Elle lui offrit un biscuit à l'avoine.

Le cheval le mâcha bruyamment. Les chevaux aiment les biscuits. Qui l'aurait deviné ?

— J'aurais dû savoir que vous étiez l'une des personnes boueuse.

Keelie se retourna et vit mademoiselle Boucles d'or à la parfaite chevelure bras dessus bras dessous avec Sean. Elle les vit contempler longuement l'empreinte de main à l'arrière de sa jupe.

Elle décida de leur faire front. Elle leur tendit sa main droite.

— Salut, encore une fois. Nous ne nous sommes pas convenablement présentés. Je suis Keelie Heartwood. J'habiterai en haut de la colline avec mon père.

Cela semblait étrangement bon de dire cela.

Lord Sean salua, souriant.

— Je suis Lord Sean des Bois et voici Lady Elia.

La fille baissa les yeux avec dédain sur la main tendue de Keelie.

— Les dames font la révérence, Katy.

Elle se baissa gracieusement et déploya en éventail les plis de sa jupe rose.

— Comme ceci.

— Oh ! Comme ceci ?

Keelie rassembla délicatement sa hideuse jupe jaune dans ses mains, se baissa, étendit son pied gauche, puis le plaqua délibérément dans la boue devant elle. De la boue visqueuse gicla dans toutes les directions.

— Oh ! vous, empotée ! hurla Lady Elia, étendant son ample jupe, inspectant les plis pour repérer des taches. Les yeux remplis de haine de la fille se tournèrent vers Keelie, fixant ses vêtements vulgaires et mal assortis.

— Vous l'avez fait exprès, persifla-t-elle. Et vous le regretterez.

— Je suis déjà désolée. Et je m'appelle Keelie.

Elia partit d'un air digne, le nez en l'air.

— Venez, Lord Sean. Il recommencera à pleuvoir dans quelques secondes.

Sean regarda fixement Keelie, luttant pour réprimer un large sourire.

— Lady Elia déteste être trempée.

— J'ai entendu dire cela des sorcières. Ne fondent-elles pas dans l'eau ?

L'un des chevaliers rassemblés tout près s'esclaffa. Sean haussa les épaules et suivit Elia.

Le tonnerre grondait au-dessus d'eux. Keelie retira vivement le quartz de sa cachette dans son soutien-gorge, le tenant serré au cas où elle capterait un autre message d'un arbre. Le ciel s'était assombri à nouveau et le vent fouettait violemment les branches hautes dans le ciel. La petite foule se dispersa, et un conducteur arriva pour amener le cheval attaché au poteau.

Comme de grosses gouttes de pluie commençaient à frapper le sol, Keelie se retrouva seule. Il n'y avait aucune trace du monde réel. Le ciel gris cachait tout avion, les seuls bruits étant la pluie et les cris distants des ouvriers de la foire s'activant pour fermer leur boutique pour la journée. Aucun signe de sa mère ou de Mme Talbot ou de son ancienne vie.

Ce qui restait, c'était cette place verte, étrangère et mouillée, qui ressemblait si peu à la Californie qu'il lui fallait un guide pour se repérer, et remplie de gens qui n'avaient aucune envie qu'elle soit là.

La pluie tombait à seaux, plaquant ses cheveux sur sa tête. Son costume pendait en lourds plis, ses jambes demeurant toutefois toujours chaudes et sèches sous les couches de tissu.

Lentement, elle entreprit de gravir la colline, s'éloignant du cercle de joute équestre abandonné, sans chercher à éviter les rigoles soudainement formées, ses pieds nus pataugeant au hasard à travers la boue et l'eau.

Keelie devait accepter le fait qu'elle était coincée. Coincée dans l'enfer médiéval… mais elle n'y resterait pas longtemps.

Quatre

Keelie était plus que trempée, mais elle s'empressa tout de
même de gagner l'abri de la boutique de son père. D'autres
gens se hâtaient pour se mettre à couvert de la pluie.
Comme elle tournait sur le chemin conduisant à la boutique,
elle vit le visage familier de la fille gothique qui avait donné
des indications à Mme Talbot un peu plus tôt. Elle semblait
aussi se diriger vers le même endroit. Keelie entra en courant dans la boutique de meubles assombrie, soulagée d'être
protégée de la pluie. La fille arriva une seconde plus tard,
éclaboussant le plancher.

— Un peu plus tôt, avez-vous trouvé que votre père
allait bien?

Elle enleva le capuchon de sa grande cape.

— Zeke? Certainement qu'il allait bien. Je suis Keelie.

Elle lui tendit la main et la fille la serra. Sa main était
froide et humide.

— Je suis Raven. Ma mère est propriétaire de la boutique d'herbes médicinales tout en bas de la colline.

— Raven. Un nom cool.

La fille haussa les épaules.

— C'est un boulet dans mon cours de commerce. Personne ne me prend au sérieux.

— À quelle école de commerce vas-tu ?

— Je vais à l'Université de New York, à Manhattan. Toi ?

— Je commence le collège. Je suis de Los Angeles. J'ai l'intention d'entrer à la faculté de droit, à l'Université de Californie.

— Cool. La ville te manque ?

— De la pire des façons. Comment t'arranges-tu avec toute cette étrangeté médiévale ?

— J'ai grandi sur le circuit de la foire. D'une certaine façon, je l'aime. C'est mon chez-moi. Mais j'adore Manhattan.

Manhattan. Maman y était allée plusieurs fois par affaires et avait promis d'y emmener Keelie un de ces jours.

— Sais-tu où se trouve le Shire ?

— J'y allais. Toute une fête. Tu veux venir ?

Enfin les choses tournaient en sa faveur. Une nouvelle amie, étudiante à l'université en commerce, rien de moins, et elle savait où avait lieu la fête.

— Certainement, j'adorerais.

Raven se dirigea à l'arrière de la boutique.

— Où vas-tu ?

Keelie ne croyait pas que sa nouvelle amie devrait s'introduire ainsi dans la boutique de son père. À moins que — mais non, Zeke ne choisirait pas quelqu'un d'aussi jeune. Elle l'espéra.

— Ton père possède de grandes capes qu'il a rangées ici dans son atelier. As-tu déjà rencontré Scott ?

— Qui est-ce ?

— L'assistant de Zeke. Tu…aimeras Scott.

Elle tendit à Keelie une grande cape noire, puis l'aida à attacher le capuchon au niveau de son cou.

— Sera-t-il à la fête ?

Elle releva le capuchon, se sentant comme un moine. Une paire de bottes de randonnée usées reposaient près de la porte de l'atelier. Keelie y enfonça ses pieds nus, heureuses qu'elles soient sèches.

— Il est préférable que non. Scott le dirait à ton père. Mais c'est vraiment un bourreau de travail. Il est probablement endormi bien au chaud quelque part.

Raven rit et releva son propre capuchon. Elles sortirent sous la pluie battante.

— Pourquoi le dirait-il à mon père ? Euh ! à Zeke ?

— Il est tellement lèche-bottes. Et c'est garanti : Zeke ne voudra pas que tu fasses la fête avec les gens du Shire. Ça peut devenir délirant là-bas.

— Délirant comment ?

Elle pensa à Sean, entortillé dans des draps avec une femme. Pas Boucles d'or. Cela lui faisait mal, seulement d'y penser.

— Boire, flirter, se battre. Les choses habituelles.

— J'ai rencontré un type cool plus tôt. Lord Sean des Bois. Tu le connais ?

Raven s'arrêta et lui jeta un regard à la Darth Vader.

— Ouais ! Je le connais.

— Et… ?

— Et rien. C'est un pauvre type. Et tu ne verras pas Lord Sean affichant ses grands airs ou des gens de son genre au *Shire*. Ils ont leur propre camping privé.

— Qui se trouve où ?

— Dans les bois. Tu ne peux pas y aller. Ils détestent la compagnie. Tu crois qu'ils sont impolis en public ? Va frapper à leur porte pour voir.

Le chemin qu'elles suivaient traversait une forêt sombre. Keelie s'accrocha à la cape de Raven et tenait le quartz de l'autre main. Ses bottes détachées lui battaient les chevilles.

— Raven, je ne vois rien.

— Ne t'inquiète pas. J'ai pris cette route un million de fois depuis mon enfance. Reste tout simplement sur le chemin. Si tu pénètres dans les bois, tu ne sauras pas où tu es avant que ce soit le matin.

Keelie frissonna.

— Tu vois l'espace ouvert à gauche ?

— Non, juste de l'obscurité et de la pluie.

— Il y a un grand pré à cet endroit. D'abord nous traversons le pont. Entends-tu le ruisseau ?

— Non. Juste la pluie.

— Écoute, idiote.

Elle entendit un gargouillis sous le son de la pluie.

— D'accord, je crois que j'entends le ruisseau.

— Parfait, une fois que tu l'entends, le pont est juste devant. Tu traverses le pont, tu fais cinq pas. Puis le pré est à gauche. Tu passes devant la grosse pierre. Cinquante pas vers le camping. À ce moment, tu vois les lumières du camp.

Elles traversèrent le pont, les bottes de Keelie résonnant lourdement sur les planches et un écho vibrant sous leurs pieds.

— Heartwood.

La voix fluette et aiguë semblait provenir d'en dessous. Keelie tira sur la cape de Raven.

— As-tu entendu ?

— Non.

— Quelqu'un a prononcé mon nom.

— Tu t'effraies facilement. Ça doit être amusant de voir un film d'horreur avec toi.

— Maman a dit que j'étais trop jeune pour ce genre de films. Donc, nous allons à une fête au Shire ?

La fille à la cape se lança en avant, et Keelie dut accélérer le pas.

Une lueur jaune apparut dans l'obscurité devant elles. La pluie avait un peu diminué, et elles pouvaient entendre une conversation au loin.

— Nous y sommes presque. Tu peux maintenant relâcher ma cape. J'ai vraiment cru que tu m'étranglerais à mort sur le pont.

— Je te jure que j'ai entendu quelqu'un qui disait «Heartwood».

— Probablement quelqu'un qui s'envoyait en l'air sous le pont.

Et qui prononçait son nom? Cela semblait improbable. À moins que ce fut son père sous le pont avec une femme.

Le camping était un mélange de tentes de modèles courants de toutes tailles, de tentes-caravanes, de gros véhicules récréatifs, et de fantastiques tentes personnalisées. Elles passèrent devant une grande et longue tente, une lumière blanche irradiant de l'intérieur. Un dragon de bois stylisé surmontait le poteau à l'avant.

Ce doit être la tente de Tarl, pensa-t-elle, puis elle se dépêcha de passer comme elle entendait un gémissement féminin qui provenait de l'intérieur. Pendant qu'elle courait devant, la silhouette d'un homme apparut sur le mur de la tente, ventru, et nu de toute évidence. Keelie avait espéré se procurer de la nourriture à la fête, mais elle avait maintenant perdu l'appétit.

— La fête se passe dans la dernière tente de cette rangée. Les tentes sont disposées en cercle, et ensuite il y a des rangées qui forment des rues à l'intérieur du cercle.

Elles arrêtèrent devant une tente Coleman de taille moyenne. Les rires et la lumière les accueillirent alors qu'elles écartaient le pan avant et entraient. Une volute de douce fumée bleutée s'échappa de la tente.

Elle avait déjà senti de la marijuana lors de fêtes, mais jamais autant en un seul endroit. L'intérieur était éclairé par des bougies cylindriques disposées sur des assiettes, et le plancher était recouvert de tapis orientaux et de gros oreillers sur lesquels se prélassaient les fêtards.

— Raven. Qui emmènes-tu ; ma fille ?

— C'est ma jeune amie, Keelie.

Keelie fit un signe pour retourner les salutations qui s'élevaient autour d'elle, détestant Raven de l'avoir qualifiée de jeune. Elle enleva sa cape et la déposa sur la pile de vêtements mouillés près de la porte avant.

Un pirate souriant, avec du traceur liquide sur les yeux, à la Johnny Depp, tapota le tapis près de lui.

— Douce Keelie, tu viens ici un moment.

Elle retira ses bottes à l'instar de Raven.

— Assieds-toi ici près d'Aviva, dit Raven, montrant une fille aux cheveux noirs, dans un costume de danseuse du ventre.

Le sosie de Johnny Depp sourit et tapota l'oreiller près de lui. Flattée, Keelie se baissa, mais se releva d'un bond lorsqu'il plaqua sa main sur sa croupe. Elle jeta un regard furieux au pirate.

— Désolé, ma chérie. Je pensais que tu avais des instructions imprimées sur ton popotin.

— Ha ! Ha ! Non ?

Elle se rassit et réarrangea sa jupe de sorte qu'aucune empreinte de main ne paraisse. Il lui fallait d'autres vêtements, illico.

Elle écouta la conversation, le dos bien droit, très consciente de la présence de l'homme près d'elle. Il s'approcha un peu plus près.

— Tu frissonnes, jeune fille. Pelotonne-toi contre le capitaine Randy et je te réchaufferai.

Quel âge avait-il? Elle ne voulait pas se sauver comme une enfant effrayée. Si elle avait été chez elle dans une fête d'amis autour de la piscine, elle aurait su quoi faire.

Raven s'était installée devant elle, lovée contre la poitrine musclée d'un batteur aux cheveux hirsutes, son tambour abandonné à ses pieds. Elle semblait confortable. Keelie s'aventura à se caler légèrement. Le pirate approcha son bras, lui permettant de se blottir contre son épaule. Cela semblait chaud et agréable.

Son pirate prit la bouteille que les gens se passaient.

— De l'hydromel, murmura-t-il à son oreille, sa respiration la chatouillant. Aussi doux que du miel. Essaie-le.

Keelie jeta un œil soupçonneux sur la bouteille sans étiquette. Non pas qu'elle croyait qu'ils se passaient de l'antigel, mais cela ne lui semblait pas sécuritaire. Elle frotta le goulot de la bouteille avec sa cape, puis but une gorgée. C'était bon. Le capitaine Randy rit pendant qu'elle prenait une longue gorgée.

— Cela te réchauffe le ventre, n'est-ce pas?

— Certainement.

Il prit la bouteille de ses mains et y posa ses lèvres, sans se préoccuper de la nettoyer. Apparemment, cela ne le dérangeait pas de partager ses microbes. Il lui fit un clin d'œil en même temps qu'il buvait, et son cœur palpita.

Elle espérait qu'il ne pouvait pas sentir le léger frémissement qui courait le long de ses épaules et dans son cou. Elle ignorait si elle était effrayée ou excitée ou les deux.

Son haleine souffla contre son cou, et elle frissonna. Son bras s'enroula autour de sa taille, ce qui eut un effet apaisant.

— Hé! Raven, tu danses pour nous?

À cet appel sonore, les autres renchérirent, et le batteur tendit paresseusement son bras pour prendre son tambour et commença un rythme qui ressemblait à un battement de cœur. Raven se leva et se mit à bouger en cadence, exécutant une danse du ventre, balançant ses hanches d'un côté à l'autre, arquant le dos en même temps que ses bras ondulaient. Le battement se transforma en un rythme plus sombre et plus rapide et elle se mit à agiter les épaules, révélant les muscles de sa taille avec son buste qui remontait au rythme de ses mouvements.

Fascinée, les yeux rivés sur elle, Keelie avait l'impression d'être détachée de son corps. Maintenant, la fumée qui remplissait la tente ne la dérangeait plus et elle se sentait réchauffée.

La danse de Raven était très différente de celle de la grosse femme au restaurant marocain. Les mouvements de son amie étaient assurés et sensuels.

Les participants à la fête se penchaient maintenant vers l'avant, leurs yeux avides posés sur le corps de Raven. Elle souriait d'un air énigmatique, comme si elle riait d'eux. Keelie sentit la main du pirate sur sa taille, qui l'attirait plus près de lui. Elle s'abandonna à son étreinte.

C'était la plus belle fête de sa vie.

La main du pirate caressa le flanc de Keelie, ses doigts se déplaçant le long de ses côtes et s'insinuant à l'intérieur de son corsage au rythme du tambour. Sa respiration s'accéléra. Si elle le regardait, il pourrait percevoir cela comme une permission d'aller plus loin. Elle leva plutôt les yeux vers Raven. Superbe Raven, la vie de la fête.

Celle-ci pivota sur un pied nu et ses yeux croisèrent ceux de Keelie juste comme les doigts du pirate atteignaient la base de son sein. Keelie arrêta de respirer. Que ferait-il ensuite? Et que devrait-elle faire? C'était bien l'endroit idéal pour se laisser aller, non?

Les yeux de Raven s'assombrirent et sa main droite s'immobilisa dans un mouvement vif. Instantanément, le tambour s'interrompit.

— Ha! Raven.

Des plaintes s'élevèrent autour du cercle.

— Keelie doit aller au lit, tout le monde. Continuons ceci un soir où ce sera plus sec. Viens, Keelie.

— Je n'ai pas de couvre-feu. J'ai du plaisir ici.

Keelie se tourna vers le capitaine Randy pour obtenir son soutien.

— Laisse-la rester, Raven. J'escorterai notre respectable jeune fille lorsqu'elle sera prête à retourner à la maison. Pour quelle raison veux-tu ruiner sa soirée?

— J'ai deux raisons.

Raven mit ses poings sur les hanches.

— Premièrement, elle a quinze ans.

Le sourire de Randy s'effaça quelque peu, mais il la regarda ensuite admirativement.

— Jeune coquine.

— Et c'est la fille de Zekeliel Heartwood.

La main relâcha sa taille. Elle se tourna, abasourdie, et le vit s'écarter sur les oreillers.

— Quoi?

Il la regarda dans les yeux et se pencha vers l'avant pour embrasser sa joue.

— Bonne nuit, ma douce, je te reverrai.

Keelie quitta la tente d'un pas léger, adorant la foire, particulièrement le Shire, mais en colère contre Raven. Pour qui se prenait-elle? Sa sœur?

À l'extérieur, Raven tendit sa cape à Keelie. Il avait cessé de pleuvoir et la lune brillait faiblement à travers les nuages.

— Tu as eu du plaisir?

— Oh! Raven. Je ne savais pas que tu pouvais danser ainsi. C'était génial.

— Ouais. C'est une préférée de la fête. Je te la montrerai si tu veux.

— Quand? Et puis-je avoir l'un de ces petits costumes avec des cloches?

— Certainement. Ils les vendent au Shimmy Shack. La boutique d'Aviva.

Raven gravit d'un bon pas la colline.

— Donc, toi et le capitaine Randy, vous étiez tous les deux confortables?

— C'est son nom?

— Pas exactement. C'est son nom de foire. Son vrai nom est Donald Satterfield. En basse saison, il est commis au supermarché à Denver. Il vit dans le sous-sol chez sa mère et joue toute la journée à des jeux informatiques.

— Non.

Elle pensa à son beau pirate. À sa main sur sa poitrine.

— Pourquoi est-ce correct d'être pelotée par un pirate, mais pas par un commis d'épicerie?

— Les pirates choisissent la voie de la criminalité. Tu dois être un bâtard paresseux pour être un paumé.

— Il a un emploi.

Être commis d'épicerie n'était pas sexy, mais c'était un travail.

— Il a vingt-huit ans, Keelie.

— Il ne paraît pas si vieux. Ainsi, tu as cessé de danser parce que tu l'as vu me toucher.

— J'ai de bons yeux.

Elles traversèrent le pont, et cette fois-ci elle n'entendit pas son nom. Tout ce à quoi elle pouvait penser, c'était la sensation de la main du pirate sur sa poitrine. *Attends que j'en parle à Laurie.*

Pendant qu'elles grimpaient la colline vers Heartwood, elle remarqua que l'appartement au-dessus de la boutique était encore sombre. Zeke n'était pas encore revenu. Une bonne chose, parce qu'elle sentait l'hydromel et l'herbe. Heureusement, la marche avait éclairci ses esprits.

— Je te vois demain, Keelie.

Raven s'éloigna pour s'engager sur le chemin menant à la boutique d'herbes médicinales.

Un miaulement de protestation retentissant brisa le silence comme Keelie ouvrait la lumière une fois parvenue en haut. Installé dans la chaise de son père, Knot le chat lui lança un furieux regard accusateur.

— Une bonne chose que tu ne puisses parler.

Elle se dirigea vers le bain pour effacer ses péchés.

Keelie s'étira les orteils sous la couverture bien chaude. Alors qu'elle palpait la laine douce et se pelotonnait plus étroitement, elle pensa au corps chaud du pirate pressé contre le sien.

Du pirate?

Se redressant comme un éclair, Keelie fut soudainement complètement éveillée, se rappelant la fête du soir précédent. Au lieu de la fumée de marijuana, elle sentit l'odeur des biscuits en train de cuire. Maman ne cuisinait pas. Elle achetait toujours les petits biscuits en forme d'elfes au supermarché. Une boule se forma dans sa gorge. Oh! Maman!

Elle se rappela que maman n'achèterait plus jamais de biscuits au supermarché. Maman ne la tiendrait plus jamais dans ses bras. Maman était morte. Keelie se sentit un peu coupable du plaisir qu'elle avait ressenti le soir précédent. Cet endroit était un conte de fées issu de l'enfer, à part le Shire. Le Shire était amusant.

Maman aurait été horrifiée, surtout si elle avait su comment Keelie avait laissé le pirate la peloter. Soulevant sa chemise de nuit jusqu'à la taille, Keelie caressa du bout des doigts sa cage thoracique à l'endroit où l'avait touchée le pirate. Et si elle devait tomber sur lui à la foire?

Pour Keelie, ce qu'il faisait dans la vraie vie lui importait peu, mais elle n'était pas certaine de vouloir répéter l'expérience du soir précédent. Bien sûr, ses paroles de séduction avaient pu faire partie de son rôle. Avait-elle été séduite par le personnage plutôt que par la personne?

Qu'est-ce qui était réel ici ? Elle ne voulait pas s'embarrasser en s'imaginant qu'il y avait plus dans ce qui s'était passé. Elle se montrerait cool, comme Raven.

Keelie se laissa tomber sur le dos et leva les yeux vers les colonnes de lit. Les quatre colonnes en forme de vignes torsadées s'entrecroisaient au-dessus du lit et se réunissaient en un nœud d'où ruisselaient des rideaux de gaze ondoyante qui pendaient jusqu'au plancher des deux côtés du lit. Magnifique. Si maman était vivante, si elle ne faisait que rendre visite à son père, elle serait heureuse. Surtout s'il lui avait demandé de venir ; et elle, Keelie, fréquenterait Raven et elles seraient amies. Keelie pourrait venir lui rendre visite une fois de retour à Los Angeles. Vivre avec Elizabeth, la mère de Laurie, ne serait pas comme être avec maman, mais ce serait familier, et elle et Elizabeth pourraient parler de maman, qui avait été sa meilleure amie, et Keelie et sa propre meilleure amie seraient des sœurs. Il lui fallait parler à Laurie, pour mettre leur plan en route. Keelie pourrait être de retour à Los Angeles avant la fin de la semaine.

Se tournant sur le ventre, elle serra le gros oreiller de duvet étroitement contre sa poitrine et tira la couverture jusque sous son menton. Elle avait beaucoup pleuré hier. Comme elle en avait de la veine. Pour une fois qu'elle souhaitait voir jaillir ses larmes, c'était peine perdue.

Elle ferma les yeux et se remémora le moment de son réveil, alors qu'elle se croyait endormie à la maison dans son propre lit et que maman était en bas à cuisiner des biscuits à l'avoine.

Un bruit détestable de coup de langue interrompit son rêve éveillé. Keelie ouvrit les yeux et se retourna pour découvrir que Knot était en train de manger quelque chose dans un bol de céramique placé sur un plateau de en bois, près de son lit. Un verre de jus d'orange était posé à côté du bol, en même temps qu'une carte verte avec des mots écrits dans une écriture élégante. Elle tendit le bras pour

l'atteindre, risquant de recevoir un coup de griffe et lut :
«Pour toi, Keelie.»

Le chat leva la tête du bol, des morceaux de flocons
d'avoine pendus à ses moustaches comme de grotesques
crottes de nez. Un éclair de satisfaction suffisante brillait
dans ses yeux verts.

L'estomac de Keelie gronda lorsqu'elle capta un autre
effluve de flocons d'avoine, mais la seule vue du dégoûtant
félin lui fit perdre l'appétit. Tant pis pour le déjeuner de son
père.

Oh là là! Quelqu'un lui avait préparé un déjeuner.
C'était la première fois. Maman avait toujours encouragé
l'autosuffisance et l'indépendance.

Elle avança la main pour prendre son jus d'orange. Knot
siffla et lui donna un coup de patte. Elle siffla à son tour,
puis s'empara vivement du verre de jus qu'elle but d'une
traite. Elle posa bruyamment le verre sur le plateau en bois,
qui tinta contre le bol. Le chat braqua sur elle ses étranges
yeux verts courroucés.

Apparemment, son père adorait Knot, mais pas elle. La
colère bouillonnait en Keelie, fluant comme de la lave chaude.
Knot détourna le regard et se remit à manger ses flocons
d'avoine.

Elle attrapa l'oreiller sur le lit et le lança vers le chat.
L'oreiller le manqua, mais frappa l'extrémité du plateau qui
se renversa sur le plancher. Le bol de flocons d'avoine se
fracassa, et avec lui, le verre de jus presque vide. Des éclats
de verre et de petits amas de flocons d'avoine dans une
flaque de jus d'orange maculèrent le plancher lisse en bois
franc.

Le stupide chat bondit de la table sur le plancher, se
retourna et regarda Keelie d'un œil noir. Il cingla l'air avec
sa queue comme s'il disait : «Ha! Ha! tu m'as manqué.»
Puis il s'éloigna d'un pas nonchalant, ondoyant agilement à

travers les flocons d'avoine et le verre brisé, sans l'ombre d'un flocon d'avoine sur sa fourrure.

Un bruit de pas lourds lui parvint de l'escalier, puis la porte s'ouvrit en grinçant. Son père écarta le rideau. Il paraissait effrayé.

— Est-ce que ça va ?

Knot miaula piteusement pendant que son père se précipitait à côté du lit.

— Keelie, est-ce que ça va ? Que s'est-il passé ?

Elle voulut hurler : « Non, je ne vais pas bien. Je veux retourner à la maison ! » Mais elle ne le fit pas.

Elle fixa le chat.

— C'est lui qui a fait ça.

Knot miaula, s'arrondit le dos comme si c'était lui la victime.

— Knot, espèce de sale minet, dit son père d'une voix douce.

Il examina le dégât sur le plancher.

— Reste ici. Ne sors pas du lit. Tu pourrais te couper les pieds.

Il revint avec un rouleau d'essuie-tout aux motifs de licornes ainsi qu'une poubelle en bois.

Il ne semblait posséder rien qui ne soit pas fabriqué à partir d'un arbre. Il jeta les gros morceaux du verre brisé et du bol dans la poubelle.

Père tendit à Keelie ses chaussures jadis blanches, toujours tachées de boue.

Elle les accepta, et elle aurait dû dire merci, mais s'en abstint. La colère grondait encore en elle. Elle évita plutôt le regard de son père.

— Pourquoi l'appelles-tu Knot ?

Il sourit.

— Pourquoi pas ?

Elle ne lui retourna pas son sourire ; elle lui lança plutôt un regard furieux, perfectionné, d'adolescente. Maman l'appelait son regard de matador, prétendant que si Keelie devait se trouver dans une arène devant un taureau en train de charger, ce regard ne pourrait que saisir d'effroi l'animal, qui prendrait la fuite la queue entre les pattes.

Son sourire s'évanouit.

— Ta grand-mère me regarde comme ça quand je la contrarie.

— À l'imparfait, Zeke. Ma mamie Josephine est morte il y a deux ans, d'une attaque.

— J'en ai entendu parler. Je suis désolée pour ta grand-mère Josephine, mais je parlais de *ma* mère. Son nom est Keliatiel. Tu as reçu ton nom d'après le sien. Et quand je parlais avec elle hier soir, elle pouvait à peine contenir son excitation de te revoir.

Keelie regarda fixement son père. Une autre grand-mère. Une que sa mère n'avait jamais pris soin de mentionner. La pensée d'avoir une autre vraie grand-mère en vie la stupéfiait. Pourquoi?

Son père claqua des doigts.

— Bonne nouvelle aussi. La compagnie d'aviation a envoyé un livreur hier soir avec l'une de tes valises.

Il lui tapota l'épaule en même temps qu'il se levait. Ses doigts étaient aussi longs que les siens, mais les siens étaient forts et brunis par le soleil.

— Je serais mieux d'aller chercher un ramasse-poussière et de m'occuper du reste de ce verre brisé.

Il sortit de la pièce. Knot s'assit, leva sa patte arrière en l'air, faisant dos à Keelie et entreprit de faire sa toilette avec sa langue rose.

— Répugnant.

Keelie mit ses pieds dans ses chaussures et marcha vers lui. Elle le poussa légèrement de son pied.

— Va faire ça ailleurs, chat stupide.

Elle se demanda ce que sa grand-mère perdue depuis longtemps pensait de Knot. Aimait-elle les chats ? Aimerait-elle Keelie comme sa mamie Jo l'avait aimée ?

Knot la regarda d'un air menaçant puis miaula. Il donna un coup de patte sur sa chaussure, puis la queue dressée comme un mât, il sortit de la pièce d'un pas nonchalant.

C'était un chat sinistre. Elle n'aurait pas été surprise de le voir occuper un deuxième emploi sur le balai d'une quelconque sorcière à l'Halloween. Mais elle avait obtenu ce qu'elle voulait. Knot avait quitté la pièce.

Le bruit d'hommes en train de crier lui parvint à travers la fenêtre. Elle écarta d'une main les rideaux blancs et baissa les yeux sur le terrain de joute équestre. Les hommes étaient déjà en armure et à cheval, en train de pratiquer.

— Eh voilà, Keelie ! dit son père.

Il posa bruyamment une valise sur le lit. La déception lui déchira les entrailles. Ou peut-être était-ce la faim.

La valise retracée était son petit sac de voyage en toile verte : celui où elle avait emballé ses sous-vêtements et ses soutiens-gorge. Elle aurait espéré récupérer l'un de ses gros sacs. Elle inspecta ses pantalons tachés de boue et la robe de *Muck n'Mire* qui était accrochée à l'arrière d'une chaise de bois. Elle n'avait encore rien de décent à porter. À partir de maintenant, elle n'oublierait jamais d'apporter un ensemble de vêtements de rechange dans son petit sac. Belle leçon.

Elle marcha vers le lit, s'y affala, et posa sa main sur la poignée du sac de voyage vert. Elle ne pleurerait pas. Elle ne hurlerait pas. Elle ne réagirait pas. Elle voulait engourdir son esprit et son corps.

Zeke s'approcha et s'assit près d'elle sur le lit. Le sourire de son père était optimiste, mais réservé. Comme si ce sac était une offrande de paix ratée.

— Pas celle que tu voulais, si je comprends bien.

Son père comprenait rapidement, elle devait l'admettre.

— Ce sont mes sous-vêtements. J'imaginais que ce seraient plutôt mes vêtements.

Des vêtements normaux qui la reliaient à sa vie en Californie. Qui la reliaient à sa maman.

— Je suis sûr que, d'ici la fin de la journée, tes autres valises avec tes vêtements et le reste de tes affaires seront ici, dit-il.

Il semblait si certain.

L'espoir s'anima en elle.

— Tu crois?

— J'en ai le sentiment. En attendant, habille-toi et descends à la boutique de thé. En ce moment même, Mme Butters a des muffins et des petits pains au lait en train de cuire, et le temps que tu arrives, ils seront frais sortis du four.

— Ça semble bon.

Elle se rappela la Mme Butters du jour précédent.

— C'est la femme ronde du bonhomme en pain d'épice?

Zeke parut perplexe.

— Quel bonhomme en pain d'épice?

— De l'histoire, papa. Tu te rappelles? Celle que tu me racontais?

— Je ne suis pas très bon avec les contes de fées.

Il lui tapota le genou et se leva.

Keelie l'examina pendant qu'il s'éloignait, remarquant à quel point il était grand. Elle essaya d'imaginer l'époque où sa maman, cadre d'entreprise, et son père, hippie à l'allure de star rock s'étaient choisis. Il existait beaucoup de choses insolites dans le monde, des choses qui défiaient les explications, et elle supposa que c'en était une. Les contraires s'attirent, pensa-t-elle. C'était soit ça, soit que l'hydromel et l'herbe étaient aussi populaires à l'époque.

Elle défit la fermeture à glissière de son sac de voyage qu'elle ouvrit, et elle sourit. Le contenu sentait la lavande et l'agrume, tout comme sa chambre à Los Angeles. Elle attrapa une petit culotte de coton Hanes et un soutien-gorge sport de coton. Des sous-vêtements propres. Qui aurait jamais pensé que ça ferait l'effet d'un luxe ?

Dans la salle de bain, Keelie grimaça en voyant ses cheveux. Elle était partie sans revitalisant et sans le nécessaire pour coiffer ses cheveux, et elle était condamnée à avoir des boucles, rebondissant comme un ressort, et parfaitement assorties à sa robe grossière. Elle fit courir ses mains mouillées sur ses cheveux et les lissa sur son crâne.

Elle se lava le visage à l'eau froide et brossa ses dents avec son doigt et de la pâte dentifrice. Sa brosse à dents était toujours sur le support dans sa maison à Los Angeles, victime d'un emballage précipité. Stupide Mme Talbot. Il lui fallait une brosse à dents et plus encore. Elle devait trouver une bonne vieille pharmacie ; peut-être que Raven pourrait l'aider. Elle n'allait surtout pas le demander à Zeke.

Bien sûr, il serait probablement plus embarrassé qu'elle. Elle s'imagina lui demander des tampons devant toutes ses groupies.

Dans le miroir, elle examina sa peau rêche et rougie, et se rappela le teint pêche et crème d'Elia et sa chevelure dorée parfaite.

— Fantastique, dit-elle. Si mes cheveux se rebellent aujourd'hui, je ressemblerai à un pissenlit à tête brune.

Alors qu'elle regardait, ses cheveux commencèrent à s'enrouler en spirales bouclées.

Elle renonça et enfila son soutien-gorge et sa petite culotte. Mais ses vêtements étaient encore boueux. Le costume *Muck n'Mire* sur le plancher était humide mais assez propre. L'idée de le revêtir à nouveau ne lui disait rien, mais si elle pouvait se passer de revitalisant, elle pouvait une fois de plus porter ce costume ridicule. À Rome, on vit comme les Romains, avait l'habitude de dire maman. Et dans une foire de la Renaissance, on vit comme les gens de la foire. Keelie soupira. Le reste de sa vie ressemblerait-il à ceci ? Un compromis après l'autre ? Peut-être que Zeke serait d'accord pour une nouvelle jupe. Non qu'elle souhaitait rester, mais les empreintes de mains rouges étaient trop humiliantes.

Puis elle renifla. Quelle était cette horrible odeur ? Cela ressemblait à de l'urine de chat. La porte de la chambre était restée entrouverte. Le cœur battant, elle inspecta le dessus du lit, et plongea son regard dans les étranges yeux verts de Knot. Sa queue cinglait l'air inlassablement pendant qu'il était accroupi, bizarrement, sur son sac de voyage.

Keelie se rua bruyamment sur le chat et lui donna une tape.

— Sors de mes affaires, tu vas mettre du poil de chat partout.

Knot bondit du sac, atterrit sur le lit et sortit par la porte en cabriolant. Keelie se couvrit le nez et la bouche. La senteur était plus forte. Elle regarda autour pour trouver la source de l'odeur infecte, espérant que ce n'était pas ce qu'elle croyait. Elle n'avait pas cette chance.

Le chat s'était servi de son sac de voyage comme bac à litière.

— Knot, tu n'es pas mieux que mort !

Cinq

— Je vais te tuer, chat, marmonna-t-elle.

Elle se tenait debout à l'extérieur, sur la dernière marche exempte de boue, cherchant à repérer Knot. L'infect matou s'était évanoui. Minou intelligent, pensa-t-elle. Malfaisant, mais intelligent. Il savait probablement que, si elle s'approchait de lui d'assez près pour l'étrangler, elle le ferait.

Au moins il ne pleuvait plus. Le ciel était clair et bleu. Elle prit une profonde respiration, puis plissa le nez, captant une odeur de viande en train de cuire. Probablement ces dégoûtantes cuisses de dinde qu'elle avait vu les gens manger comme des barbares. Pas pour elle. Elle ne croyait pas en l'hypothèse que les gens mangeaient avec les doigts au Moyen Âge. Les tasses de plastique n'avaient rien de médiéval, et pourtant, le jour précédent, beaucoup de gens s'en étaient servi pour boire.

Ce qu'il lui fallait, c'était une tasse de café et quelques petits pains au lait. Où était cette boutique de thé?

Elle tira le cordon du petit sac de cuir qu'elle avait trouvé dans sa chambre délimitée par des rideaux. À l'intérieur, il y avait son quartz rose, bien plus efficace que quatre litres de lotion à la calamine pour apaiser cette allergie au bois, ainsi que son argent et la carte pliée du site de la foire.

Elle déplia la carte. La boutique de son père se trouvait dans la section située à l'extrême gauche du site, avec les terrains de tournoi sur un côté de la colline et un lac sur l'autre. Il était temps de remplacer le petit déjeuner que ce petit minou *flocons-d'avoine-et-crottes-de-nez* avait gâché.

Keelie se concentra pour écouter le son de la voix de son père en train de converser, suivi d'un faible murmure appréciatif. Une autre femme, pensa-t-elle. Elle aurait dû le deviner. Le vieux pépé était la version foire de Matthew McConaughey[3]. Toutes les vieilles poulettes l'adoraient.

Elle avança sur le sol encore trempé et marcha en direction de l'extrémité de la baraque. Son père parlait à un grand type habillé d'une tunique trop grande pour lui. Donc, ce n'était pas une femme. Bien.

Il fallait qu'elle parle à son père, seule, pour discuter de son retour en Californie. Le père échappa un petit sac de cuir et se pencha pour le ramasser. Une femme qui passait, vêtue de jeans serrés et d'un haut rouge à dos nu, reluqua son postérieur moulé dans ses pantalons de cuir sous sa courte tunique ceinturée.

Dégoûtant. Elle s'approcha de la femme.

— Il n'est pas à vendre, dit Keelie.

Elle indiqua l'autre côté de la boutique.

— Les meubles sont là-bas.

Les yeux de la femme s'agrandirent et elle resta bouche bée. Keelie vit son père froncer les sourcils. *Oups! Grossière envers un client, dix points de démérite.*

---

3. NdT : Acteur, producteur, réalisateur et scénariste américain.

Keelie pivota et partit, donnant à la femme une bonne vue de ses empreintes de mains. Si elle voulait reluquer des fesses, elle lui en donnerait plein la vue.

Elle tourna le coin et s'arrêta près du garde-fou qui séparait le chemin de la pente la plus escarpée de la colline sur laquelle Heartwood était perché. La vue de l'activité sur le terrain du tournoi attira son attention. Un homme allait au petit galop sur un cheval de bataille massif. Il portait une tunique et ses pantalons étaient rentrés dans de grandes bottes souples. Avec ses longs cheveux bruns volant au vent derrière lui, il ressemblait à une image dans un livre d'histoires.

Elle scruta le terrain pour trouver Sean.

Oh là là! Retiens-toi. À quoi pensait-elle? Ils faisaient partie de deux mondes différents, et aussitôt que papa aurait entendu parler de son plan et lui aurait permis de déménager à Los Angeles avec Elizabeth et Laurie, Sean ne serait plus qu'un souvenir agréable.

Sur le terrain, un éclair de fourrure de la couleur des feuilles d'automne passa très rapidement devant le gros cheval. Son cœur battit contre sa poitrine. C'était ce stupide chat urineux, passant tout près d'être écrasé sous les sabots massifs du cheval. Le conducteur regardait de l'autre côté.

— Knot, sors de là! cria Keelie.

Même si ses sous-vêtements sentaient le bac à litière, cela ne signifiait pas qu'elle voulait qu'il finisse écrabouillé.

Soit le chat ne l'entendit pas, soit il choisit de l'ignorer. Il était en train de chasser un mulot, et Keelie saisit le garde-fou de bois pendant que le chat suivait le rat des champs frappé de panique se dirigeant vers le cheval, dans une trajectoire qui le mènerait sous les sabots de la taille d'une assiette à dîner.

Arrête, murmura-t-elle au cheval. *Arrête.* Sous sa main, le garde-fou semblait chaud. *Du pin,* pensa une minuscule partie de son cerveau, l'autre partie demeurant concentrée comme une flèche volant sur ce petit paquet de fourrure condamné. Elle sentit soudainement la présence de chaque arbre autour d'elle, distinctement, comme des gens dans une foule. Ses mains s'élevèrent, relâchant la barrière.

Un courant d'air flua autour d'elle, puis la traversa, brise qui ébouriffa ses cheveux, en dépit de l'immobilité des feuilles des arbres voisins. Keelie observa, ahurie, que le cheval s'arrêtait à mi-course, les pattes soudainement droites, le corps s'arc-boutant dans un arrêt brusque. La surprise du conducteur fut aussi totale, alors qu'il était projeté par-dessus la tête du cheval pour atterrir sur la terre sablonneuse de l'arène. Knot s'avança d'un pas tranquille pour renifler le jouteur tombé, puis miaula et lui donna un coup de patte, accrochant ses griffes dans les culottes de l'homme. Celui-ci cria et saisit sa jambe.

Était-ce elle qui avait fait cela ? Impossible. Une étrange coïncidence.

Knot se retourna et regarda vers la colline. Le chat semblait la fixer. De son emplacement, Keelie ne pouvait qu'imaginer le vert sinistre de ses yeux. Elle lui tira la langue. Si elle avait été en bas, il lui aurait aussi donné un coup de patte. Chat ingrat. Elle ignorait pourquoi elle s'était même inquiétée de lui, après ce qu'il lui avait fait.

— Je serai en haut, dit son père derrière elle.

Il devait avoir manqué le drame sur le terrain. Il fronça les sourcils.

— J'ai vu ce qui est arrivé à ta valise.

Il hocha la tête.

— Que puis-je dire ? Nous devrons ajouter des sous-vêtements à la liste grandissante des choses qui te manquent.

— Ouais ! Ce chat est totalement cinglé, dit-elle.

— Je ne t'ai pas laissé d'argent pour le petit déjeuner. Tu dois avoir faim.

Zeke fouilla dans un sac de cuir et en tira un billet de dix dollars. Il le déplia et le déposa dans sa paume.

Elle baissa les yeux sur l'argent.

— C'est tout ? En Californie, je ne pouvais même pas acheter un café au lait avec ça.

Le sourire de Zeke diminua, puis disparut.

— Ici, ce n'est pas la Californie.

Keelie prit l'argent.

— Puis-je en avoir d'autre pour la lessive ? Il y a une buanderie près d'ici, n'est-ce pas ?

— Oui, près des barrières avant, derrière le bureau de l'administration. Laisse-moi te donner un peu d'argent de la caisse enregistreuse.

— Je prendrai l'argent maintenant, mais je m'occuperai de mes vêtements plus tard. Sais-tu que ton odieux de chat s'est presque tué il y a quelques instants ?

Elle lui raconta ce qui était arrivé sur le terrain, omettant la partie où le vent avait soufflé à travers elle et où le cheval avait semblé obéir à son souhait.

Zeke hocha la tête.

— Knot a un caractère indépendant et parfois on ne peut savoir ce qu'il a en tête. Viens dans la boutique une seconde et laisse-moi rassembler un peu de monnaie.

Le type dégingandé à la tunique énorme leur tournait le dos alors qu'ils s'approchaient du comptoir.

— Scott, voici ma fille, Keelie.

Scott ne se retourna pas.

— Scott ?

Il se retourna et son visage sembla irrité.

— Keelie, voici Scott, mon apprenti. Je lui enseigne le travail du bois et il m'aide dans diverses corvées. Il vit dans une pièce à l'arrière.

Keelie ne lui sourit pas non plus. Non seulement Zeke avait-il du temps pour un chat stupide, mais il en avait aussi pour enseigner à cet abruti à travailler le bois. Elle suivit son père comme il passait derrière le comptoir. Le comptoir lui-même était étonnant. Il dépassait la hauteur de sa taille, et la partie avant était gravée d'animaux imaginaires, engagés dans une course le long du dessus du comptoir. La partie inférieure était gravée de manière à ressembler à des racines, comme si la boutique elle-même faisait partie de la terre.

La main tendue dans l'attente de l'argent, Keelie promena les yeux autour de la boutique. Les poteaux qui soutenaient le plancher de l'étage comportaient eux aussi une base gravée de racines. Bizarre. Ce devait être le thème des Heartwood. Ses racines étaient ailleurs, n'est-ce pas ?

Zeke lui tendit quelques billets, puis ouvrit en le brisant un rouleau de pièces de vingt-cinq sous et en prit la moitié qu'il déposa dans la paume de Keelie.

— Nous en aurons besoin aujourd'hui pour donner de la monnaie, dit Scott en fronçant les sourcils vers eux.

— Le chat a pissé sur mes vêtements. Je dois faire la lessive, lui lança Keelie avec un froncement comparable au sien.

Scott rit.

— Est-ce la raison pour laquelle vous êtes ainsi vêtue ? Je pensais que Tarl s'était débarrassé de ce costume après que Daisy se soit plainte l'an dernier.

— Scott, pourquoi ne montres-tu pas à Keelie où manger à bon marché ? Je parie que tu peux lui enseigner comment faire durer ces dix dollars toute une semaine.

Keelie était mortifiée. Oh ! parfait ; elle se promènerait dans les alentours avec un mec super pauvre et les gens croiraient qu'ils formaient un couple. Par exemple, le capitaine Randy. Et si Scott les avait vus ensemble elle et le capitaine Randy, nul doute qu'il raconterait tout à Zeke.

— Je ne peux y aller, Zeke. Je dois terminer cette pièce pour M. Humphrey. Il vient la chercher vendredi.

Scott ne semblait pas plus heureux qu'elle de l'accompagner.

Zeke donna une tape dans le dos de Scott.

— Ne t'inquiète pas. Je m'occuperai de tout. La foire vient tout juste d'ouvrir, c'est donc le bon moment pour que Keelie voie les sites avant que la foule n'envahisse les lieux.

Ignorant le regard outragé de Keelie, il invita Scott à la rejoindre d'un signe de la main.

— Les dimanches ne sont pas occupés avant une heure de l'après-midi. Tu peux rester jusque-là.

Ils descendirent le chemin, chacun demeurant du côté opposé de la route. Scott lui jeta un coup d'œil et grogna.

— Quoi?

Elle ne pouvait rien voir d'amusant.

— Donc, maintenant que vous avez les vêtements, allez-vous vous joindre au show *Muck n'Mire*?

La jupe. Keelie détestait plus que jamais l'hideux costume de *Muck n'Mire*. C'était un symbole, et c'était le mauvais. Ses uniformes de l'Académie Baywood étaient le symbole qui informait l'Univers qu'elle était quelqu'un. Seuls les plus brillants et ceux qui avaient les meilleurs contacts allaient à Baywood. Le bleu et noir de l'uniforme de Baywood indiquait à tous qu'elle était intelligente et que sa mère occupait un poste important. Ici, elle était une inadaptée à l'air niais.

— Riez-vous de moi?

Keelie s'arrêta au beau milieu du chemin, les mains sur les hanches. Les yeux de Scott s'agrandirent, et il essaya de se refréner, mais le rire ne fit que jaillir de lui, la vermine.

— N'est-ce pas ce que vous voulez?

Il s'essuya les yeux.

— Vous êtes habillée dans ce costume extravagant. Comme un clown.

Il hoquetait.

— Regardez-vous. Vous êtes ici depuis bien plus longtemps que moi et vous portez quelque chose qui a l'air d'appartenir à un géant. Au moins, vous avez le choix.

Elle-même n'avait le choix de rien. Où habiter, quoi porter. Avec qui marcher sur ce stupide chemin. Le rire de Scott devenait soudainement démesurément outrancier à ses yeux.

Elle se retourna et se mit à courir. Descendant la colline à toute vitesse, elle vira à droite, accélérant devant une péniche colorée attachée au bord du lac et remplie de gens en costumes sophistiqués. Elle courut devant des commerçants en train d'installer leur boutique et des artistes ouvrant leur studio.

Elle entendit Scott qui la suivit pendant un bon moment, puis ce fut le silence. Non qu'elle s'était retournée pour regarder. Il ne la surprendrait jamais à regarder pour voir s'il était là. Elle voulait être seule, elle voulait s'enfuir. De Scott. De son père. De tout cet absurde pays des merveilles.

La sensation de l'air sur son visage lui faisait du bien, et ses muscles s'étirèrent et se réjouirent comme elle allongeait le pas. Elle adorait courir, et la preuve, ses rubans de course de cross-country, se trouvaient dans la valise manquante. Les gens levaient les yeux sur son passage, mais personne ne tenta de l'arrêter. Elle n'avait pas couru depuis des semaines. Elle se sentait extraordinairement bien.

Après un long moment, elle fit demi-tour pour regagner la clairière Heartwood. De l'extrémité du chemin, elle observa son père et Scott qui déchargeaient des madriers. Le travail qui reprenait ses droits. Personne ne se préoccupait d'elle. Elle se demanda ce que Scott avait dit à son père à propos de son retour prématuré. Elle pouvait parier que ce n'était pas la vérité.

Son estomac gargouilla. Elle avalerait bien un muffin et un grand café au lait. Elle tira la carte du site de la foire de la Renaissance du petit sac attaché autour de sa taille et l'examina. Elle était tentée de couper à travers les bois, mais elle avait été avertie de demeurer sur le chemin.

Elle s'engagea sur le chemin de la Nymphe des eaux, marchant très vite sur le pont où elle était passée la veille au soir. Aucune voix aujourd'hui. Le pré était rempli d'arbres, juste comme l'avait décrit Raven. Elle chassa leurs voix de son esprit et courut.

La boutique de thé était un bâtiment délabré, à moitié en bois et incliné. Il semblait être retenu par le lierre d'un vert foncé et luxuriant qui croissait sur les côtés dans tous les sens. Nul buisson de roses en vue.

Keelie grimpa sur le porche, qui était énorme et recouvert d'une tonnelle drapée de… lierre. Quoi d'autre ! Peut-être que le lierre avait mangé les roses.

À l'intérieur, Mme Butters était en train de retirer un plateau du four. La femme en pain d'épice sourit gentiment à Keelie, qui ne lui rendit pas son sourire. Elle ne voulait pas s'habituer aux manifestations de gentillesse ou d'amitié. C'était préférable. Dès qu'elle en aurait la chance, Keelie Heartwood quitterait cet endroit.

— Bonjour, Keelie. Que puis-je vous offrir ?

La femme en pain d'épice sourit, ses petits yeux couleur de raisin noir brillant dans son visage brun. Keelie résista à l'envie de se pencher vers l'avant et de la renifler.

— Quelques muffins, s'il vous plaît.

Trop d'hydrates de carbone mais, après ce matin, c'était un plaisir bien mérité.

— Quelle sorte voulez-vous ?

— En avez-vous aux myrtilles ?

— Certainement. Mais ils sont pour le *populo*. Pour nous, j'en ai d'autres aux fruits de licorne et aux graines de cristal. Bien sûr, celui-ci vous plaira peut-être davantage.

La femme tendit révérencieusement un muffin doré et bien dodu, parsemé de morceaux de baies rouge vif.

— Fait avec des baies d'amour magiques. C'est le préféré de votre père.

— Des baies d'amour magiques, répéta Keelie, espérant qu'elle n'avait pas perdu l'ouïe.

Les yeux de la femme étincelèrent.

— Oui, des baies d'amour magiques. Je n'en fais pas très souvent, car ces petits fruits sont rares dans ces régions, mais l'un des jouteurs est passé à côté d'un plant bien fourni près du pré l'autre jour et il m'en a apporté un panier.

Les baies semblaient plus normales que les graines de cristal. Pour ce qu'elle en savait, peut-être y aurait-il des morceaux de quartz à l'intérieur du muffin aux graines de cristal. Elle se souvint du type édenté de la journée précédente. Aucun doute à ce sujet. Il avait peut-être été victime du muffin aux graines de cristal.

— D'accord. Celui aux baies d'amour magiques. Mais comme c'est tellement gros, je n'ai prendrai qu'un. Et un grand thé chai.

— Je crains de ne pas avoir de thé chai, mais j'ai une charmante tisane qui convient très bien avec des muffins.

Elle tira un plateau d'une pile et y déposa le muffin sur un napperon de papier en dentelle.

Pas de thé chai. Bien sûr que non. Keelie se rappelait du café au centre commercial où elle était allée avec Laurie et la bande après l'école. Le thé chai et le café étaient leurs breuvages chauds favoris. Cet endroit était totalement primitif.

— Alors, pourquoi pas un café noir?

— N'êtes-vous pas un peu jeune pour du café? Je pense que Zeke s'y opposerait.

La voix féminine derrière elle semblait désapprobatrice.

Keelie se retourna rapidement pour voir qui lui avait parlé. C'était la dame aux herbes, la mère de Raven, vêtue de violet et de blanc, ses manches bouffantes brodées de petites plantes vertes. Ses bracelets cliquetaient et carillonnaient lorsqu'elle remuait.

La chaleur monta aux joues de Keelie comme elle baissait les yeux sur son costume mal assorti *Muck n'Mire*. Et la femme sentait divinement bon, dégageant une odeur d'exotisme. Maman n'avait jamais porté de parfum. Elle croyait que cela ne faisait pas professionnel.

Le souvenir de sa mère ramena Keelie à la réalité. Qui était cette femme pour remettre en question le droit de Keelie de prendre du café ? Pour appeler son papa Zeke et prétendre connaître ses règles ? Maman lui permettait de prendre du café. Et ce n'était pas des affaires de cette femme si elle en prenait. Son attitude maternelle était irritante.

Elle voulait probablement impressionner son papa, pensa Keelie. Et si c'était le cas, elle était en train de passer une audition pour un rôle qui n'existait pas.

— Je crois que c'est à moi de décider, dit Keelie. Je suis assez vieille pour faire mes propres choix en matière de nourriture.

— Je sais que votre père s'alimente de façon aussi naturelle que possible, tout comme votre grand-mère, dit la dame aux herbes, imperturbable. De plus, il fait trop chaud pour prendre du café.

Elle ne voulait pas que cette femme qui outrepassait les bornes la trahisse, mais elle ne renonça pas pourtant. Elle se tourna vers Mme Butters.

— Avez-vous un coca ?

La dame aux herbes fronça les sourcils.

— Non, dit Mme Butters. Mais la boutique qui vend des cuisses de dinde ouvre dans une heure et ils offrent des boissons gazeuses à cet endroit.

Keelie soupira. Quel drôle d'endroit pour manger où on ne vend pas de cola ! C'était pousser le thème médiéval bien trop loin.

— D'accord, donnez-moi une tisane.

La femme aux muffins et la dame aux herbes échangèrent un sourire. Keelie détourna les yeux. Elle ne voulait pas se lier à quiconque la traitait comme une enfant, mais le doux sourire de la dame aux herbes rappela douloureusement à Keelie combien le sourire de sa maman lui manquait. Le sourire qui disait : « Non, tu ne peux l'avoir », d'une manière aimante mais ferme. Celui qui disait : « Je t'aime suffisamment pour te dire non. » Ce sourire-là.

Elle pouvait sentir sa gorge se nouer chaque fois que le visage souriant de sa mère apparaissait dans son esprit, consciente qu'elle ne reverrait jamais ce sourire, sauf sur les photographies. Jamais plus maman ne redirait non à Keelie. Elle se rappelait très nettement leur dernière dispute. Elle voulait se faire percer le nombril comme ses amies Laurie et Ashlee. Keelie fit courir ses mains sur son estomac. Elle pourrait maintenant le faire si elle le voulait. Qui allait l'arrêter ? La dame aux herbes ? Son père ?

Dès qu'elle retournerait à Los Angeles, elle se ferait percer le nombril. Maman ne pouvait l'arrêter, et certainement pas son père. Lorsqu'elle viendrait en visite, il ne le remarquerait pas non plus. Il était trop occupé avec ses arbres, ses clients, et cet idiot de chat pour remarquer que Keelie avait fait quelque chose qu'elle avait toujours voulu faire. Cela serait un signe de son indépendance. Et elle boirait des litres de café, le plus fort qu'elle pourrait trouver.

Keelie accepta distraitement le plateau avec l'énorme muffin au dôme doré et la tasse de tisane chaude. La dame aux herbes tendit à la dame aux muffins une tasse verte tout comme celle dans laquelle Keelie avait vu son père boire du thé plus tôt ce matin.

Keelie déposa lourdement son plateau sur une table dans le coin le plus éloigné du porche. Elle prit le muffin et toucha les morceaux de baies d'amour magiques. Probablement un nom mièvre pour désigner les canneberges.

La dame aux herbes s'assit sur la chaise en face de Keelie. Keelie la regarda d'un air furieux et entama son muffin. Elle prit une bouchée, affamée mais déterminée à ne pas l'engloutir devant cette femme.

— Nous n'avons pas été présentées plus tôt. Je suis Janice. Je crois que vous connaissez ma fille.

— Où est Raven aujourd'hui ?

— Elle s'occupe de ma boutique pour que je puisse faire quelques courses.

Elle sirota son thé.

— Dès l'instant où vous êtes entrée dans ma boutique, je savais qui vous étiez. Vous ressemblez tellement à votre père. Vous souriiez un peu alors.

— Votre boutique sentait bon, dit Keelie.

— Merci. Vous pouvez revenir n'importe quand. J'ai entendu dire que votre valise n'est pas arrivée avec votre vol hier. Cette situation n'est-elle pas désagréable?

Keelie redéposa le muffin sur le plateau.

— Ouais! Et que puis-je y faire? Je suis forcée de porter ces stupides vêtements comme je suis forcée de rester ici dans cette foire stupide.

Janice croisa les bras.

— C'est affreux, n'est-ce pas? Être arrachée à son école et séparée des gens que vous connaissiez et que vous aimiez, et soudainement se trouver ici. J'ai perdu ma mère quand j'avais seize ans. Elle est morte d'un cancer. Je suppose que c'est la raison pour laquelle je me suis tournée vers les herbes médicinales. Je voulais guérir le monde, mais je ne pouvais oublier les terribles journées à l'hôpital. Pas question pour moi de fréquenter l'école de médecine traditionnelle.

La résolution de Keelie de demeurer maussade fondit quelque peu.

— Ouais! Bien… je veux simplement mes vêtements.

Elle voulait aussi ravoir sa mère. Elle se rendit compte qu'elle était fâchée. Elle était fâchée contre sa mère d'être morte, elle était fâchée contre son papa de surgir dans sa vie maintenant que maman était partie, et elle était fâchée contre le monde entier de continuer de s'activer alors que la personne la plus importante sur la terre n'était plus là pour lui dire non.

— Zeke était tellement excité à l'idée de votre arrivée. Il en parlait à tout le monde. Mais nous croyions que ce serait la semaine prochaine. Cette foire est presque terminée, et il pensait que vous viendriez plus près de la fin.

Janice n'abandonnait pas. Ne pouvait-elle pas voir que Keelie ne voulait pas avoir cette conversation? Si Janice ne partait pas, peut-être pourrait-elle obtenir d'elle certains renseignements.

— Donc, la foire est presque terminée? Que se passe-t-il ensuite?

— Certains des ouvriers sont des locaux, et ils font cela pour de l'argent supplémentaire, pour le plaisir. Pour d'autres, votre père par exemple, cela fait partie d'un circuit. Il y a des foires de la Renaissance partout dans le pays, à différents moments de l'année. Une grande partie des artisans et des artistes se dirigeront vers une autre foire après celle-ci.

Surprise, Keelie se demanda où ils iraient. Et qu'arriverait-il avec l'école? Elle avait reçu ses dernières notes, mais que se passerait-il l'an prochain? Peut-être que papa l'emmènerait en Californie. Pensée magique.

— Où irez-vous?

— La grande foire du nord de l'État de New York. Elle se nomme la foire Wildewood. Elle dure trois mois, et quand vient l'hiver, certains partent vers le sud, d'autres reviennent chez eux jusqu'au printemps.

Keelie s'était remise à manger son muffin sans s'en rendre compte. Il était délicieux. Les baies d'amour magiques goûtaient un mélange de fraises et de vanille, et ils éclataient dans sa bouche comme une chaleur de rayons de soleil. Elle sirota son thé. Il goûtait aussi fichtrement bon.

— Keelie, allez-y mollo avec votre papa, dit Janice.

Elle hésita.

— Il est dévasté par la mort de votre mère, ajouta-t-elle.

Le baromètre à affichage des sentiments de Keelie marqua une antipathie extrême. Comment osait-elle? Elle se leva.

— Il est préférable que je retourne à la boutique. Zeke voudra savoir où je suis.

Ouais! Exact, tout comme elle lui avait manqué pendant les quatorze dernières années.

Janice regarda vers son plateau.

— N'allez-vous pas terminer?

— J'ai perdu l'appétit.

Maintenant, il était temps d'avoir une conversation avec son père. Et il lui fallait rentrer à la maison au cas où ses valises auraient réapparu, et avant que le malfaisant matou ne s'y attaque.

— Au revoir, dit poliment Keelie, et elle emballa le reste de son muffin dans une serviette, juste au cas. Janice sourit tristement, comme si elle était consciente d'avoir dit quelque chose de mal.

Keelie sortit de la boutique de thé et s'engagea sur le chemin principal tacheté d'ombre et de soleil. Ici les arbres n'étaient pas de vieux géants. Ils étaient longs et minces, et leurs feuilles paraissaient d'un vert tendre contre le bleu du firmament. Elle ne s'était jamais trouvée parmi tant d'arbres auparavant, mais elle n'avait vécu aucun épisode bizarre, sauf ce matin. Elle repoussa la pensée. C'était une coïncidence.

Elle décida qu'elle aimait les arbres. Elle leva son visage vers les rayons du soleil, appréciant sa chaleur sur ses joues. Elle se souvint d'avoir lu un livre de contes de fées où l'on parlait d'une forêt enchantée, un livre qu'elle n'avait eu en sa possession que pendant une courte période. Maman détestait les contes de fées, et maintenant elle pouvait comprendre pourquoi. Elle avait toujours dit que son papa vivait dans un monde de contes de fées, et Keelie le croyait maintenant. Cet endroit était irréel.

Keelie avait été élevée à s'ancrer dans la réalité. Ses pieds étaient fermement plantés, comme les racines d'un arbre. Elle était Keelie Heartwood, une adolescente indépendante qui prenait ses propres décisions. Enfin presque. Elle toucha la jupe par-dessus son ventre. Elle allait se faire percer le nombril aussitôt qu'elle le pourrait. Pourquoi attendre? Maintenant, maman ne pouvait plus l'en empêcher.

Et elle dirait immédiatement à Zeke qu'elle retournait en Californie pour vivre avec son amie Laurie. Elle ne croyait pas qu'il la voulait ici, qu'il se réjouissait de son arrivée. Il serait probablement heureux d'apprendre sa décision. Elle voyait bien qu'elle gênait son style de vie. Elle serait toujours en Californie si maman ne lui en avait pas donné la garde plutôt qu'à Elizabeth. Personne n'aurait cru qu'il pouvait en être autrement.

Si Zeke disait non, elle pourrait engager des poursuites pour obtenir son émancipation. Elle et Laurie avaient vérifié. Elle avait hâte de parler à Laurie. Son cellulaire était salopé, mais avec un brin de nettoyage, il pourrait fonctionner. Sinon, elle utiliserait le téléphone de Zeke et lui rembourserait les frais d'appel.

La boue émettait un bruit de succion sous ses chaussures. Au moins, il ne pleuvait pas comme hier, et elle portait des sous-vêtements propres. Les choses s'étaient presque améliorées. Elle se dirigea vers la boutique d'herbes médicinales, inhalant les arômes boisés qui en émanaient. Janice, la dame aux herbes, se trouvait encore à la boutique de thé. Keelie hésita. Elle voulait y entrer et regarder. L'envie lui démangeait de toucher certaines des herbes séchées exposées dans des pots à fleurs. Elle voulait les écraser entre ses doigts et sentir leur odeur.

— Voulez-vous entrer et regarder?

La femme ronde aux cheveux crépus de la baraque voisine était debout à sa porte, tenant encore une autre de ces tasses qui ressemblaient à celle de Zeke.

— Non, merci. Je prenais juste un peu d'air frais. À Los Angeles, il est plutôt raréfié.

— C'est ce que j'ai entendu dire.

La femme sourit.

— Je suis Ellen, la potière.

Elle leva la tasse.

— Ce sont les miennes.

— Oh! tout le monde en a une! Je pensais que le fait d'en posséder une avait une signification spéciale.

— Vous voulez dire comme un symbole spécial?

Ellen rit.

— Tout ce que cela signifie, c'est que je les ai harcelés pour qu'ils en achètent une.

Keelie rit. Elle aimait bien Ellen.

Janice arrivait sur le chemin, gardant soigneusement sa tasse bouillonnante en équilibre. Sa longue jupe dodinait autour d'elle.

Keelie croisa les bras pour couvrir son affreux corsage.

— Rebonjour, Keelie. Je vois que vous avez rencontré Ellen.

Janice sourit.

— Laissons Keelie se choisir une tasse. Ce sera un cadeau de ma part. Des excuses. Je n'aurais pas dû vous parler comme je l'ai fait.

Keelie cligna des yeux. Le baromètre des sentiments remontait avec constance. Des excuses? On la traitait comme une adulte.

— Merci!

— Fantastique! Entrez, ma petite, et choisissez-en une.

Ellen disparut dans la petite remise ombragée par un auvent.

Keelie entra et huma l'air. Il y planait une odeur d'argile brute, l'odeur d'un atelier d'art qu'elle avait toujours adorée. Des étagères de verre étaient alignées le long des fenêtres de la minuscule boutique, remplies de vases, de tasses et d'amusantes petites statues de dragons.

— Je crois que j'en ai trouvé une que vous aimerez, dit Ellen.

Elle retira une tasse verte de l'étagère. Ce n'était pas la plus grosse, mais il y avait une forme de feuille imprimée sur le côté. Elle la tendit à Keelie.

— Regardez à l'intérieur.

Keelie prit la tasse. On aurait dit qu'elle était faite pour sa main. Elle la pencha pour regarder à l'intérieur et sourit. Au fond de la tasse, apparut un visage au nez crochu. La drôle de petite créature lui faisait un clin d'œil.

— Comme c'est amusant! Je verrai ce petit personnage chaque fois que je finirai mon café ou n'importe quelle tisane bizarre qu'on m'autorisera à prendre.

— C'est l'idée, dit Ellen, ignorant la remarque sarcastique de Keelie.

— Il faut la laver à la main. Mais je ne pense pas que vous trouverez un lave-vaisselle autour d'ici.

Keelie rit.

— Je parierais.

Elle leva la tasse au niveau des yeux et examina la feuille plus attentivement.

— Une feuille de chêne. Je l'adore. C'est parfait.

— Heureuse de l'entendre.

Ellen se retourna soudainement, distraite.

— Oh! ma fournée est presque prête. Si vous voulez m'excuser, Keelie, j'ai du travail à faire.

— Certainement.

Elle se surprit à vouloir lui offrir de l'aider. Ce serait amusant de mettre ses mains dans l'argile et de fabriquer des objets. Elle tâta un petit personnage de dragon qui tenait un cristal. Aussi bien s'amuser pendant le peu de temps où elle resterait ici. Il y avait toutes sortes de mystérieuses boutiques dans ce lieu. Et le magasinage était le magasinage.

Janice l'attendait à l'extérieur de sa boutique. Une femme était à l'intérieur et un couple vêtu de shorts montait la colline dans leur direction. Le temps des touristes.

Le *populo*, se souvint Keelie. Janice était jolie dans sa robe violette. Peut-être que si Keelie demeurait un temps ici, elle pourrait lui demander de l'aider à trouver un meilleur costume. Elle se pinça mentalement. *Allo, Keelie? À quoi penses-tu? Rester ici à Bizarreville?*

— En avez-vous trouvé une à votre goût?

Janice sourit en voyant la tasse verte que tenait Keelie.

— Oui, merci.

Elle la présenta à la dame aux herbes.

— Une feuille de chêne, dit-elle, remarquant le dessin sur le côté. Pourquoi avez-vous choisi celle-ci?

Keelie haussa les épaules.

— J'aime les feuilles et les arbres.

C'était nouveau. Les arbres lui donnaient habituellement la chair de poule.

— Vous êtes vraiment la fille de votre père, dit Janice.

Elle redevint sérieuse.

— Et je suis désolée d'avoir parlé comme je l'ai fait, Keelie. Ça ne me regardait pas.

Keelie haussa les épaules. Elle ignorait comment répondre.

— Vous projetez de retourner à Los Angeles? demanda Janice.

— Aussitôt que possible. Une amie de ma mère est d'accord pour obtenir ma garde si Zeke y consent, et je suis certaine qu'il le voudra. Aussitôt qu'elle téléphonera pour prendre de mes nouvelles aujourd'hui, nous pourrons convenir des arrangements au plus tôt. Tout le monde a été gentil avec moi...

Elle pensa à Knot et à Elia la snobinarde qui jouait à la princesse.

— Presque tout le monde. Mais cet endroit n'est pas pour moi.

Janice fronça les sourcils.

— Êtes-vous certaine que vous avez donné une chance à la foire ou à votre père? Si vous restiez, vous pourriez découvrir des choses à votre sujet que vous n'auriez jamais cru possibles.

Un frisson courut le long de la colonne de Keelie. Elle ne pouvait dire à Janice qu'elle était en train d'oublier la voix de sa mère. Que, si elle vivait avec Elizabeth et Laurie à Los Angeles, sa maman demeurerait avec elle plus longtemps.

— Ouais! Bien, j'ai aimé ma vie à Los Angeles, dit-elle. Et si Zeke veut apprendre à me connaître, alors il peut venir vivre là-bas avec moi.

Une expression bizarre traversa le visage de la femme.

— Il voulait venir vous voir, mais il devait vivre parmi les arbres.

La femme devait fumer certaines de ses herbes, pensa Keelie.

— Ouais! De toute façon, je vous dis à bientôt, répondit-elle.

Malgré son désir d'explorer le magasin, elle s'en tiendrait éloignée. Janice faisait pression sur Keelie et maman avait raison. Elle n'avait jamais voulu qu'elle explore les plantes, les arbres et la guérison parce qu'elle craignait que cela nuise à ses études. Keelie sourit, se souvenant que maman n'avait jamais approuvé son bénévolat à l'hôpital avec grand-mère Jo, mais Gran et Keelie l'avaient fait de toute façon. Elle pourrait jouer avec des herbes après l'université et la faculté de droit.

Elle s'éloigna précipitamment de la boutique, comme si même le désir d'y entrer contaminait les rêves que maman nourrissait à son égard. Plus bas sur la colline, la forge était ouverte et Keelie examina les différents styles de vraies épées à l'extérieur, accrochées sur une barre d'exposition. Sean portait une épée. N'était-ce pas dangereux pour tous d'être ainsi armés?

Plus loin sur la route, une autre boutique attira son attention, et elle se dépêcha de s'y rendre. La *Horde du dragon*. Il y avait là une affiche suspendue par des chaînes qui se lisait «Pierres et cristaux».

Peut-être trouverait-elle d'autres quartz roses.

La boutique semblait plus ancienne que certains des autres bâtiments. Des poteaux gravés soutenaient le petit toit au-dessus de la porte avant : leur dessin représentait deux dragons se contorsionnant vers le toit de tuiles d'ardoise. Elle avait déjà vu des tuiles d'ardoise dans les jardins, mais jamais sur un toit. L'intérieur était sombre et frais, comme une cave. Des paniers et des bols de pierre gravée contenaient des joyaux et des pierres de toutes sortes.

— Puis-je vous aider ? demanda une voix grave.

Keelie chercha le propriétaire de la voix, mais sans succès. Puis un petit homme sortit de derrière le comptoir. Il avait une moustache recourbée, et il était vêtu comme un fier-à-bras dans un vieux film d'Hollywood, un minuscule mousquetaire.

Il retira son chapeau orné d'une plume extravagante et la salua d'un grand geste du bras. La plume continua à dodeliner longtemps après qu'il se fut immobilisé.

— Ai-je le plaisir aujourd'hui de rencontrer l'un des acteurs du show *Muck n'Mire* ?

— Pas pour tout l'or du monde, répondit-elle d'un air maussade.

Ce show *Muck n'Mire* commençait à être pas mal suranné.

— Je suis Keelie Heartwood.

— Ah ! dit le petit homme en tournant les extrémités de sa moustache. J'aurais dû le deviner. Je dois avoir besoin d'un autre café.

Il se dirigea vers l'arrière de sa boutique.

— C'est la mixture du diable. Vous en voulez ?

Keelie était surprise. Il lui offrait du café, sans lui dire que son père le désapprouverait. C'était une première pour le camp des perdants.

— Oui, s'il vous plaît. Je le prends avec un peu de crème, si vous en avez.

— Mais, bien sûr! Vous voulez l'adoucir avec du sucre? Non? Eh bien, vous êtes probablement assez douce comme vous l'êtes.

Elle rougit, comme s'il était un beau chevalier. Ce qu'il lui manquait en hauteur, il le compensait, multiplié par trois, en charme.

Il prit sa nouvelle tasse verte et la remplit à partir d'une délicate carafe argentée ornée d'une incrustation de verre bleu cobalt. Il y versa de la crème épaisse à partir d'un pot à crème assorti, puis il lui rendit sa tasse et lui fit signe de s'avancer vers une paire de tabourets recouverts de cuir.

Elle s'assit, puis prit une gorgée. Le café était fort et parfumé.

Il fit un geste avec une cuiller.

— Moi, je l'aime très sucré, mais sans crème. Au fait, mon nom est David Morgan. Mes amis m'appellent Davey. Sir Davey, dans les environs.

— Comment allez-vous, Sir Davey? dit-elle solennellement. Il la traitait comme une adulte, avec respect, et elle croyait qu'elle devait lui retourner la faveur.

— Je vais bien, Lady Keelie.

Il s'assit sur le tabouret, face à elle. Une gorgée, un roulement appréciatif des yeux, puis Sir Davey l'examina.

— Ah! ma chère. Ça ne vous fait rien si je vous appelle ma chère, n'est-ce pas? Je suis plus vieux que je ne le parais. Ancien, pratiquement.

— Ça ne me dérange pas, répondit Keelie en souriant. Les muscles de son sourire tressaillirent, atrophiés qu'ils étaient.

— Excellent. J'ai vu ce qui est arrivé au cercle de joute ce matin. Un malheureux chat, ce Knot. Toute une scène avec le cheval de bataille de Sir Oscar. Il a été très chanceux.

— Ce chat débile s'est presque fait écrabouiller, déclara Keelie, roulant son talisman de quartz rose entre les doigts de sa main gauche.

— Oui, en effet. Mais n'espérez pas qu'il vous soit reconnaissant de lui avoir sauvé la vie.

Keelie posa brutalement sa tasse.

— Quoi? Moi?

Sir Davey lissa sa moustache.

— J'ai vu ce que j'ai vu, ma chère. Alors dites-moi,
depuis quand pratiquez-vous la magie de la terre?

Six

Keelie se sentit envahie par la confusion. Elle referma la main sur son quartz rose. Qu'avait-il vu ? Elle n'avait rien fait de spécial.

— De la magie ? Comme dans David Copperfield ? Je crains que vous ne fassiez erreur. Et je suppose que moi aussi.

Sir Davey parut surpris.

— Que voulez-vous dire ?

— Je pensais que vous étiez normal. Je m'aperçois que vous n'êtes qu'un autre de ces fanas de mueslis.

— Des fanas de mueslis ?

— Ouais, des fruits, des flocons et des noix ! Merci pour le café, mais je dois partir.

Sir Davey dressa la main, mais elle avait remarqué son sourire. Donc, lui aussi la trouvait drôle ? *Bien, drôle lui-même.* Elle était vraiment déjà partie.

Lorsqu'elle se dirigea vers l'avant de la boutique, il ne tenta pas de l'arrêter.

Keelie était sur le point de sortir lorsque Sir Davey cria :

— Attention !

Il l'attrapa par le bras avant qu'elle ne s'engage sur le chemin. Keelie tenta de se dégager de son étreinte, mais il resserra sa poigne.

Elle forma un poing avec sa main et tira son bras en arrière. Si le petit mec ne la laissait pas partir, elle lui donnerait un coup sur son large nez crochu.

Le bruit réverbérant des sabots des chevaux retentit comme un fracas de tonnerre, se répercutant depuis la courbe sur le chemin. Keelie quitta le chemin principal pour regagner l'entrée de la boutique. La poigne du nain se desserra, et elle libéra son bras d'une secousse.

Des chevaliers en armure passèrent sur leurs majestueux coursiers, le son des sabots de leurs montures ponctué par le bruit métallique percutant de leurs armures qui s'entrechoquaient. Certaines d'entre elles brillaient comme de l'argent et d'autres étaient ternes ou éraflées, comme des casseroles qu'on avait trop souvent nettoyées. Un coursier était vêtu de noir et de doré, et il transportait une bannière verte avec un lion argenté blasonné sur le dessus. Keelie prit une grande respiration, impressionnée par la puissance à l'état brut des chevaux et des chevaliers.

Pendant quelques secondes, elle aurait voulu suspendre la réalité et prétendre qu'elle se trouvait à la cour du roi Arthur attendant que son chevalier de la Table ronde revienne de sa quête.

Elle observa le dernier cavalier qui arrivait. Comme il passait devant l'entrée, le cheval les éclaboussa de boue. Elle balaya les flaques de boue de ses bras et soupira. Elle était destinée à être sale le reste du temps qu'elle passerait ici.

Sir Davey enleva son chapeau et le regarda fixement d'un air triste. Il était parsemé de petites taches de boue et de petites mottes de terre. Heureusement, la plume était indemne.

— De sacrés voyous prétentieux, mettant tout le monde en danger avec leurs habitudes de filer au galop un peu partout.

L'un des jouteurs fit demi-tour et revint vers eux, ralentissant son cheval au pas de marche. Puis le cheval et le cavalier s'arrêtèrent juste devant elle. Le chevalier retira son casque, et la poitrine de Keelie se serra. Sean. Sans la cape verte et noire, elle n'avait pas reconnu son armure.

Sean pencha la tête vers la droite, en lui souriant. Ses cheveux dénudèrent son oreille et elle remarqua qu'elle était pointue comme celles des elfes du film *Le Seigneur des anneaux*. Le spectacle l'obligeait-il à porter une prothèse ?

Elle toucha de ses doigts l'endroit où sa propre oreille droite saillait. Elle la couvrait toujours, mais ici, cela semblait être une défectuosité de naissance désirable.

— J'aime vos boucles, Keelie.

Ses yeux verts étaient aussi foncés que le vert des sapins.

Keelie demeura debout comme une imbécile, incapable de prononcer un seul mot. S'en était-il aperçu ?

Sir Davey entra, tenant une rapière pointée vers Sean.

— Va-t-en, sacripant. Elle n'est pas pour les gens comme toi.

La chaleur montait dans le cou de Keelie. Elle aurait voulu que la terre s'ouvre et l'engouffre.

— Sir Davey, s'il vous plaît.

Elle leva les yeux sur Sean. Elle vit les siens se rétrécir alors qu'il fixait le petit mousquetaire.

— Et la dame vous a-t-elle chargé de la protéger ? demanda Sean.

— Non, mais Zekeliel Heartwood, son père, n'aimerait pas voir des gens comme vous autour d'elle.

Elle aurait voulu donner une claque sur la tête de Sir Davey pour le réduire au silence. Keelie se rapprocha du cheval de Sean.

— Je ne le connais pas vraiment, dit-elle. Nous venons tout juste de faire connaissance. Il ne parle pas en mon nom.

Le sourire éblouissant de Sean accentua les fossettes du côté gauche de sa joue. Elle désirait tant qu'il lui tende la main et qu'il l'attire sur son cheval, puis, qu'ils partent ensemble au galop. Ce serait tellement romantique. Mais Sean remit son casque sur sa tête et leva sa visière.

— Il y a peut-être beaucoup plus d'attributs des gens de ma sorte dans Keelie que Zeke Heartwood veut bien l'admettre, Sir Jadwyn, dit Sean.

Le regard de Keelie quitta le nain pour se poser sur Sean.

— Excusez-moi, mais au cas où vous l'auriez oublié tous les deux, je suis là devant vous. Et je croyais que votre nom était Davey.

Le petit homme haussa les épaules.

— J'ai dit qu'on m'appelait Davey. Jadwyn est un autre nom.

Elle leva les yeux sur Sean.

— Que voulez-vous dire? Plus d'attributs des gens de votre sorte? En moi? Pas de chance, Sean. J'aime les chevaux, mais cela ne signifie pas que je vais me mettre à aimer la joute.

Un homme monté sur un impressionnant cheval blanc s'arrêta à côté de Sean.

— Lord Sean, la reine réclame votre présence dans l'arène.

Sean sourit à Keelie, puis il lui fit un clin d'œil.

— Je vous souhaite une merveilleuse journée, Keelie Heartwood.

Il pivota avec son cheval et suivit les autres jouteurs.

Même si Sean n'avait pas répondu à sa question et que, de toute évidence, il n'était pas l'ami de Sir Jadwyn au regard noir, le cœur de Keelie s'emballa parce que Sean avait dit qu'elle était de sa sorte, même dans ses vêtements boueux et avec ses cheveux courts et bouclés. Il lui avait même fait un clin d'œil.

— Lady Keelie, restez loin de lui. Il paraît peut-être jeune, mais il est bien plus vieux que vous ne pouvez l'imaginer. Il est préférable que vous retourniez vers votre père.

Sir Davey ne ressemblait tout simplement pas à un Jadwyn.

Elle l'entendit, mais fit semblant que non. Cet endroit était rempli de gens qui croyaient qu'elle avait besoin de se faire materner. La seule personne qui correspondait à cette description de tâches était partie.

Ses yeux demeurèrent braqués sur la silhouette de Sean qui s'évanouissait au loin. Lui plaisait-elle vraiment? Il paraissait avoir dix-sept ans. Sir David avait dit qu'il était plus âgé. Se pouvait-il qu'il ait vingt ans? Ce n'était que trois ans de plus vieux qu'elle. Pas aussi âgé que le capitaine Randy. Elle s'imagina la réaction de ses amies à l'Académie Baywood lorsqu'elles se réuniraient autour de son casier pour l'entendre parler de son petit ami, l'acteur et cascadeur de vingt ans.

Elle revint vers le comptoir, saisit sa tasse et prit une autre gorgée délectable.

— Encore merci pour l'excellent café.

Il arqua un sourcil gris acier, toujours en nettoyant des petites taches de boue sur son chapeau.

— Veillez à vous rendre directement à la boutique de votre père, et évitez de converser avec des étrangers ou de vous joindre à eux.

— Alors, je ne peux parler à personne, n'est-ce pas? Tout le monde m'est étranger ici.

Avec un petit signe jovial, Keelie quitta la boutique, tasse à la main.

— Nous parlerons de cet autre sujet une prochaine fois, cria Sir Davey.

Cet autre sujet ? La magie de la terre. Elle se souvint que Janice lui avait raconté que, si elle demeurait ici, elle pourrait découvrir des choses sur elle-même qu'elle n'aurait jamais cru possibles.

Sûrement pas ! Elle se concentra sur les mots « faculté de droit » jusqu'à ce que toutes les idées de magie soient chassées de son esprit. C'était une bonne chose qu'elle se soit éloignée de ces muffins aux graines de cristal.

Même si elle se dirigeait à nouveau vers la baraque de son père, elle avait toujours la possibilité d'explorer un peu plus les environs. Elle se demanda s'il y avait une place à la foire où elle pourrait se faire percer le nombril. Elle se demanda si Raven s'était fait faire un perçage.

Elle aperçut la boutique de bijoux où elle avait acheté son quartz et s'y rendit à grands pas. Elle ne s'y était pas beaucoup attardée auparavant, avec Mme Talbot qui la pressait comme un corgi déchaîné contre un mouton entêté.

Pas d'ornements pour le corps, mais un petit collier d'argent miroitait sur une planche d'exposition feutrée. Un pendentif en forme de fée ornait la chaîne. Elle toucha la fée, s'émerveillant à la vue de ses minuscules ailes.

Vêtue d'une robe médiévale recherchée au corsage élevé et serré, d'énormes manches traînantes exactement de la même forme que son énorme nez, une femme s'avança vers Keelie et lui parla au travers de rides à la Shar Pei[4].

— S'il vous plaît, ne touchez pas à la marchandise à moins que vous n'ayez l'intention de l'acheter, petite fille.

Keelie regarda d'un peu plus près. Derrière la longue robe, il y avait une énorme poitrine. C'était Tania, qui jouait à la méchante reine au lieu de la « séquestreuse » de melons. Keelie fit glisser le collier à la fée de sa main vers la planche d'exposition.

---

4. NdT : Chien à la tête et au corps très plissé.

Petite fille ? Humiliée, Keelie voulut s'enfuir, mais elle décida qu'elle partirait la tête haute.

Lorsqu'elle se retourna, elle faillit presque heurter Elia, la princesse à l'air supérieur, qui leva son nez mutin en même temps qu'elle laissait son regard s'attarder sur Keelie. Aujourd'hui, Elia transportait une harpe qu'elle tenait très fort contre elle, comme si elle risquait d'être contaminée au contact de Keelie.

Les lèvres tintées de rose si parfaites d'Elia se soulevèrent en un ricanement.

— Que s'est-il passé avec vos cheveux ? Vous les avez coupés ?

Tania rit.

Keelie ne se donna pas la peine de répondre qu'ils paraissaient plus courts parce qu'ils étaient bouclés. Cela aurait été une perte de temps. La fille manquait du plus élémentaire sentiment humain. Keelie la contourna.

Elia la suivit.

— La fille de la Californie, je vous parlais ! Qui a coupé vos cheveux ? Je veux le savoir pour que je puisse avertir toutes mes amies de ne pas y aller.

Elia rit.

Continue de marcher, se répétait Keelie. *Tu n'as qu'à l'éviter. Il n'y a pas de cerveau sous toute cette chevelure dorée.*

La colère bouillonnait en elle. Elle serra le poing très fort autour de sa tasse. Elle aurait voulu flanquer un marron sur le nez de Mlle Parfaite.

Keelie fut surprise d'entendre les pas d'Elia qui la talonnait. Elle ne lui accorderait pas la satisfaction de se retourner. Elia fit courir sa main sur les cordes de la harpe, et une douce musique remplit l'air. Elle commença à chanter d'une voix mélodieuse.

Il était une fois une fille avec des boucles si courtes
Qu'elle ressemblait à une brebis, non à un être humain
Qui pourrait la blâmer d'être triste et délaissée ?

Une foule de spectateurs, dont le marcheur sur échasses que
Keelie avait vu à son arrivée la veille, s'étaient rassemblés
pour entendre sa performance. Elia gratta à nouveau sa
harpe et sourit aux gens comme si elle était un ange inno-
cent. Puis elle continua à chanter.

Ses vêtements étaient souillés, tout couverts de boue
Elle avait une de ces allures, et soulevait l'hilarité.

— Ce sont de mauvais vers, Lady Piètre performance,
murmura Keelie.

Fermant les yeux, elle essaya de se rappeler la sensation de pouvoir qu'elle avait ressentie plus tôt. Elle imagina
que les cordes de la harpe se cassaient. Elle sentit les arbres
qui l'entouraient, comme s'ils se rassemblaient pour la protéger. C'était bien différent des sentiments de claustrophobie qu'elle avait éprouvés par le passé. Ils semblaient
amicaux, comme s'ils disaient : « Nous sommes là. »

Une brise toucha son visage, réconfortante comme les
carillons éoliens de l'appartement de son père, et elle ouvrit
les yeux, surprise.

Un vent léger souffla à travers elle, diffusant une odeur
de pin vert qui l'imprégnait comme de l'encens. Les grands
pins derrière la bijouterie commencèrent à se balancer. Une
robe médiévale oscilla dans le vent comme une danseuse
exécutant une gigue. Des bruits métalliques retentissants
résonnèrent tout près et Elia se mit à hurler.

Keelie la regarda en frémissant à la fois d'horreur et de
plaisir. Les cordes de la harpe d'Elia se cassèrent dans la
brise comme les fils soyeux d'une toile d'araignée.

Un bout d'oreille pointue apparut lorsque Elia pencha la tête au-dessus de sa harpe. Tout comme celle de Sean? Une mode qu'avaient adoptée les gens de la foire, ou étaient-ils tous parents?

Elia leva vers Keelie des yeux verts luisant de haine. Un voile sombre glissa derrière leur couleur vive, puis dériva pour encercler ses iris de noir.

Holà! Keelie s'éloigna de la fille aux yeux effrayants.

— C'est vous qui avez fait ça. Je ne sais pas comment, mais d'une certaine façon, vous l'avez fait! hurla-t-elle, pendant qu'elle berçait la harpe dans ses bras.

De plus en plus de gens se regroupèrent autour de la fille en sanglots. Tania s'était jointe à la foule et réprimanda Keelie.

— Que lui avez-vous fait?

— Je n'ai rien fait. J'étais debout juste là. Je n'ai pas touché sa harpe.

Elle n'avait pas touché la harpe, mais elle l'avait souhaité. Était-ce la magie de la terre dont lui avait parlé Sir Davey? Le chat et maintenant, la harpe. C'était bien au-delà de ce qu'elle avait été capable de faire en Californie.

Elia leva des yeux remplis de larmes vers la foule rassemblée.

— Je ne pourrai pas jouer aujourd'hui, car non seulement les cordes de ma harpe sont brisées, mais hélas, mon cœur l'est aussi!

Quelle reine dramatique!

Keelie s'apprêtait à battre en retraite, mais une main serra son épaule. La joaillière élégamment costumée la maintint immobile.

— Ne bougez pas, dit Tania.

Elle regarda le *populo* attroupé, tira Keelie derrière la boutique de bijoux et lui secoua l'épaule.

— Tu as causé assez de problèmes, fillette. Vous, les gens boueux, devez rester dans votre propre secteur. Si je te vois ici de nouveau, j'appellerai la sécurité.

— Je n'ai rien fait, dit Keelie en se libérant des griffes de la femme.

Elle dévisagea d'un air furieux la bijoutière, qui, à son tour, lui adressa un regard noir et la serra à nouveau.

— Va-t-en! Sors de ma boutique, persiffla Tania.

Elle se tourna pour regarder Elia qui sanglotait encore sur le chemin. La femme cracha au sol et frotta le crachat dans la poussière avec le bout de son soulier. Elle murmura quelque chose à voix basse.

Au-dessus de l'épaule de la femme, Keelie observa Elia qui se tournait lentement, comme si elle sentait quelque chose dans l'air. Elle crut que la fille la cherchait, mais elle croisait plutôt les yeux de la joaillière.

Tania haleta.

Elia avança d'un pas vers elle.

— Croyez-vous que vos misérables malédictions puissent me faire du tort?

La femme recula, le visage pâle. Elle paraissait vraiment effrayée. Keelie était dégoûtée. Il s'agissait probablement d'un spectacle pour le *populo*. Elle aurait souhaité être mise au courant. C'était la leçon à se rappeler. Tout ici était faux.

Sean apparut à pied, suivi de certains des chevaliers qu'elle avait vus plus tôt. Elia courut vers Sean, les cordes de sa harpe voletant derrière l'instrument endommagé. Il mit ses bras autour d'elle, mais ses yeux étaient posés sur Keelie. Elia pointa du doigt vers Keelie, puis recommença à pleurer.

Keelie recula. Elia leva son visage de l'épaule de Sean et lui sourit méchamment. Comme elle l'avait soupçonné, c'étaient de fausses larmes.

Elle était confuse. Y avait-il quelque chose de réel ici? Elle se fraya calmement un chemin à travers l'essaim de gens toujours croissant, et une fois libérée de la foule, elle se mit à courir sans se préoccuper de sa destination. À ce rythme, elle pourrait retourner à la maison en faisant partie de l'équipe de piste longue distance.

Lorsque son flanc commença à lui faire mal, elle s'arrêta. Elle dut prendre plusieurs grandes bouffées d'air pour se calmer. Elle était près de l'entrée des tours. Une famille paya son admission et franchit les barrières. Le papa marchait avec deux petits garçons et, derrière eux, la maman poussait une fillette dans une poussette. Ils paraissaient si normaux.

Keelie voulut hurler : *Retournez sur vos pas, n'entrez pas. Cet endroit n'est pas pour les gens normaux.*

Elle les observa alors que les deux petits, vêtus d'imperméables et munis d'épées de bois, criaient « Hourra! ». Le vent fouetta leurs cheveux, les plaquant vers l'arrière, et ils hurlèrent dans la brise déchaînée. Leur père se retourna pour leur dire de se dépêcher.

— La pluie s'en vient, les garçons. Éloignons-nous de la boue.

Au-dessus d'eux, le ciel s'était à nouveau obscurci, et le vent charriait une odeur d'ozone.

— L'été le plus bizarre jamais vu, pas vrai, les garçons ?

Keelie s'éloigna, leurs protestations soutenant que la boue était amusante. La vue de cette famille heureuse lui était douloureuse. Avait-elle déjà été le tout petit enfant dans la poussette ? Maman et Zeke avaient-ils déjà été heureux ensemble ? Son papa qui ne pouvait vivre loin des bois ? Papa. À ses yeux, il n'était pas un vrai père. C'était son père seulement de nom, et il était quinze ans trop tard pour être son « papa ».

Elle jeta un coup d'œil à l'entrée et se figea. Keelie ne pouvait croire ce qu'elle voyait. Était-ce possible ? Un gadget anachronique dans ce festival féodal — un téléphone public, fixé à une clôture de bois, entre la sortie et les toilettes.

Elle plongea la main dans sa poche et trouva la monnaie que la dame de la boutique de thé lui avait remise. Elle sortit une pièce de cinq cents, deux de vingt-cinq cents, quatre cents, et six billets d'un dollar. N'avait-elle pas vu les commerciaux d'appels à frais virés sans frais à la télévision ? Elle téléphonerait à Elizabeth, qui ferait les arrangements immédiats pour que Keelie revienne à la maison une fois qu'elle lui aurait parlé des affreuses conditions qu'elle avait dû endurer ici.

Deux hommes vêtus de vestes de cuir, de chemises en mousseline blanche et de culottes de toile se précipitèrent devant elle et gagnèrent la sortie.

— Si elle vole à l'extérieur du site, nous ne serons jamais capables de l'attraper, dit l'un des hommes. Elle finira par mourir.

— Aïe ! Nous devrons avertir l'administration. Je n'ai jamais connu un oiseau plus tenace que celui-ci, dit l'autre homme.

Elle se demanda de quoi ils parlaient, mais cela ne la regardait pas. Elle allait revenir à la maison. Keelie souleva le téléphone de son support. Elle s'arrêta comme elle entendait de la musique tout près, le son d'une harpe. Elia l'avait-elle suivie ? Elle regarda autour, mais aucune sorcière aux cheveux dorés en vue. Le son de la harpe cessa, puis elle entendit la tonalité et composa l'un des numéros 1-800 dont elle se souvenait.

— À quel numéro voulez-vous appeler à frais virés ? demanda la téléphoniste.

— Laurie Abernathy, Los Angeles, Californie. De la part de Keelie Heartwood.

Keelie donna le numéro de Laurie à la téléphoniste. Le tonnerre grondait au-dessus d'elle pendant que le téléphone sonnait. Keelie sentait battre son cœur contre sa cage thoracique, lorsque, à l'autre bout du combiné, elle entendit une voix familière.

— Allo ?

— Acceptez-vous un appel à frais virés de Keelie Heartwood ? dit la téléphoniste.

— Oui !

La voix de Laurie était comme un rayon de soleil chaud après un jour froid et pluvieux. Cela signifiait la maison, et l'école, et écouter de nouveaux CD près de la piscine. Keelie aurait voulu pouvoir se transformer en minuscules fragments microscopiques d'elle-même et voyager à travers le cordon du téléphone par le réseau de fibres optiques pour se retrouver avec son amie.

Une ombre sombre descendait en piqué au-dessus d'elle. Keelie regarda vers le ciel pour voir de quoi il s'agissait — et elle hurla alors que des serres effilées comme un rasoir se dirigeaient tout droit vers ses yeux.

Sept

— Keelie? Keelie? C'est toi?

Keelie entendait la voix de son amie, métallique et loin au-dessus d'elle. Elle était tombée et avait roulé sur le sol, les bras par-dessus la tête. Un cri rauque retentit dans le ciel. Elle tressaillit au contact de quelque chose qui lui frôlait le dos.

Les yeux fermés, elle se remémora les griffes déployées comme de puissantes faux, prêtes à lui déchiqueter le visage. Un faucon. Énorme.

Keelie sentait ses muscles paralysés par le cri strident et les ailes battantes. Le cordon du téléphone public pendait quelque part au-dessus de sa tête, et une voix féminine monocorde avait remplacé celle de Laurie.

— Pour faire un appel, veuillez raccrocher et essayer de nouveau.

Keelie serra les paupières encore plus fort et se couvrit la tête. Finalement, toutes ces années d'exercices de simulation d'un tremblement de terre à l'école seraient peut-être pratiques. Elle écouta pour discerner le bruit du vol de l'oiseau ; elle entendit plutôt le signal sonore agaçant du téléphone. Elle tourna la tête et jeta un coup d'œil furtif entre ses doigts. Des nuages orageux tourbillonnaient, de plus en plus sombres, mais il n'y avait aucun mouvement. Elle bougea son bras avec précaution. Aucun faucon ne voltigeait au-dessus d'elle, prêt à la mettre en lambeaux.

Elle s'agenouilla et scruta les arbres environnants. Toujours pas de faucon. Elle se sentit soulagée. Il était parti.

Keelie se leva. Quelque chose de léger effleura l'arrière de sa tête. La panique la ressaisit. Elle demeura parfaitement immobile, puis l'atterrissage en douceur du faucon sur la clôture voisine la fit prendre une brusque inspiration. Ses griffes creusaient le bois comme il essayait de retrouver son équilibre, ses larges ailes déployées en coupole.

La bouche sèche, elle regarda l'œil doré de l'oiseau qui l'examinait attentivement. Il tourna la tête, et la peur de Keelie diminua, remplacée par de la compassion. L'autre œil était d'un blanc laiteux. Aveugle.

De toute sa vie, Keelie ne s'était jamais approchée de si près d'une chose aussi majestueuse et superbe. La cécité de l'oiseau n'amoindrissait en rien sa puissance, et cette proximité toucha quelque chose en elle — déclencha un commutateur au tréfonds de son âme.

Une brise chaude ébouriffa les plumes de l'oiseau. Le signal sonore irritant du récepteur téléphonique détourna l'attention de Keelie, et elle se rendit compte qu'elle avait perdu sa connexion avec Laurie : sa connexion avec la maison.

Keelie tendit le bras pour s'emparer du récepteur et s'étira pour se rapprocher du téléphone public et presser les boutons afin d'appeler Laurie. Elle sourit au faucon.

Immobile, il l'observait, jusqu'à ce qu'elle appuie sur les boutons de métal. De nouveau, l'oiseau poussa un cri, comme s'il lui demandait : « Qu'es-tu en train de faire ? Pourquoi veux-tu partir ? »

Elle s'éloigna du téléphone public et s'approcha de la clôture de bois pour la toucher. C'était du cèdre, et dans sa tête, elle vit des rangées d'arbres plantés. Une ferme d'arbres.

Le faucon lança un cri. Keelie se tourna pour voir les deux hommes qui s'étaient précipités sur les lieux quelques minutes plus tôt. Ils franchirent les barrières de la tour, puis s'arrêtèrent lorsqu'ils entendirent le faucon qui émit un nouveau cri. Keelie regarda l'oiseau, puis les hommes.

— Est-ce votre oiseau ?

L'un des deux hommes tonitrua :

— Ne bougez pas, petite.

L'autre tendit un bras couvert d'un gant de cuir épais et raide.

— Viens, Ariel, viens ici ! cria-t-il.

Le premier homme se déplaça avec précaution vers Keelie.

— Ne bougez pas. Elle est dangereuse.

Ouais ! C'est maintenant que vous m'avertissez !.

Le faucon détourna la tête des deux hommes pour regarder de nouveau Keelie. C'était probablement l'oiseau qui s'était envolé durant le spectacle de rapaces, lors de son arrivée la veille.

Au-dessus d'elle, les arbres murmuraient entre eux. Elle sentait leur contact dans la brise, contre sa joue. Légère comme une plume.

Des plumes. Elle eut le sentiment que le faucon n'irait pas vers ces hommes, mais peut-être qu'Ariel viendrait à elle.

Ariel le faucon tourna son œil doré vers Keelie, et comme leurs regards se soudaient, le contact s'établit entre elle et l'oiseau. Une compréhension mutuelle s'installa entre les deux âmes blessées, liées dans la douleur. À ce moment, Keelie sut qu'elle avait une amie à la foire de la Renaissance de High Mountain.

Elle s'approcha plus près d'Ariel.

— Veux-tu venir à moi ?

Le faucon agita la tête comme pour dire oui. S'aidant de ses serres, Ariel avança le long de la clôture en direction de Keelie.

— Bougez lentement, cria l'homme à la main gantée.

Il retira le gant et le lança d'un geste furtif. Il tomba à ses pieds. Ariel bascula son poids vers l'arrière comme si elle s'apprêtait à sauter sur le gant, puis elle s'apaisa.

— Mettez le gantelet, ensuite allongez le bras. Faites attention, ses serres sont aussi pointues que des couteaux.

Keelie inséra sa main dans le gant, s'avançant avec précaution pour ne pas effrayer l'oiseau. Elle était heureuse d'être protégée contre les serres tranchantes d'Ariel.

Elle agita sa tête de haut en bas, l'examinant, puis se lança vers Keelie et atterrit sur son avant-bras tendu. Elle était grosse, mais pas aussi lourde que Keelie l'aurait cru. Celle-ci garda la tête baissée, effrayée à l'idée que le vilain bec se trouve si près de son visage. Ariel baissa la tête, et se pencha vers l'avant. Keelie imita le mouvement, et Ariel appuya son front contre le sien.

— Sacrebleu !

— Regarde ça !

Ignorant les cris d'émerveillement des hommes, Keelie et Ariel se touchèrent, plumes contre peau, jusqu'à ce que Keelie lève la tête.

— Toutes les deux, nous aurions dû voler librement lorsque nous en avions la chance, murmura Keelie contre la tête lisse.

Près des enclos des rapaces, les deux hommes racontèrent la triste histoire d'Ariel à Keelie. Des adolescents avaient tiré sur elle avec un pistolet à balles BB et elle avait à jamais perdu l'usage de son œil gauche.

Incapable de chasser à cause de sa cécité, on l'avait apportée aux responsables des rapaces. Comme Ariel pouvait voler, elle tentait continuellement de s'enfuir. Elle finissait toujours par revenir lorsqu'elle avait faim, mais elle risquait de se blesser à cause de sa vision diminuée.

C'était la première fois qu'elle volait vers une personne, et les hommes semblaient en admiration devant Keelie alors qu'ils l'encadraient sur le chemin menant aux enclos.

— Grâce aux étoiles et aux planètes, Ariel nous est revenue, dit une femme grande et mince avec des cheveux bizarres coupés en brosse. Keelie la reconnut : c'était Cameron, la dame qui tenait le harfang des neiges le jour précédent, et la seule autre femme de la foire qui portait les cheveux courts comme les siens.

— Vous devez être très spéciale. Elle ne permet à personne de la toucher, sauf à Tom et moi.

La femme fit un signe de tête vers l'homme qui avait donné son gant de cuir à Keelie.

Le compliment fit affluer la chaleur dans son corps. Le vent de plus en plus déchaîné souffla une boucle sur son front, mais elle n'osa pas la repousser.

Cameron se tourna vers les hommes.

— Vous a-t-on présenté Keelie Heartwood?

Les hommes la fixèrent avec intensité.

— C'est elle, déjà? dit l'un d'eux.

L'autre hocha la tête comme s'il avait saisi quelque chose de spécial.

— Ça a du sens.

La femme fronça les sourcils en direction des arbres balayés par le vent dans le firmament.

— La tempête approche. Rentrons les autres oiseaux.

Les hommes se hâtèrent. Keelie avait mal à l'épaule à force de supporter le poids de l'oiseau. Elle roula son cou, essayant d'activer la circulation.

— Comment connaissez-vous mon nom?

— Nous nous sommes rencontrées hier, vous vous souvenez?

Cameron tourna son regard d'oiseau vers Keelie.

— Les animaux vous ont-ils toujours aimée? Saviez-vous que vous aviez aussi un don de guérison?

— Je n'ai jamais été en contact avec un animal, sauf avec le chat de mon amie.

Elle ne répondit pas à la question au sujet de la guérison. Quelle blague. Maman avait toujours considéré que la médecine était une carrière qui ne lui convenait pas.

Cameron ouvrit la porte d'une large cage d'acier et fit signe à Keelie.

Malgré sa réticence, Keelie introduisit son bras dans la cage, toujours avec Ariel dessus, et déposa le faucon près d'une grosse branche à l'intérieur. À sa grande surprise, l'oiseau sauta sur le perchoir et s'y installa, comme si sa fuite était sans conséquence et que c'était maintenant le temps de la sieste.

— Stupéfiant, dit Cameron.

Son sourire s'élargit en voyant Keelie déposer le faucon. Il n'y avait ni dédain ni condescendance dans les yeux de la femme.

— Si vous n'êtes pas du type délicat, vous pouvez revenir demain et nourrir Ariel.

— Que mange-t-elle?

Elle imagina un sac de bouffe pour faucon.

— Des rats.

Keelie avait dû afficher une mine de dégoût.

— Aurez-vous le courage de faire ça?

Elle regarda Ariel sur le perchoir. L'œil laiteux du faucon lui faisait face. Elle n'était pas complètement aveugle, pensa Keelie. L'œil blanc ressemblait à une lentille qui lui permettait de voir dans l'âme du faucon et Ariel lui communiqua sa douleur de perdre sa liberté.

C'était dégoûtant de nourrir des oiseaux avec des rats, mais elle ne pouvait imaginer ne pas revenir ici. Cameron lui prit le gant.

— Quand?

— Treize heures, dit Cameron.

Ses yeux se braquèrent sur les oiseaux puis sur Keelie. Elle ressemblait elle-même à un volatile.

— J'y serai.

Keelie sortit, mais se retourna pour regarder Ariel un bref instant. Le faucon avait fermé les yeux.

— À demain, Ariel.

Sur le chemin du retour vers la cabane de son père, Keelie remarqua que beaucoup de gens s'activaient pour quitter les lieux, les yeux inquiets levés vers les nuages de plus en plus pesants.

La faim la tenaillait de nouveau et elle s'arrêta pour acheter un épi de maïs dégoulinant de beurre. Pendant qu'elle le payait, elle entendit quelqu'un du *populo* dire qu'on avait émis une alerte à la tornade.

— Excusez-moi, monsieur. Quelle heure est-il?

— Seize heures. Quel costume portez-vous, ma petite?

L'homme souriait en regardant sa jupe.

Elle baissa les yeux.

— Je suis une princesse de conte de fées. Quoi d'autre?

Elle partit en laissant le type les yeux braqués sur elle, bouche bée, et s'empressa d'avancer sur le chemin. Une alerte à la tornade. Ça n'existait pas en Californie. Que devait-elle faire? Sa seule expérience avec les tornades, c'était au cinéma, dans *Tornade* et le *Magicien d'Oz*.

Elle observa un homme ridé, à la longue barbe, qui la dépassa en trombe, sa robe violette claquant dans le vent. À bien y penser, cet endroit faisait très Oz.

Elle était demeurée un long moment au Motel des rapaces, bien plus longtemps qu'elle l'aurait dû. Papa serait inquiet, mais il lui avait bien dit qu'elle devrait explorer la foire de la Renaissance et c'est ce qu'elle avait fait. Il était probable qu'elle ne lui avait pas du tout manqué aujourd'hui. Elle paria qu'il avait été occupé avec ses meubles et ses groupies.

Il était bizarre de constater combien le temps avait passé rapidement en compagnie d'Ariel. Elle avait aussi totalement oublié Laurie, malgré son envie impérieuse de la rappeler. *Demain*, pensa-t-elle. *Après avoir nourri Ariel.*

Elle s'immobilisa subitement. Son attention avait été si absorbée par son maïs dégoulinant de beurre qu'elle n'avait pas beaucoup remarqué son environnement.

C'était là : la scène du show *Muck n'Mire*. Elle baissa les yeux sur son corsage, puis regarda à nouveau les empreintes de main peintes à l'arrière de sa jupe. Elle ne put s'empêcher de sourire même si elle détestait son costume. Le dénommé Tarl qui lui avait apporté la robe se tenait tout près, en train de parler à un petit homme.

Elle se rappela les silhouettes et les gémissements qui provenaient de la tente de Tarl, au Shire, la nuit d'avant. Elle se sentait incapable de lui adresser la parole en conservant son sérieux. Le type avec lequel il bavardait ressemblait beaucoup à Sir Davey Morgan. Elle l'examina de plus près. C'était lui. Elle espéra qu'il ne l'embarrasserait pas en parlant des absurdités de la magie de la terre.

Une partie de Keelie voulait s'enfuir et ne pas parler avec ces hommes, mais la partie compatissante en elle, qu'Ariel avait réveillée, voulait rester. Tarl avait été sincèrement gentil à son endroit, venant à sa rescousse ; la robe était un horrible chiffon, mais le geste était courtois. Bien plus que ce qu'elle pouvait dire des autres gens. L'image d'Elia lui vint à l'esprit. Janice, la dame aux herbes, avait été gentille avec elle, mais Keelie s'imaginait qu'elle agissait ainsi seulement pour essayer d'être en bons termes avec son père.

Et il y avait Raven. *Raven était cool... la grande sœur qu'elle n'avait jamais eue.*

Sur un coup de tête, elle décida d'avancer vers Tarl, de le remercier pour les vêtements et de lui annoncer que ses valises arriveraient bientôt. Elle essaierait de ne pas rire à l'image de sa silhouette nue en forme de pomme de terre.

Il remarqua sa présence et lui fit signe.

Elle lui retourna la pareille et avança vers les deux hommes. L'image de la silhouette nue de Tarl sur le mur de la tente lui revint. Aïe !

S'éclaircissant la gorge, Keelie essaya de penser aux bons mots à dire, mais ils sortirent en vrac.

— Merci pour les vêtements.

Tarl sourit.

— Vous êtes la bienvenue, Keelie. Ils paraissent bien sur vous. J'aimerais que vous rencontriez Sir Davey Morgan.

Il agita sa main vers le mousquetaire en miniature.

— Et voici Keelie Heartwood.

Sir Davey salua, et cette fois sa plume balaya la boue.

— J'ai eu le plaisir de rencontrer Lady Keelie plus tôt, Sir Tarl.

Lady Keelie. Elle aimait cette dénomination.

— Votre chapeau ! s'exclama-t-elle.

La plume sur son chapeau était maintenant mince et brune, ruinée par des filets de boue.

Les sourcils froncés, Sir Davey enleva son chapeau et l'examina. Il le remit sur sa tête.

— Bien, de la bonne vieille terre n'a jamais blessé personne, n'est-ce pas, Tarl ?

— La terre, c'est toute ma vie.

Les yeux du gros homme fusèrent vers un groupe d'acteurs du *Muck n'Mire*.

— Je vais retourner avec les autres, dit Tarl. Nous sommes en train de travailler un nouveau sketch satirique. Voulez-vous vous joindre à nous ?

— Je crois que j'ai dû voir plus de boue depuis les vingt-quatre dernières heures que dans toute ma vie, dit Keelie.

Sir Davey agita sa main contre la tache sur le chapeau. Des fragments de boue giclèrent de la plume. Keelie ne pouvait le croire. L'extrémité jadis brune et en bataille de sa plume d'autruche était maintenant d'un blanc virginal, comme si elle avait été trempée dans de la neige nouvellement tombée.

— Comment avez-vous fait ça? demanda-t-elle. Est-ce un truc de magie?

— Dites-moi, Keelie Heartwood, quand vous étiez enfant, avez-vous déjà fabriqué des tartes à la boue?

— Des tartes à la boue? Moi? Non.

— Vous avez raté une partie très importante de votre enfance, jeune dame.

— En quoi le fait de ne pas avoir fabriqué de tartes à la boue signifie-t-il que j'aie raté quelque chose d'important?

Sir Davey s'assit sur le bord de la scène. Il tapota la planche près de lui. Elle le rejoignit.

Sir Davey ramassa une poignée de boue et l'écrabouilla entre ses doigts.

— Ceci fait partie de la terre.

— Exact.

Elle aurait pu se passer de la leçon de science du capitaine Évidence.

Sir Davey arqua un sourcil gris acier vers elle.

— Ne croyez-vous pas que c'est important?

Elle haussa les épaules.

— Pensez aux artistes qui travaillent avec de l'argile… et aux enfants — les petits enfants sont des artistes et ils créent à partir de leur cœur. Avez-vous déjà regardé des enfants jouer dans la boue, dans le carré de sable? Ils ne disent pas : *aïe, c'est dégoûtant*!

Keelie dut sourire à l'imitation que faisait Sir Davey de l'accent d'une fille de la vallée.

— D'accord, j'ai beaucoup joué sur la plage quand j'étais enfant. Mais jamais avec de la boue.

— Ah, elle admet qu'elle a joué !

Sir Davey lui sourit.

— Et dans le sable. Même les *élémentaux* sont étonnés de cette confession.

— Les *élémentaux* ?

— Je vous expliquerai plus tard. D'abord je veux que vous vous imprégniez de la boue. Tendez la main.

Elle frissonna de dégoût.

— J'ai déjà eu assez de boue, merci.

— Ne soyez pas une mauviette.

— Une mauviette ?

Elle tendit la main droite, paume ouverte. Sir Davey y fit tomber la sphère boueuse.

— Vous pouvez créer à partir de votre cœur sans laisser votre esprit interférer avec le processus.

Il mit sa main sous la sienne et referma ses doigts sur la motte de boue. La chose fit un bruit de succion entre ses doigts.

— Répugnant.

Mais ça ne l'était pas.

Il s'en dégageait une odeur de terre, totalement différente de la pâte à modeler artificielle et parfumée avec laquelle jouait Keelie quand elle était petite.

Sir Davey forma une autre balle de boue avec ses petits doigts. Keelie redonna à la motte boueuse sa forme initiale et laissa tomber la boule sur la scène. Elle y introduisit son index.

— Quand j'allais à l'école primaire, nous travaillions l'argile dans le cours d'art et je fabriquais des tasses artisanales pour maman. Le professeur d'art les faisait cuire dans le four. Maman en a utilisé une pour ranger ses stylos sur son bureau.

Keelie fit un autre trou dans la motte de boue.

Sir Davey continua de façonner la sienne en un objet défini. Keelie ne pouvait dire ce dont il s'agissait, mais cela lui rappela un souvenir.

— Quand j'étais en deuxième année, j'ai fabriqué une grosse épinglette en forme d'insecte pour maman. C'était aussi un insecte moche. Je l'ai peint en noir avec des pois roses, mais maman a porté la broche à l'église le dimanche de Pâques. Elle jurait contre sa robe jaune fleurie de designer, mais elle disait que mon épinglette était une œuvre d'art et qu'elle ferait l'envie de toutes les mamans.

Sir Davey ouvrit la main pour faire apparaître une réplique de l'épinglette-insecte de terre brune qu'elle avait fabriquée jadis pour sa mère. Elle sentit son cœur se serrer de tristesse. Keelie n'était plus déconcertée par la magie. La tristesse suintait de l'espace de son cœur où elle la gardait emprisonnée, aussi étroitement que sa colère. L'insecte de boue de Davey en avait dégagé la porte.

Elle ferma les yeux, tentant d'arrêter ses larmes avant qu'il puisse les voir. Lorsqu'elle les ouvrit à nouveau, l'insecte avait disparu pour faire place à une motte de boue peu attrayante.

— La terre sous nos pieds nous relie tous. Nous reposons tous sur elle et nous dépendons d'elle pour nous nourrir, dit Sir Davey. Parfois, ce peut être sale et désordonné, mais ce peut aussi être nourrissant et guérisseur. Et la terre n'est qu'une petite partie de votre monde, Keelie. Ne l'oubliez pas dans les jours et les mois à venir.

Elle entendit son père qui l'appelait. Au début, elle crut que cela faisait partie de la leçon de Davey, mais elle se rendit compte qu'elle pouvait vraiment entendre sa voix. Il était debout à quelques mètres de là.

— Keelie, tu es là. Où étais-tu toute la journée ? Je t'ai cherchée partout !

Elle repoussa tous ses sentiments de tristesse de même que d'autres sentiments négatifs. C'était comme si elle cachait un secret dans une boîte aux trésors. Keelie ne voulait pas que papa découvre qu'elle se sentait triste, et d'une certaine façon, elle le croyait capable de pressentir son état. Elle érigea une invisible barrière de briques autour de ses sentiments.

— Zeke. Heureux de te voir.

Sir Davey fit un salut de la tête à son père, qui lui répondit de la même façon.

— Davey. Je vois que tu as rencontré Keelie.

— J'ai eu cet honneur.

Sir Davey sauta en bas de la scène et salua Keelie, et même si sa plume d'autruche immaculée touchait le sol, elle demeurait blanche.

— J'ai apprécié notre bavardage. Venez me voir demain et je vous montrerai comment j'ai fait cela.

Un léger frisson la parcourut, et à sa grande surprise, elle se rendit compte qu'elle avait hâte au lendemain. Elle sourit à Sir Davey. Il posa son doigt sur ses lèvres. Notre secret.

— Viens, Keelie, rentrons chez nous, dit Zeke.

— Chez toi, corrigea Keelie.

Il soupira.

— Viens.

L'atelier d'ébénisterie était assez éloigné et leur silence le long du chemin fit paraître le temps encore plus interminable. Lorsqu'ils s'approchèrent de la boutique, Keelie courut devant, grimpant l'escalier rapidement et ouvrit toute grande la porte. Ses yeux balayèrent la pièce, cherchant ses valises, mais à sa consternation, elle ne les vit nulle part.

Son père sembla analyser son expression.

— Tu cherches le chat?

— Non, mes affaires. Je croyais qu'elles devaient arriver aujourd'hui.

Il soupira encore plus fort qu'auparavant.

— La compagnie d'aviation a téléphoné et a dit qu'il faudrait encore quelques jours ; il semble que tes vêtements et tes autres trucs se soient envolés vers Istanbul.

— Istanbul ? Par chance, ce ne serait pas une banlieue de Fort Collins ?

— En Turquie. Le pays du même nom.

Keelie se laissa tomber sur le lit.

— Je ne peux y croire. Ces idiots ne peuvent livrer un simple sac.

Encore moins dix.

— Tes valises ont été retracées, de Los Angeles à Hawaï, puis à Hong Kong. Maintenant, elles sont en route vers Istanbul.

— Je pensais que je pouvais me passer de mes vêtements pendant deux ou trois jours, mais maintenant ça pourrait durer des semaines, exact ? Je ne peux plus me promener dans ce costume ridicule. C'est trop humiliant.

— Je suis d'accord. Ça ne te convient pas vraiment, dit son père. Mais tu as besoin de davantage que des vêtements. J'ai pensé t'emmener faire des emplettes demain.

Elle le regarda fixement, puis un sursaut de rire l'ébranla.

— Toi ? M'emmener magasiner ?

Il hocha la tête.

— Incroyable, je sais. Nous ferons l'expérience des centres commerciaux de Fort Collins. Et tu pourras aller au Placard de Galadriel pour te choisir quelques costumes de la Renaissance.

Un centre commercial. Ce seul mot la rendait heureuse.

— Ce ne sera pas si mal, je te le promets.

Keelie remonta ses pieds sur le lit.

— Honnêtement, combien de temps es-tu demeuré à ce festival de Fort Collins ?

— Trois mois par année depuis les sept dernières années, dit son père.

— Aussi longtemps ?

Elle compta en remontant le temps. C'était depuis qu'elle avait neuf ans.

— Es-tu déjà allé au centre commercial?

— Je n'ai jamais pénétré dans aucun centre commercial.

— Jamais? Excuse-moi, mais dans quel siècle sommes-nous?

Il rit.

— Ne crains rien, ma fille. Je ne crois pas que ce sera difficile à trouver.

— Es-tu seulement capable de conduire?

— Keelie, je peux fonctionner dans le monde du *populo*.

— Certains diraient que c'est le vrai monde.

— Parlant du vrai monde, les livres de ta nouvelle école devraient arriver cette semaine. Je crois que c'est important que nous commencions tes études le plus tôt possible.

Si son père avait voulu lui détourner l'esprit de ses vêtements, il avait réussi en lui disant qu'elle recevrait ses livres de sa nouvelle école. L'été était presque arrivé.

Keelie ramassa un oreiller vert affichant un magnifique arbre doré brodé et le serra fort contre sa poitrine.

— Laisse-moi te parler franchement : tu t'attends à ce que je fasse du travail scolaire pendant les vacances d'été? Et ici, pas à l'école avec d'autres jeunes de mon âge?

— Dans environ trois semaines, nous nous rendrons à New York pour le festival de la Renaissance de la place. Nous y resterons pendant huit semaines, et tu continueras tes études par correspondance. Quand nous reviendrons à la maison en Oregon, tu ne seras pas en retard par rapport au reste de ta classe.

— Tu crois que j'irai à New York et en Oregon avec toi.

Elle ne se donna même pas la peine d'en faire une question. La réponse était évidente.

— Oui, Keelie. Je le crois. Tu es ma fille. Nous sommes une famille. Nous resterons ensemble.

Une colère bouillante l'envahit. Elle lança l'oreiller sur le sofa. Il rebondit et atterrit sur le plancher. Elle se leva d'un bond et lui donna un coup de pied.

— Maman et moi, nous étions une famille. Tu nous as plaquées, tu te souviens ? Ma place est en Californie. C'est mon chez-moi. Pas l'Oregon. Et pas avec toi.

Il paraissait blessé. Parfait.

— Keelie, je suis tellement désolé que tu souffres tant. Je sais que ta mère te manque beaucoup. Mais ta place est ici, avec moi.

— As-tu déjà réfléchi à tout ce que j'ai perdu ? Pas seulement maman, mais aussi mes amis, et même ma chambre ?

Elle était maintenant furieuse contre elle-même. Allait-elle pleurer ?

— Tu as pris toutes les décisions. Une minute, j'étais à la maison, l'instant suivant, je suis ici dans ce… ce…

Elle agita les mains autour d'elle, les mots lui manquant.

— C'est un autre monde, n'est-ce pas ?

Il promena les yeux dans la pièce.

— Ma vie a changé aussi. Je n'ai pas l'habitude d'avoir une enfant autour de moi. Ou une femme.

— Oh, ouais ! Je parie que tes groupies sont toutes en thérapie à faire leur deuil.

Ses yeux s'agrandirent.

— Des groupies ?

— Ne me dis pas que tu n'as pas remarqué toutes ces femmes qui se jettent continuellement sur toi ? Et qu'est ce que toute cette histoire de Keliel ? Et les oreilles de Spock que tout le monde porte ? Cet endroit est vraiment plus que bizarre.

Keelie redonna un coup de pied sur le coussin.

— Je veux retourner à la maison. En Californie. Je veux retrouver mon ancienne vie.

— Même si ta mère était toujours vivante, tu aurais fini par revenir vers moi, dit-il.

— C'est tellement vaniteux. Comme si j'allais brusquement vouloir un père après des années de néant.

— Tu devais revenir ici pour apprendre comment contrôler ton don.

Il paraissait sérieux.

Elle le regarda. Il savait ? Elle avait vécu un enfer toute sa vie à penser qu'elle était une sorte de mutante génétique, et il était au courant ?

— Maman était-elle au courant ? murmura-t-elle, les lèvres engourdies.

Il baissa les yeux, évitant son regard.

— Oui, c'est l'une des raisons pour laquelle elle est partie.

— Elle est partie ? Elle a dit que tu étais parti.

Son univers était en train de s'effondrer. Sa maman lui avait-elle menti ?

— Nous étions en Oregon et elle t'a prise et t'a ramenée en Californie.

À chaque mot, sa voix devenait plus douce.

— Alors pourquoi ne l'as-tu pas poursuivie en justice pour avoir la garde ? Bien sûr, j'ai quinze ans maintenant et ça ne fonctionnerait pas. Après douze ans, tu as le droit de choisir où tu vis. Je ne choisirais sûrement pas cet endroit, ça c'est sûr.

Son père s'immobilisa soudain, comme s'il retenait son souffle.

— Est-ce que c'est ce que ta mère t'a dit ? Elle t'a dit que je suis parti et que je ne voulais pas de toi ?

— Bien, pas avec autant de mots. Mais nous étions en Californie et tu es parti pour une vie de bohème. Et tu n'as jamais demandé la garde ou même des droits de visite.

Tous ses amis dont les parents étaient divorcés avaient des visites planifiées.

— Un droit de visite ? La garde ?

Il parut complètement perplexe, et un peu fâché aussi.

— Incroyable. Keelie, ta mère et moi n'avons jamais divorcé.

Huit

La magie de la terre, des dons magiques, jamais divorcé. Les mots étourdissants tournaient dans sa tête. Keelie se laissa tomber sur le grand lit et serra un oreiller contre elle.

Des larmes lui brûlaient les yeux, et elle serra les paupières très fort. Elle ne pleurerait pas. Et pourquoi pas ? Qui la verrait ? Elle plongea son visage dans l'oreiller et fondit en pleurs.

Elle aurait voulu disposer d'un objet à lancer, à briser, à déchirer en petits morceaux afin de décharger toute sa colère.

Colorado, New York, Oregon. Mais pas la Californie.

Jamais.

Jamais.

Jamais.

Elle entendit un ronronnement près de sa tête. Elle ouvrit les yeux. Là, comme une pile duveteuse de feuilles d'automne, Knot était pelotonné dans le coin derrière son oreiller.

— Qu'est-ce que tu fais ici?

Il ronronna plus fort.

— Va-t-en!

Le grondement sourd augmenta.

— Ce cheval t'aurait piétiné en minuscules morceaux de chat si je ne lui avais pas crié après!

Le ronronnement cessa.

— Bête ingrate.

Il recommença.

— Je déteste les chats.

Il résonna comme un moteur de voiture.

— Je te déteste, toi tout spécialement.

Le chat ouvrit ses yeux verts bizarres et cligna des yeux vers elle.

À chaque insulte, la colère qui la rongeait de l'intérieur se dissipait un peu.

— Tu es laid.

Knot s'étira et bâilla.

— Tu répands tes poils partout.

Le chat s'assit.

— Je devrais te botter le derrière pour avoir pissé dans ma valise.

Avec sa langue rose, Knot lécha la fourrure sur sa queue.

— Hé! Dégoûtant!

Le chat bondit du lit et marcha avec nonchalance vers la porte. Il s'assit, la tête tournée vers Keelie, l'air d'attendre quelque chose.

Elle sortit rapidement du lit, marcha vers lui, et les mains sur les hanches, elle fixa l'insolent félin.

— Je ne suis pas ta femme de chambre.

Il cilla des paupières vers elle.

— D'accord!

Elle ouvrit légèrement la porte et le chat se faufila dans la fente. Elle se dit que, si elle ne l'avait pas fait sortir, il aurait pu asperger toute la chambre. Ce serait invivable. N'empêche qu'elle ne débarrasserait peut-être jamais ses sous-vêtements et sa valise de l'odeur infecte de son urine.

Elle entendit son père parler à une femme en bas des escaliers. Keelie pouvait voir son dos et entendre sa réponse à voix basse. Keelie ferma la porte, mais la laissa légèrement entrouverte pour pouvoir entendre et observer.

— Je ne sais pas comment établir le contact avec elle, disait Zeke.

— Donne-lui du temps, Zeke. Keelie vient tout juste d'arriver dans un tout nouvel univers. C'est totalement à l'opposé de celui qu'elle connaissait, et en plus, elle est en grand deuil de sa mère.

C'était la voix de Janice la fouineuse. Keelie n'avait pas besoin que quiconque intervienne en sa faveur. Si elle avait réussi à en boucher un coin à son père avec son attitude rebelle, c'est que son plan fonctionnait. Il voudrait se débarrasser d'elle le plus rapidement possible. Et cela signifiait qu'elle pourrait vivre avec Laurie à Los Angeles.

Keelie lui rendrait service.

Elle remarqua les épaules de son père qui s'affaissaient.

— Je n'aurais jamais dû accepter de ne pas me mêler de l'éducation de Keelie pendant toutes ces années. Mais c'est ce que Katy voulait. Elle avait tellement peur de ce que deviendrait Keelie. Comme si ça pouvait changer la réalité de l'éloigner de moi.

Keelie retint sa respiration. Ce n'était pas l'idée de maman d'empêcher Zeke de la voir. Comment osait-il blâmer maman d'avoir été absent toutes ces années ?

— Que vas-tu faire ? On ne peut se méprendre sur sa nature, dit la femme. Une rumeur court dans toute la foire de la Renaissance à son sujet. Elle doit savoir, Zeke, et acquérir une certaine maîtrise. Elle a déjà causé des ravages. Le chat, par exemple. Et la pauvre Elia — non qu'elle ne l'avait pas mérité… Mais si les gens du *populo* devaient le remarquer, cela signifierait de vrais problèmes pour nous tous.

Keelie faillit bondir de sa cachette. Étaient-ils devenus fous?

Son père s'assit dans l'escalier, ses longues jambes étendues. Il appuya sa tête sur sa main.

— Elle ne veut pas entendre parler de son don. Katy a fait en sorte que Keelie croie que nous étions divorcés, que je les avais abandonnées.

C'était donc vrai. Keelie sentait sa tête lourde.

Knot sauta sur les genoux de son père, et ce dernier le gratta distraitement derrière l'oreille. Le chat ferma les yeux et cingla l'air avec sa queue.

— Salaud! marmonna silencieusement Keelie.

Knot ouvrit les yeux. Ils luisaient comme d'étranges gaz verdâtres des marais. Le plus bizarre, c'était que le chat regardait fixement Keelie dans les yeux, comme s'il l'avait entendue. Il commença à ronronner si fort qu'elle pouvait l'entendre du haut de l'escalier.

Keelie ferma tranquillement la porte. Toute la foire de la Renaissance parlait d'elle? *Bien*, se dit-elle avec morgue. Elle partait de toute façon.

Pas question d'attendre une prochaine conversation avec Zeke qui changerait encore le cours de sa vie. Elle attendit qu'il quitte l'escalier et retourne travailler, puis elle mit ses chaussures et descendit la colline. Il lui fallait voir Ariel. Elle avait beaucoup en commun avec le faucon emprisonné. Peut-être pourrait-elle simplement lui parler?

Le ciel était un peu plus sombre qu'à l'accoutumée à cette heure de la soirée, même si l'alerte à la tornade était levée. Elle raterait probablement le souper si Zeke avait projeté de cuisiner. Il est probable qu'il la renverrait chez Mme Butters. Quelle bizarre petite femme.

Keelie passa devant des marchands en train de ranger leur marchandise et de fermer leurs boutiques. Certains lui jetaient un coup d'œil, puis retournaient rapidement à leurs tâches. Keelie fronça les sourcils. Était-ce son haleine? Ici, elle était habillée comme eux, elle habitait là, et on la traitait pourtant comme une lépreuse. Non qu'elle avait envie d'être la princesse locale. Mais quand même — est-ce que ça leur causerait du tort de la saluer?

Elle ralentit alors qu'elle atteignait la scène du spectacle de rapaces. Une petite affiche près d'un pin géant se lisait : «Les enclos». Derrière, on y gardait les cages d'oiseaux. C'était sombre et silencieux.

Que se passerait-il si elle entrait et réveillait les oiseaux? Les gros hiboux, les vautours et les faucons? Les cris rauques attireraient une foule. Elle s'arrêta et examina les alentours. La boutique de Sir Davey n'était pas trop éloignée, mais elle n'avait pas envie d'assister à une autre leçon sur la terre et la boue. Le tonnerre grondait là-haut, mais il semblait lointain.

C'était peut-être une mauvaise idée de réveiller les oiseaux. Elle avait besoin de chaleur et de se retrouver en compagnie de gens. Elle pensa au Shire. Keelie se tourna vers le chemin. Peut-être prendrait-elle plus qu'une couple de gorgées de la bouteille qu'on se passerait. Elle avait besoin de quelque chose de chaud intérieurement et extérieurement.

La nuit dernière, la tente était chaude et sèche. Elle se demanda dans quelle tente avait dormi Sean. Et s'il avait dormi seul. Raven était peut-être au courant. Elle devrait aller au *Shire* et le lui demander. Elle fit soudainement demi-tour et entreprit de redescendre la colline, demeurant près des marchands à l'autre bout de Heartwood, au cas où Zeke la verrait.

Elle passa devant le Placard de Galadriel et fila rapidement vers le pont. Elle se souvenait des instructions de

Raven. « Traverser le pont, puis le pré », murmura-t-elle. « Rester sur le chemin ».

Comme l'ombre du pont apparaissait, elle vit des lumières à sa gauche. *Bingo.* Elle se souvint des amoureux qui s'étaient envoyés en l'air sous le pont la nuit précédente. Avec tant de tentes et de bâtiments autour, on aurait pu croire que les gens auraient choisi un endroit plus chaud et plus sec. Un troll ne vivrait pas dans ces conditions médiocres, même sous un pont. Ou peut-être que si...

Elle pensa aux limaces, aux grenouilles et aux araignées qui y vivaient sans doute. À son avis, ça donnait encore plus la chair de poule qu'un troll.

Elle toucha le garde-fou. Sa main frémit, traversée d'un picotement. Et elle sut. Du séquoia de Californie.

Tu es loin de la maison, n'est-ce pas ? murmura Keelie.

Elle retira rapidement sa main. Et respira. Elle devait arrêter tout cela. Elle avait juste besoin d'être près des autres jeunes qui avaient participé à la fête. Avec un peu de chance, elle pourrait trouver Sean. Elle se visualisa posant ses mains sur sa poitrine comme il enroulerait ses bras autour d'elle. Elle imagina la chaleur de son corps fondu dans le sien.

— Keliel.

Son nom flotta autour d'elle comme un subtil parfum à demi oublié. Le spectre de son nom, transporté par la légère brise et se prolongeant, comme si le récitant chantait, mais avait oublié la mélodie.

Elle regarda nerveusement autour d'elle. Keliel. La voix l'avait nettement appelée par son prénom. Pas Keelie, qui était le surnom que lui avait donné sa mère. Qui, à part son père et Mme Talbot, pouvait être au courant ?

La brise chargée de pluie ébouriffa ses cheveux.

— Keliel, gémit la voix.

Il sembla qu'elle provenait de dessous les planches sous ses pieds.

— Keliel, nage avec moi.

Mais que diable cela peut-il être ? Elle baissa les yeux. *Pas cool du tout.* Elle pensa à son trajet de la veille par le même chemin, aux côtés de Raven, où elles avaient discuté de films d'horreur. Des films qui donnent la chair de poule et où les filles qui marchent seules dans l'obscurité finissent toujours comme des croquettes de poulet.

Dans ces films, les filles étaient trop stupides pour vivre. Elle ne se considérait pas comme stupide, donc pourquoi diable était-elle ici dans l'obscurité ? Elle n'allait pas rester là pour découvrir l'identité de la personne ou de la chose qui connaissait son nom. Son véritable nom.

Soudainement, elle se rendit compte que tout était silencieux. Même pas d'insectes. Pas de lumière. Elle regarda derrière elle, sur le chemin vers Heartwood. Aucune lumière à l'horizon. Seule la lune illuminait le chemin. Des nuages fugitifs défilaient dans le firmament violet.

Elle regarda les alentours, puis s'arrêta. Il y avait une lumière. Elle était de l'autre côté du pré. *Elle n'avait pas peur,* se dit-elle, en partant à courir. Le gravier du chemin craquait sous ses pieds alors qu'elle se précipitait vers la lumière. Ce devait être le Shire.

Elle était maintenant hors du chemin, essayant d'ignorer la vibration sur sa peau alors qu'elle passait d'un arbre à l'autre. Il y en avait tellement. Pin, chêne, aubépine. Quelque chose à propos de l'aubépine était différent. Elle n'attendrait pas de le découvrir.

Elle courut plus vite, désireuse d'atteindre la lumière. Elle tourna vers le nord, la lune au niveau de son épaule droite. Le pré qu'elle traversait en courant était tapissé de grandes herbes odorantes. Au bout du pré, il y avait une forêt. La lumière provenait de là. Soudainement, un nuage d'insectes surgit des herbes. Des lucioles. Des centaines et des centaines de lucioles.

Les nuages orageux voilèrent la lune, et soudain ce fut la noirceur. Noir comme du charbon. Pas d'étoiles. Aucun moyen de s'orienter. Les lucioles luisaient encore plus, paraissant tirer leur lumière de l'obscurité. Elles voltigeaient, comme un mur vivant.

Elle s'arrêta, effrayée. Les insectes ne deviennent pas plus brillants. Ces lucioles ne scintillaient pas en s'allumant et s'éteignant comme des lucioles normales. Elles ne faisaient que luire. Comme des ampoules. Elle recula. Elle ne voulait pas passer à travers le mur d'insectes. Son estomac lui faisait mal comme s'il avait été dans un étau depuis un long moment. Elle frissonna. Elle devait trouver un moyen de revenir à la maison. Elle voulait retrouver sa maman.

Peut-être pouvait-elle demander son chemin à la voix sous le pont. D'accord, mais peut-être pas. Tout ceci était bizarre. L'obscurité ne lui faisait pas peur. Et elle était diablement certaine de ne pas être effrayée par les insectes ou les lumières.

Elle s'obligea à avancer d'un pas. Les lucioles n'étaient que de petits insectes. Il est vrai que les insectes peuvent vous donner la chair de poule, mais les lucioles ressemblent à des coccinelles. Raven foncerait et ne serait pas effrayée — elle marcherait tout droit dans l'obscurité terrifiante, et tout ce qui était dans les bois tremblerait de peur.

Keelie fit un pas vers la forêt, puis un autre. Les lumières s'approchèrent, puis disparurent, et elle se retrouva en bordure d'un village. Un bon et honnête village, pas la merdique fête boueuse de la foire.

Pourquoi l'endroit où habitait son père ne paraissait-il pas aussi bien ? Elle avança sur le coussin d'aiguilles de pin du sol forestier et ressentit un soulagement immédiat, comme si une douleur inconnue avait été étouffée.

Une tour de pierre se dressait vers la cime des arbres, embellie de feuilles de pierre et de libellules gravées et ornées de bijoux. Vraiment, papa avait eu de bonnes idées inspirées par la forêt, mais ces gens avaient vraiment davantage misé sur le design.

Ce n'était pas le château Bel Air, mais si la construction en était une reproduction rudimentaire, elle avait tout de même du style. Une exquise odeur flottait sur les lieux. Comme si elle se trouvait dans une boutique de produits pour le bain et pour le corps. Quel était cet arôme ? On aurait dit Noël. Une touche subtile de cannelle imprégnait la forêt, composée en majeure partie de pins.

Un mouvement à la base de la tour capta son regard. Elia était à l'intérieur, en train d'essuyer sa harpe. *Merde alors.* Keelie se glissa plus près. Elle habitait au-dessus d'un atelier d'ébénisterie et Elia vivait dans une tour de pierre, comme une princesse ? Ce n'était pas très juste.

Avant qu'elle puisse s'approcher de plus près, un homme apparut. Il ressemblait à un personnage du *Seigneur des anneaux*. Grand, aux longs cheveux blonds et au visage froid, il portait une robe écarlate qui balayait le tapis forestier alors qu'il avançait vers elle, lui barrant le chemin.

— Oh ! Que je suis contente de vous voir. Pouvez-vous me dire comment retourner à la foire ?

— Qui êtes-vous ? Comment êtes-vous venue ici ?

Elia apparut à la porte.

— Père, quelque chose ne va pas ?

Elle vit Keelie et se figea sur place.

— Keelie ? Comment avez-vous pu passer par-dessus la Redoutable ?

Ce type était le père d'Elia ! Keelie vit immédiatement la ressemblance familiale. La raillerie devait faire partie de leur code génétique. Elia orientait sa tête de cette manière râleuse *je suis meilleure que toi* qui irritait Keelie. *Elle devait faire plus tard une imitation d'Elia à l'intention de Raven,* se dit-elle.

Mais, la Redoutable ? Qu'est-ce que c'était ? Leur chien de garde ?

— Je n'ai pas vu de Redoutable. Je suis sortie du chemin et je me suis perdue. Vraiment, si vous pouvez m'indiquer comment je peux retourner à la foire, vous serez débarrassés de moi dans une minute. Au fait, j'adore le costume. Où l'avez-vous eu?

Des feuilles brodées dorées ornaient le pourtour des larges manches : un thème de retour à la nature avec tout le clinquant. Cela se mariait parfaitement avec le design du site.

Lançant un regard noir à Keelie, le papa d'Elia balançait une chaîne d'argent comme un pendule.

— Vous êtes la sale gosse de Heartwood. Sa petite métisse humaine.

Les yeux de Keelie étaient attirés par l'étrange pendentif : une vigne d'aubépine enroulée autour d'un gland. Elle frissonna alors que le regard de l'homme croisait le sien. Le gland emprisonné dans l'aubépine tournoyait d'une manière hypnotique. Refermant sa main sur le pendentif, il le glissa dans sa large manche.

Comme l'ornement disparaissait, elle retrouva son courage.

— Je suis Keliel Heartwood, confirma-t-elle, lui donnant son nom complet. Et vous-même, qui êtes-vous?

Ses sourcils se rapprochèrent en un froncement glacial.

Une voix prononça un nom dans sa tête, une couleur verte et de la sève odorante, neutralisant la forte odeur de cannelle.

— Elianard, c'est votre nom.

Il recula.

— Comment le sait-elle, père?

La voix d'Elia était presque effrayée.

Soudainement, une obscurité accablante enveloppa Keelie. Les arbres se balancèrent, mais elle ne pouvait sentir le vent; il faisait plutôt chaud. Très chaud et collant. La sueur coula dans son dos alors qu'elle trébuchait en s'éloignant des images floues d'Elianard et d'Elia. La robe rouge de l'homme se fondit en une forme tourbillonnante de cramoisi et d'obscurité. Un ricanement malicieux cernait Keelie comme elle quittait les lieux, le corps rigide. Il lui fallait sortir d'ici. Tout de suite. Elle ne pouvait demeurer plus longtemps. Sinon elle ne pourrait plus respirer.

Pendant qu'elle courait, quelque chose égratigna ses jambes. Elle ne savait qu'une chose : il lui fallait sortir de la forêt. Des doigts noueux et verts avec des ongles pointus s'accrochaient à sa jupe. Elle vit des ronces épineuses, mais elle crut apercevoir des yeux et des membres au sein de l'enchevêtrement.

Keelie courut vers un hêtre et enroula ses bras autour de lui. Elle pressa son visage contre l'écorce lisse. La sève nourrissante de l'arbre circulait le long de son tronc comme le sang rouge dans le corps de Keelie. Une branche toucha ses cheveux avec ses ramilles ressemblant à des doigts, dans un geste réconfortant, un peu comme le faisait maman quand Keelie était bouleversée. Un chagrin éclata en elle à l'état brut. Des larmes irrépressibles ruisselèrent sur son visage, et elles chassèrent la peur, révélant un trou béant dans son cœur.

— Maman, où es-tu ? dit-elle dans un doux murmure. Comment revenir à la foire ?

En guise de réponse, Keelie entendit l'eau couler tout près. Ce devait être le ruisseau. Elle leva la tête vers la branche, et pendant une seconde, elle crut vraiment voir, très haut dans les branches supérieures de l'arbre, une sorte de marionnette primitive faite de brindilles, d'herbes et de feuilles. Elle hocha la tête. Depuis son arrivée à la foire, elle voyait des choses qu'elle aurait juré être là, mais lorsqu'elle regardait, elles avaient disparu. On aurait dit que la frontière entre le réel et l'imaginaire devenait floue. Voulait-elle vraiment voir des bonshommes faits de brindilles ?

Non.

Keelie s'écarta de l'arbre et essuya ses larmes. Si Raven était ici, elle aurait traversé le pont et pris la route jusqu'à New York. Mais que se passerait-il si Keelie entendait de nouveau la sinistre voix ? S'inspirant de Raven, Keelie réunit son courage, ou ce qu'il en restait, et avança avec détermination. Quelle était cette autre voix bizarre dans sa tête ? Elle allait regagner la foire, et elle retournerait en Californie le plus vite possible.

Elle commença à toucher le garde-fou de séquoia, mais retira sa main. Assez. Ses jours de communication avec le bois étaient terminés. Du coin de l'œil, elle vit une petite forme courir entre les arbres. C'était trop rapide pour être un raton laveur et ses mouvements ne ressemblaient en rien à ceux des personnages de *La planète des animaux*. Elle haussa les épaules. Non. Elle n'allait pas laisser ses frontières entre le réel et l'imaginaire se mêler comme deux couleurs primaires.

Elle n'avait qu'à traverser le pont et retourner à la foire.

— Par-dessus le ruisseau, à travers les bois, de retour à la maison de papa, j'y vais.

Sa chanson murmurée diminua d'intensité comme elle entendait la voix aqueuse sous le pont.

— Keliel. Danger.

Elle s'immobilisa.

De petites branches claquèrent dans les bois. Entre les nuages qui s'amoncelaient, la lune argentait la forêt tandis que la masse rouge indistincte filait entre les arbres. Au loin, le tonnerre grondait. Animée par une poussée d'adrénaline, Keelie traversa le pont en courant.

Rendue de l'autre côté, elle trébucha sur une pierre, culbuta en bas du talus et atterrit tête première dans l'eau peu profonde. Comme elle se relevait en s'aidant de ses mains, quelque chose de lourd et de solide atterrit sur son dos. Son assaillant plongea la tête de Keelie sous l'eau.

L'eau remplit son nez et sa bouche. Elle ne parvenait plus à respirer. Elle donna des coups de pied alors qu'elle essayait de se retourner pour se débarrasser de la chose. Elle ouvrit les yeux, mais elle ne put rien voir. La voix sinistre qu'elle avait entendue sous le pont était plus nette, plus distincte.

— Touche le pont.

Keelie chercha frénétiquement le pont. À quelques centimètres de sa tête, se trouvait la poutre de soutien du pont, mais elle était incapable de l'atteindre. Elle s'efforça d'y parvenir, se servant de ses coudes dans le fond sablonneux alors que la chose lourde sur son dos poussait sa tête encore plus profondément dans l'eau. Elle racla le bois du bout des doigts. L'énergie circula à travers elle. Le poids solide sur son dos était soudainement disparu. Keelie redressa la tête en cherchant son souffle.

Des filets d'eau dégoulinant sur son visage et sur son corps, et claquant des dents, Keelie réussit à s'agenouiller.

Le choc et le froid la transpercèrent. Quelqu'un avait essayé de la tuer. Ou quelque chose, pensa-t-elle, alors qu'elle regardait fixement un petit homme au visage en forme de prune avec un bonnet rouge et des dents pointues, gesticulant frénétiquement dans sa direction avec ses mains, alors qu'il dansait une gigue de l'autre côté du ruisseau. Il ressemblait à un elfe de Noël qui avait mal tourné.

— Mort à la fille. Et deuil pour le père, proféra-t-il d'une voix métallique et chantante.

Ce moment de la série *La Quatrième dimension* fut interrompu par une boule de fourrure orange qui atterrit devant le repoussant nain Tracassin[1].

Knot siffla en même temps qu'il fouettait rageusement l'air de sa funeste queue. Les dents saillantes et les oreilles rabattues en arrière, il émit un grognement sonore.

— Attrape-le, Knot, hurla Keelie, pour ensuite se taire brusquement.

Et si cette chose hideuse blessait Knot?

Le petit homme recula en grognant, faisant claquer ses dents. Le chat s'écrasa davantage au sol, son derrière remuant d'un côté à l'autre, prêt à attaquer. Keelie retint son souffle, incertaine du dénouement de l'affaire. Elle s'accroupit aussi, et palpa le sol en quête d'une branche. Si Knot avait

---

1. NdT : Personnage d'un conte des frères Grimm.

besoin d'elle, elle jouerait à *Whac-A-Mole* avec le sale petit énergumène.

L'homme au chapeau rouge se pencha vers le sol et tira sur un champignon noir pourri. Une horrible puanteur remplit l'air pendant qu'il se désintégrait. Le petit homme dansa une gigue et d'autres champignons rances émergèrent du sol. De vieilles feuilles d'automne du tapis forestier tourbillonnèrent autour de l'hideuse créature dans une tornade feuillue, la dissimulant.

Knot attaqua, mais il atterrit sur des feuilles sèches et de la matière fongique visqueuse. Il remua sa patte gauche avant puis, sa patte droite pour déloger l'écœurante moisissure de ses coussinets. L'odeur était intolérable.

Il miaula et tourna la tête vers Keelie. Ses yeux verts marécageux luisaient comme deux pleines lunes vertes. Il s'éloigna du ruisseau en direction du bois, sa queue cinglant l'air. Sa fourrure orange brillait d'une luminosité phosphorescente.

— Tu connais cet endroit mieux que moi, vieux chat.

Elle le suivit. Il était odieux et détestable, mais il était venu à sa rescousse. Elle jeta un autre regard vers le pont, mais elle ne vit que de l'obscurité.

Ni le petit monstre au couvre-chef rouge ni le propriétaire de la voix sous le pont n'étaient visibles. Elle frissonna et fila à toute vitesse pour rattraper le chat, ses chaussures faisant un bruit audible sur le sol humide de la forêt, plutôt tranquille par ailleurs. Seul le tonnerre perçait l'étrange quiétude des bois et la lune avait disparu derrière une courtepointe de nuages.

Les éclairs zébraient le firmament, et dans sa luminosité momentanée, elle aperçut le chemin. Elle soupira de soulagement.

Au loin, elle entendit crier son père.

Knot miaula en réponse à l'appel, puis disparut dans les bois dans la direction de la voix. De la même manière que ce chat était venu à sa rescousse, il la mettait maintenant dans de beaux draps. Même si un nain dément vêtu d'un mauvais costume d'elfe l'avait presque noyée, Keelie savait qu'elle aurait droit au traitement parental et se ferait botter le derrière. Elle resserra ses bras autour de sa taille, cherchant à se protéger du froid, des bois et de tout ce qui pouvait survenir de guignolesque sur le terrain de la foire.

Zeke avançait rapidement vers elle, accompagné de Knot, qui miaulait comme s'il était en train de lui raconter ce qui venait de se passer. Son père hochait la tête comme s'il comprenait et accéléra le pas. Ce morveux de chat la dénonçait.

Zeke s'arrêta, inspira, puis tendit les bras vers elle et la serra fort contre lui.

— Dieu soit loué, tu es saine et sauve.

Keelie se dégagea de l'étreinte de son père.

Zeke abaissa ses mains et serra les poings.

— La moitié de la foire est à ta recherche. Tu as couru un grand danger.

Les dents de Keelie commencèrent à claquer, mais elle n'allait pas confirmer ou nier quoi que ce soit. Il y avait déjà près de quatorze ans qu'il l'avait abandonnée. Maman et papa n'avaient jamais divorcé.

— Étais-tu au Shire? Cet endroit est en dehors des limites, Keelie. Je croyais que tu l'avais compris. Tu étais en grand danger.

— Je sais. J'étais bien, là.

— Et tu es privée de sortie. Et tu n'iras pas te promener par toi-même — jamais. Sir Davey ou moi-même t'accompagnerons dorénavant.

Fabuleux. Un nouveau degré de contrainte.

— Je n'ai plus l'âge de la maternelle, Zeke. Je peux prendre soin de moi.

Une lueur voisine la fit détourner son regard du visage courroucé de son père. Était-ce ce minuscule mec qui revenait terminer le travail ? Tout ceci pouvait se transformer en un film d'horreur mettant en scène le farfadet maléfique qu'elle avait vu à une heure tardive à la chaîne de science-fiction. Maman détestait cette chaîne.

La lueur s'approchait. C'était Sean qui tenait une lampe. Comme c'était embarrassant. Elle entendit à peine les paroles de colère de son père devant l'extrême humiliation d'être réprimandée, alors que le type le plus séduisant de la foire pouvait entendre. Où était-il dix minutes plus tôt quand elle avait besoin d'être secourue ?

— Les règles normales ne s'appliquent pas ici. J'aurais dû t'avertir, mais ça ne fait qu'une journée que tu es arrivée et tu m'as déjà désobéi. Je ne peux te faire confiance. J'avais l'intention de te permettre de te servir du téléphone pour appeler tes amis en Californie, mais c'est hors de question maintenant tant que je n'aurai pas la certitude que tu es capable d'obéir à mes règles.

Privée de sortie ? Que pouvait-il y avoir de pire ? Elle vit Sean, qui avait tout entendu, se tourner vers quelqu'un, et la personne avança dans la lumière. Elia. Elia, un large sourire aux lèvres. Si ce nain dément avait besoin d'une victime, Keelie avait quelqu'un à lui recommander. Après qu'elle lui aurait botté le derrière pour avoir essayé de la noyer.

C'était le temps de retourner la situation aux dépens de ce cher vieux papa. Un petit jeu de sympathie pourrait réduire sa sentence.

Elle renifla bruyamment, une feinte aisément convaincante étant donné qu'elle avait probablement attrapé la pneumonie.

— Je me suis perdue dans les bois et j'ai trouvé le père d'Elia. Elianard m'a fait peur.

— Où as-tu rencontré Elianard ?

— Chez lui. Je dois dire qu'ils habitent un endroit pas mal mieux que le tien. D'où tient-il ce droit de vivre dans la tour de pierre ? Une sorte de conte de fées, mais c'est cool.

Zeke la regarda fixement comme s'il venait tout juste de remarquer qu'elle était trempée. Il enleva une épine de sa manche.

— Que s'est-il passé exactement ?

— Je suis tombée dans le ruisseau et j'ai été attaquée par un elfe de jardin grincheux, avec des dents pointues. C'est Knot qui m'a sauvée.

Elle essaya de dédramatiser la situation, mais ses muscles se serrèrent et elle commença à frissonner. L'elfe avait vraiment essayé de la tuer.

Elle fixa le chat. C'était si terrible d'être en dette envers la bête qui avait ruiné ses vêtements.

— Nous devons appeler la police pour qu'ils puissent arrêter le lutin dément, l'enfermer et jeter la clef de sa cellule.

— Ce lutin portait-il un bonnet rouge ?

— Ouais, le connais-tu ?

— Non.

Zeke semblait offensé qu'elle lui pose même la question.

— Mais cela confirme ce que nous soupçonnions. Il ne s'agit pas d'un lutin. Je devrai avertir les autres.

— Hé ! que penserais-tu qu'on me rende un peu justice ? Je veux porter plainte à la police. Je veux voir son derrière traîné jusqu'en prison. Je veux voir Tracassin dans une séance d'identification.

Zeke soupira d'un air las.

— C'est un problème de la foire. Nous nous en occuperons.

— Quoi ? Tu n'es pas allé au Shire, n'est-ce pas ?

Elle se pencha plus près pour sentir son souffle. Il sentait la cannelle.

Raven arriva en courant sur le chemin, tenant une couverture sur son bras.

Janice la suivait de près.

— Keelie, est-ce que ça va ? J'ai entendu dire que tu étais trempée.

— Tu as parlé à Knot ? Il est vraiment bavard comme une pie.

Raven gloussa.

— D'accord, une longue soirée, gamine fatiguée. Tu dois te sécher, toi qui as l'imagination fertile.

Elle déploya la couverture. C'était une cape de laine munie d'un capuchon. Elle la déposa sur les épaules de Keelie et remonta le capuchon.

Keelie pensait qu'elle devait paraître exactement comme elle se sentait — comme la mort.

— Je ne peux croire que tu l'as laissée comme ça, à geler à mort, Zeke.

Janice s'affaira à resserrer étroitement la grande cape autour d'elle.

— Elle a besoin de vêtements secs.

— Ce sont mes seuls vêtements.

Keelie renifla pour accentuer l'effet.

Les deux femmes se retournèrent vers Keelie, la bouche ouverte.

— Je n'ai pas de sous-vêtements non plus. Knot a pissé dessus. Dans ma valise.

Keelie renifla à nouveau.

— C'est ça. Nous t'emmènerons faire des emplettes demain.

Janice paraissait déterminée.

Zeke lança les bras en l'air :

— J'allais le faire. Elle n'est ici que depuis une journée.

— Nous irons au centre commercial.

Raven sourit à Keelie.

— Je lui ai dit que j'irais faire des emplettes avec elle, dit Zeke. Nous nous rendrons demain au centre commercial.

Il semblait vaincu.

— Vous ?

Raven regarda sa mère, qui lui retourna un regard incrédule.

— Vous n'êtes jamais allé dans un centre commercial!.
Raven rit.

— Ça, je veux voir ça! Zeke Heartwood au centre commercial! Voilà l'histoire de la foire de la Renaissance de High Mountain en train de s'écrire. J'ai hâte de voir sa réaction quand elle verra ce que vous conduisez! Je viens avec vous deux. Keelie aura besoin de soutien moral.

— Très bien, voulez-vous conduire?
Zeke sourcilla.

— Non, ça va, répondit Raven précipitamment. Je monterai à cheval.

Keelie n'avait aucune idée du type de voiture que son père pouvait conduire.

— Qu'est-ce que c'est, une Gremlin?
Elle rit bruyamment.

— Tu verras, dit son père.

Un sinistre grondement de tonnerre roula au-dessus de leur tête.

Ce n'est que beaucoup plus tard, lorsqu'elle fut couchée, qu'elle se rendit compte qu'elle n'avait pas demandé à son père ce qu'avait voulu dire Elianard par «sa petite métisse humaine».

Neuf

Keelie courut devant son père sur le chemin, vers le parc de stationnement. Elle avait passé la matinée à faire sa lessive avec le savon aux herbes de son père. Maintenant, ses petites culottes sentaient l'urine de chat et la lavande.

Elle avait voulu utiliser machine à laver et sécheuse, mais elle s'était arrêtée net à trois mètres des lieux et hors de la vue des occupants.

La petite pièce à la devanture vitrée qui logeait deux machines à laver et sécheuses commerciales était remplie de pirates à moitié nus. Ils buvaient de l'hydromel, lançaient des dés et agitaient les bras comme s'ils se racontaient des histoires, et aucun ne portait beaucoup plus que des sous-vêtements.

Keelie supposa que leurs vêtements étaient en train d'être lavés, mais elle n'était pas prête à s'approcher de l'endroit, peu importe leur belle apparence. Et certains étaient vraiment amusants à regarder. Elle aurait pu vendre des billets — un nouveau spectacle de pirates *Randy et sa joyeuse bande d'écumeurs de mer.*

Il lui avait été pénible de faire la lessive à la main. La prochaine fois, pirates ou non, elle se servirait des machines, sinon c'est elle qui se retrouverait nue. Mais cela pourrait s'ébruiter... Dans deux heures, elle serait enfin au centre commercial.

Incrédule, Keelie regarda fixement la vieille camionnette au capot rouillé. Elle s'était dépêchée de nourrir Ariel pour cela?

— Comme si on allait me voir me promener dans ce chalet de ski sur roues, dit Keelie. Tout le monde qui me verra sortir de cette guimbarde s'attendra à ce que je chante des tyroliennes.

La pensée de faire des emplettes dans un véritable centre commercial l'avait presque grisée, mais sa jubilation s'était dégonflée lorsqu'elle avait vu l'insupportable voiture de Zeke.

La camionnette n'était pas si mal. C'était même presque cool, dans le style cowboy rétro. Mais Keelie était horrifiée par le module de camping, en forme de A, posé à l'arrière et décoré comme une maquette de gâteau d'anniversaire au design tarabiscoté.

Zeke soupira.

— C'est la seule voiture sur roues que je possède, Keelie; alors si tu veux aller au centre commercial t'acheter de nouveaux vêtements, tu t'installes dans le «chalet de ski sur roues».

— Je ne vois pas comment tu peux attirer les poulettes avec ce truc, dit-elle. Cette bagnole est comme une publicité tapageuse qui dit : «Maison de retraite pour granos».

— Ce n'est qu'un moyen de transport, Keelie. Et je suis plus vieux que je ne le parais, mais je n'ai pas encore l'âge de la retraite.

— Quel âge as-tu ?

Elle ne s'était jamais préoccupée avant de lui demander son âge.

— Assez vieux pour être ton papa.

Il ouvrit la cabine.

— Aimeriez-vous faire le grand tour, mademoiselle ?

Elle allait refuser, mais l'intérieur sombre exhalait une odeur de cèdre, comme un parfum de forêt. Irrésistible.

Elle étendit le bras, le bout de ses doigts touchant le bois de l'ossature de la cabine habitable. C'était de l'épinette bleue et du cèdre, d'une forêt éloignée du nord de l'Alberta, au Canada. Magnifique.

Elle s'habituait de plus en plus au système d'identification interne du bois qui semblait inné chez elle. À Los Angeles, c'était quasi imperceptible, mais ici, entourée par la forêt ancienne, on aurait dit une chaîne stéréo, volume au maximum.

L'intérieur de la cabine ressemblait à une maison de poupée. Un petit poêle et un petit réfrigérateur étaient alignés à l'arrière, près d'un comptoir et d'un évier minuscules. Des guirlandes d'ail et de piments rouges séchés étaient suspendues à un crochet à tasses au-dessus.

— C'est tellement joli !

Aussi longtemps qu'elle demeurait garée ici…

Elle fit courir sa main sur la courtepointe faite à la main et ornée de charmants motifs d'arbres appliqués, recouvrant le matelas sur le panneau fixé au mur.

Une petite étagère sous le grand panneau contenait un lit rond pour animal, doublé de laine polaire et décoré de rennes. Même si elle n'avait pas deviné qu'il s'agissait du lit de Knot, Keelie reconnut ses poils orangés. Un sourire mauvais retroussa ses lèvres. Donc le minet minus et miteux avait un lit de rennes. Elle se souviendrait de le tourmenter avec cette information la prochaine fois qu'elle le verrait.

Elle regarda par la fenêtre et aperçut les majestueuses Rocheuses, s'élevant comme des dents de pierre géantes, et la foire, installée au pied des hauts rochers colossaux comme un village d'un conte de fées des frères Grimm.

Keelie promena son regard autour du petit espace intérieur. Il y régnait une atmosphère douillette d'autosuffisance. Elle l'adorait, mais il fallait faire quelque chose à propos de l'extérieur alpin et rustique hideux.

— Tu as eu droit à la visite à cinquante sous ?

Raven pointa sa tête dans l'embrasure de porte.

— Donc, Keelie, qu'en penses-tu ?

— C'est trop charmant. Comme une petite maison de poupée.

Zeke sourit à Keelie.

— C'est juste que je ne veux pas être vue à circuler dans cette chose.

Elle vit le sourire de son père qui s'évanouissait.

— Ouais, imagine-toi seulement en train d'apprendre à le conduire ! Tu as quinze ans, exact ?

Apprendre à conduire ? Dans ça ? Keelie saisit les montants de la porte. De l'orme.

Zeke sembla lui aussi quelque peu pensif.

— Apprendre à conduire ? Déjà ?

— Quatorze années ratées et ça te rattrape durement, n'est-ce pas ?

Keelie se donna un port altier. Apprendre à conduire dans cette bagnole n'était pas près d'arriver, mais si cela rendait Zeke mal à l'aise, elle lui laisserait croire qu'elle en avait envie.

— Maman avait une Volvo. Fameuse cote de sécurité.

Elle donna une chiquenaude sur le cadre de porte.

Raven lui sourit.

— Ma maman m'a montré comment conduire sa vieille camionnette VW. C'était comme conduire une boîte. Pire, cela puait le patchouli rassis.

Raven remonta son sac à main sur son épaule. Elle paraissait très bien dans ses jeans serrés aux hanches et ses chandails en couches superposées. Comme elle levait le bras, Keelie vit un reflet doré au niveau de la ceinture des jeans de Raven. Un anneau de nombril.

L'envie aiguillonna Keelie. Elle désirait tellement en avoir un. Certainement qu'elle l'aurait avant la fin de l'été.

— La terre appelle Keelie. Prête à aller au centre commercial?

Raven souriait.

Le centre commercial! Keelie s'était laissée distraire de sa mission de se procurer de nouveaux vêtements. Elle voulait — non, elle en avait grand besoin — aller faire des achats. Il ne s'agissait pas simplement de sous-vêtements. Elle désirait ardemment respirer l'air climatisé, s'imprégner de l'odeur des nouveaux vêtements du paradis de la vente au détail, sans mentionner les arômes de café frais haut de gamme, les fragrances des échantillons de parfum et les effluves bigarrés de l'aire de restauration — brioches à la cannelle, pommes de terre frites et mets chinois — qui infuseraient une nouvelle vie dans ses cellules sanguines. Elle sauta en bas de la cabine, effectuant un atterrissage sonore sur le sol.

— Je suis prête.

Si elle devait monter dans la caravane Miss Chalet suisse pour y arriver, alors, bon sang, elle le ferait! Maman aurait été fière de voir que Keelie ne laissait aucun obstacle l'empêcher d'aller faire des emplettes.

Zeke monta sur le siège du conducteur de la vieille caisse, inséra la clef, et le moteur toussa comme un patient, fumeur à la chaîne, souffrant d'emphysème, que Keelie avait rencontré quand elle avait accompagné sa grand-mère

Joséphine dans une série de visites bénévoles des *Pink Ladies*.

Raven sauta à bord à la suite de Keelie, la poussant contre Zeke, puis claqua la porte du côté du passager.

Finalement, le moteur s'anima après quelques toussotements. Zeke sortit de l'arrière du parc de stationnement de gravier, où les acteurs et les marchands de la foire de la Renaissance garaient leurs véhicules personnels.

La place était bondée de travailleurs de la foire en vêtements de tous les jours, en train de profiter de leur journée de congé. Elle ne vit pas le capitaine Randy. Elle rit presque en pensant à ce qu'elle avait aperçu de lui plus tôt. Cela donna une toute nouvelle signification à l'expression « butin de pirate ».

— Les jours de semaine, les artisans fabriquent leurs marchandises, constituant un stock pour les week-ends, expliqua Zeke.

Raven rit.

— Nous ne sommes pas tous des artisans. La plupart d'entre nous allons à la laverie automatique, à l'épicerie, et nous nous occupons de toutes les courses que nous n'avons pas le temps de faire pendant les week-ends.

Une autre camionnette s'approcha d'eux, celle-ci parfaitement normale, non cabossée et, le mieux, sans chalet à l'arrière. Elle était remplie de types aux cheveux longs. Le conducteur se pencha à l'extérieur et leur envoya des baisers. Capitaine Randy ! L'avait-il vue ?

Zeke hocha la tête.

Raven roula les yeux.

— Cet idiot. Il était probablement au bureau de l'administration pour se faire remettre son chèque de paie.

Chèque de paie ? Il n'était pas venu à l'esprit de Keelie que ces types étaient payés. Elle croyait que tous vendaient leurs produits, comme son père.

Raven lui jeta un coup d'œil.

— Ce n'est pas la «terre du Milieu»[2]. Ceux qui ne sont pas des artisans sont des acteurs et des artistes.

— Elia est-elle payée aussi ?

— Tu parles !

— Pas pour sa personnalité, ça c'est certain.

Comme ils approchaient de l'autoroute, Keelie se baissa vivement.

— Tu as besoin de faire une sieste ?

Le profil parfait de Zeke était orienté vers la route.

— Pas du tout. Ce n'est pas parce que j'ai eu une sorte d'excès, genre *Petite maison dans la prairie* dans la cabine arrière, que je veux être vue en train de rouler dans les collines, comme la famille de Jed Clampett[3].

— Jed qui ?

Keelie soupira. L'homme était un crétin en ce qui avait trait aux médias.

— Je parie que tu n'as jamais regardé *Nick at Nite,* n'est-ce pas ? *The Beverly Hillbillies* ?

— Jamais rencontrés.

Raven rit et commença à fredonner la chanson thème.

— Et tu es probablement assez vieux pour les avoir vus quand le programme était à ses débuts, ajouta Keelie.

Il sourit.

— C'est probablement le cas.

— Au moins il n'a pas plu ce matin.

Raven regardait les nuages sombres de plus en plus lourds.

— Les affaires sont passablement mauvaises à cause de la pluie.

Zeke conduisait les deux mains sur le volant. Maman conduisait jadis avec une main sur le volant et un cellulaire dans l'autre.

— Les finances d'Elianard semblent aller plutôt bien.

Keelie se rappelait sa robe luxueuse et sa maison sophistiquée.

---

2. NdT : Lieu où se déroulent les intrigues du *Seigneur des anneaux.*
3. NdT : L'un des principaux personnages de la série télévisée américaine *The Beverly Hillbillies.*

— Il ne se montre pas souvent à la foire. Il doit avoir une autre occupation, dit Raven.

— Il est professeur.

Zeke alluma les phares de la camionnette comme la pluie s'abattait sur eux.

Keelie ne pouvait imaginer ce que l'homme arrogant au nez busqué pouvait enseigner. Chose certaine, il n'avait pas enseigné les bonnes manières à sa fille.

Deux heures plus tard, après avoir voyagé sous une pluie torrentielle sur ce qui ressemblait à n'importe quelle route dans le monde, ils arrivèrent au centre commercial. Amusant puisque, d'après Cameron, le trajet depuis le site de la foire de la Renaissance jusqu'au centre commercial ne prenait d'ordinaire que trente minutes.

Comme tous les hommes, papa avait refusé de demander son chemin. Chaque fois que Raven lui suggérait de se garer près d'une station-service pour s'informer, il affirmait savoir ce qu'il faisait. Si maman avait conduit, elle se serait servie de son détecteur des ventes pour repérer la zone où se trouvait le lieu exact. Ou de son système GPS.

Keelie soupira avec délices comme elle contemplait les grands temples de la vente au détail. Elle avait apporté son argent, mais elle ne le dépenserait pas à moins d'y être obligée. Papa lui était redevable. Elle dépenserait d'abord son argent à lui. De plus, elle pourrait avoir besoin d'argent lorsqu'elle partirait pour Los Angeles.

— Vous les filles, vous descendez ici et j'irai garer la camionnette.

Keelie descendit et courut vers les portes, ne se préoccupant pas d'être vue en train de quitter le Miss Chalet suisse sur roues.

Elle et Raven franchirent les portes tournantes et s'arrêtèrent à l'intérieur près d'une fontaine jaillissante. La musique flottait dans l'air au-dessus des murmures étouffés de centaines de clients.

Keelie prit une profonde respiration, prête pour une bonne dose de cette senteur de centre commercial. La fille de la Californie était vraiment fin prête.

Au contraire, l'air semblait confiné, une odeur recyclée qui semblait familière, mais plutôt répugnante. Artificielle. Elle ne ressentait pas l'effet vivifiant attendu. La première inhalation de l'air de centre commercial avait toujours rempli Keelie d'un sentiment d'anticipation délirante. Elle promena son regard sur les jardins intérieurs impeccables, la fontaine, les couleurs brillantes des enseignes de magasins et les vitrines soigneusement arrangées. Tout semblait faux.

Ne panique pas, se rassura-t-elle. Elle avait subi beaucoup de stress, et elle devait entrer dans un magasin. Un vrai magasin avec de vrais vêtements, et elle se sentirait ensuite comme la vraie Keelie.

— Je suis prête pour un grand café au lait et une dose de thérapie de magasins, déclara Raven.

Zeke les rejoignit, paraissant désorienté, et semblant détonner dans ce décor.

— Par où commençons-nous ? demanda-t-il. Je suppose que c'est ton environnement naturel ?

Keelie fit un grand geste dramatique avec son bras, puis tourbillonna sur un pied comme une ballerine.

— C'est mon univers.

Zeke soupira.

— Alors fais-moi faire le grand tour.

Keelie parcourut le tableau répertoire et trouva son magasin préféré.

— La Jolie rouge est au troisième étage. Commençons par là.

— J'adore leurs vêtements.

Raven fit courir son doigt sur la plaque de verre illuminée.

— Ici, c'est le café. Tu veux d'abord m'y accompagner ou dois-je te rejoindre plus tard ?

— Finissons-en avec tout ceci le plus rapidement possible.

Zeke ne semblait pas bien.

Elle voulait tout faire, mais si son père lui imposait une limite de temps, elle devait se montrer stratégique.

— Achète-moi un très grand café au lait, dit-elle à Raven. Et s'ils ont des biscuits aux amandes, j'en prendrai deux.

Keelie regarda son père.

— Et toi ? De la tisane ?

— Du thé vert, corrigea-t-il. Avec du miel.

— Du miel certifié équitable, dit Raven en riant. D'accord, vous autres. Je reviens sous peu.

Elle disparut dans la foule.

Zeke s'engagea maladroitement dans l'escalier roulant, et Keelie lui prit le bras. Elle ne voulait pas qu'il tombe et qu'il interrompe son excursion de magasinage. Il se redressa, le port raide, lui tapota la main, mais il regardait vers le haut, fixant les puits de lumière, où la pluie tambourinait sur les panneaux de verre. Les cheveux de Zeke s'étaient divisés autour de son oreille, et Keelie vit un bout d'oreille pointu.

Elle toucha son oreille droite arrondie, puis palpa la gauche, celle avec l'étrange extrémité pointue qu'elle recouvrait toujours avec ses cheveux ou un bandeau de tête. Maman avait dit que c'était une sorte de marque de naissance. Maintenant, elle savait qui blâmer.

Peut-être que toutes les oreilles pointues qu'elle avait vues plus tôt étaient des vraies, mais elle était au centre commercial ; elle le questionnerait donc plus tard à ce sujet.

Dans La Jolie rouge, elle se précipita vers la section des ados, où elle se mit rapidement à choisir des vêtements pour les essayer. Elle restreignit ses choix à dix blouses et cinq paires de pantalons serrés aux hanches. Zeke s'assit sur un siège de bois près de la fenêtre et appuya la tête contre la paroi de verre, les bras croisés et les yeux fermés. Il était évident que le magasinage n'était pas son activité préférée.

Une jeune vendeuse avec un sourcil percé aida Keelie à transporter ses vêtements dans la salle d'essayage.

— Où avez-vous fait faire votre perçage ? murmura Keelie, jetant un coup d'œil vers son paternel qui piquait un roupillon.

— Le seul endroit cool pour ça, c'est Chez oncle Harry Mac's, dit la vendeuse dont l'insigne d'identification se lisait «Gabrielle».

— Chez oncle Harry Mac's? dit Keelie.

On aurait dit le nom d'un restaurant à service rapide.

— Ouais! Il a des boutiques dans tout le Colorado et il fait de tout : des tatouages, des sourcils, des oreilles et des anneaux de nombril.

Gabrielle leva sa chemise et montra l'anneau de son nombril percé à Keelie. Un minuscule bijou en forme de fée était suspendu à l'anneau. Des fées. Elle ne semblait pouvoir échapper à ces sacrées choses.

— Moi aussi, je veux me faire percer le nombril, dit Keelie.

— Alors, qui est l'homme séduisant qui vous accompagne? demanda Gabrielle.

Et elle pointa du doigt dans la direction de Zeke, qui avait toujours les yeux fermés et les bras croisés, sauf que maintenant sa tête penchait quelque peu vers la gauche, et il émettait des sons de ronflement. Séduisant? Pas question.

— C'est mon père.

— Holà! la fille!

Gabrielle regarda à nouveau fixement Zeke, puis Keelie.

Keelie prit brusquement les pantalons et les blouses des mains de Gabrielle. La fille avait peut-être un bon goût pour ce qui est des vêtements, mais en ce qui concernait les hommes, c'était douteux. Son père…

Keelie essaya un pull-over sans manches où il était écrit « Fille vampire » en paillettes brillantes en travers de sa poitrine. Le chandail court dénudait beaucoup de peau. Les jeans tombaient parfaitement sur ses hanches, même si Keelie n'aimait pas sentir l'air frais au niveau des petits creux en haut de ses fesses. Que portaient ses amies en Californie ? Keelie Heartwood était vraiment une passionnée de la mode, pas une fan de la Renaissance.

Elle fit courir ses mains sur son nombril.

— Nous allons faire un petit tour Chez oncle Harry Mac's, dit-elle à son petit nombril. Mais pas de breloque de fée. Un anneau simple, ou peut-être ma pierre de naissance.

Peu importe ce qu'avait dit Zeke, maman avait promis. En fait, elle avait promis qu'elles en discuteraient lorsqu'elle reviendrait de son voyage d'affaires. Le monde lui devait un nombril percé.

— Es-tu décente ?

Raven avança sa tête par-dessus la porte de la salle d'essayage.

— Qu'arriverait-il si je ne l'étais pas ?

Keelie essaya de paraître indignée, mais elle vit alors une main apparaître sous la porte de la cabine, tenant une grosse tasse de café en carton.

— Tu es un ange. Tu peux entrer.

Raven entra, sirotant son café.

— Un ensemble cool. Je l'adore.

Keelie pivota pour lui montrer son dos.

— Tu crois que mon père me laissera l'acheter.

— Aucune chance. Mais il est à l'extérieur en train de faire des mamours à la fille de la boutique. Donc, tu peux utiliser les circonstances en ta faveur.

— Quoi ?

Keelie sortit la tête par la porte de la cabine. Gabrielle était assise très près de Zeke. Celui-ci avait une expression perplexe sur le visage. Ah! Keelie devait faire cesser ce petit jeu. Elle sortit et fit une pose «tada!».

— Hé! papa, qu'en penses-tu?

Gabrielle sourit.

— Un ensemble cool. Tu fais branchée, mon amie.

Son père fronça les sourcils.

— «Fille vampire»? Ce n'est pas branché, Keelie.

— Que veux-tu dire par pas branché? Qu'est-ce que tu connais à la mode?

Il se leva et croisa les bras contre sa poitrine, comme le Géant vert.

— Je ne connais rien à la mode, mais je connais les vampires. Je ne t'achète pas ça.

Les yeux de Gabrielle s'agrandirent.

— Cool.

— Oh! allez. J'ai apporté mon propre argent et je l'achèterai moi-même si je le dois.

Keelie chercha du regard le soutien de Raven. Raven sirotait son café et les observait comme s'ils faisaient partie d'une émission de télévision vaguement intéressante.

— Je l'achète.

— Parfait. Achète-le. Gaspille ton argent. Je suis certaine que Knot sera d'accord avec moi. Cela fait trop adulte pour toi, et les vampires sont malfaisants. Tu ne le porteras pas.

— Que veux-tu dire par Knot sera d'accord? Knot est un chat.

— Rappelle-toi l'incident avec tes sous-vêtements.

Gabrielle paraissait confuse.

— Votre chat s'en prend à vos sous-vêtements?

Raven était penchée, essuyant le café de son nez.

— Merde alors, Raven. Tu es loin de m'aider.

Elle se tourna vers Zeke et Gabrielle.

— Je n'ai pas l'intention de discuter de mes sous-vêtements avec vous.

Elle ne spécifia pas qui était ce «vous».

Dans la salle d'essayage, Keelie passa brutalement le pull-over «Fille vampire» par-dessus sa tête pour le retirer. Une chose que maman lui avait enseignée, c'était de ne pas gaspiller d'argent, même pour contrarier quelqu'un. Elle passa en revue les autres vêtements — si ce pull n'était pas branché, alors les autres ne l'étaient pas non plus. Sauf peut-être une blouse verte avec des cordons sur la poitrine et de longues manches flottantes. Des vêtements de chez Galadriel. Quel était le nom de ce stupide magasin? Le Placard de Galadriel. Il était probable que tous les gens qui déambulaient avec leurs oreilles prothétiques magasinaient à cet endroit. Pas elle. Elle couvrit son oreille pointue avec ses cheveux.

Elle sortit de la salle d'essayage. Zeke était en train de regarder quelques blouses sur un support rond. Raven les suivait, un cintre par-dessus son épaule. La vendeuse en avait trois sur le bras.

— Ouais, c'est pas mal cool! Un peu comme le *Seigneur des anneaux*, tu sais, dit Raven.

Keelie s'éclaircit la gorge.

— Hé! mon amie, ce vêtement te va tellement bien!

Elle leva les yeux vers Zeke, d'un air dragueur.

— Si ton père est d'accord, je veux dire.

Papa hocha la tête.

— C'est beaucoup mieux comme ça. Tu es magnifique, Keelie.

Gabrielle tendit quelques autres blouses.

— Regarde celles-ci. Ton vieux père les a choisies.

Keelie les prit. Elles étaient fantastiques pour des princesses de conte de fées dans une école privée austère. Elle ne reviendrait pas avec la garde-robe d'Elia.

La seule qu'elle trouvait décente était la blouse de gaze blanche comportant une broderie de couleur autour du cou. Elle la sortit du lot.

— Celle-ci n'est pas trop mal.

Raven lui tendit son cintre. Des jeans noirs et deux hauts, dont l'un était un chandail moulant à longues manches, l'autre une chemise de poète en gaze perlée. Toutes noires.

Zeke les regarda fixement.

— Décent mais déprimant.

— Tout le monde à New York s'habille comme ça.

Raven tendit les cintres devant elle, admirant ses choix.

— Si vous ne les aimez pas, je les achète pour moi.

— Ils te vont vraiment bien, convint Keelie. Je ne sais pas quoi choisir.

— Quelque chose de coloré qui soit convenable. Quelque chose pour des filles.

Zeke regarda Gabrielle pour des conseils.

— La boutique Boutons et dentelles est de ce côté.

Gabrielle pointa vers un côté de l'allée du centre commercial.

— Et Cuir noir est par là.

Elle indiqua l'autre côté de l'allée.

— Toutes les filles portent ces vêtements.

Gabrielle essayait d'être utile, mais Zeke lui lança un regard furieux.

— Vous vous décidez. Moi, je vais voir chez Cuir noir.

Raven saisit sa tasse de café et se leva.

— Les boutiques de la petite amie de Tarl sont là. Tu sais qui c'est, Keelie. Elle avait les yeux braqués sur le derrière de ton papa l'autre jour.

Keelie se rappelait aussi les silhouettes sur la tente de Tarl.

— Oh! dégueulasse.

Keelie observa Raven qui partait. Keelie prendrait sa revanche contre elle pour l'avoir abandonnée à son sort, aux prises avec le goût paternel de la mode.

Après avoir essayé d'autres jeans et d'autres blouses, Keelie enfila la blouse verte avec les manches flottantes et les jeans qui lui ceignaient les hanches sans exposer les petits creux en haut de ses fesses. Elle avait acheté avec son propre argent le chandail «Fille vampire». Elle ne partirait pas sans lui. Et si Knot lui faisait le moindre dommage, elle hériterait aussi d'une paire de cache-oreilles en fourrure de chat.

Les deux lourds sacs de La Jolie rouge que portait Keelie l'aidèrent vraiment à retrouver ses esprits. Elle se sentait beaucoup plus en maîtrise d'elle-même.

Mais elle n'avait jamais vu son père aussi pâle — même plus livide que lorsque Gabrielle avait enregistré le prix des vêtements et annoncé le total de la facture. Lorsque Keelie lui fit remarquer que la dépense de cinq cents dollars à La Jolie rouge n'était pas si terrible, il n'avait pas paru rasséréné. Ils s'en étaient vraiment sortis à bon marché. C'est simplement qu'il n'aimait pas faire des emplettes.

Après un arrêt dans un magasin de chaussures, où il lui acheta les Nikes les plus récents, elle lança ses Skechers boueux dans la boîte, rétrogradés en chaussures de travail. Zeke avait à nouveau pâli quand la caissière lui avait annoncé le total : cent soixante-dix dollars. Keelie dut lui tapoter le bras pour le rassurer que tout allait bien.

Elle prit la carte de crédit de sa main comme il s'apprêtait à la remettre dans son portefeuille.

— Banque de la Redoutable forêt? C'est bien vrai?

La vendeuse sourit.

— Certainement que ce l'est, ou du moins mon ordinateur le croit. Zekeliel Heartwood. J'adore ce nom.

Sa voix était assez douce pour attirer des fourmis.

Keelie imagina des fourmis de feu dans la jupe supercourte de la femme et sourit. Elle rendit la carte à son père.

— Le chien d'Elianard s'appelle aussi Redoutable. Elianard a dit qu'il ne pouvait croire que j'aie pu l'éluder.

Zeke s'étrangla avec une gorgée de thé vert.

Ils rattrapèrent Raven à la boutique Cuir noir. La simple tentative de pénétrer dans la boutique fut une expérience éducative en soi. Une éducation à la réalité adulte. À peine furent-ils entrés que Zeke l'entraîna précipitamment à l'extérieur et l'obligea à attendre dans l'allée pendant qu'il allait chercher Raven.

Raven était aussi chargée de paquets qu'elle.

— Tout un magasinage.

Le dernier arrêt était un important grand magasin de petites culottes, de soutiens-gorge et de bas exempts d'urine. Raven fut d'une grande aide cette fois, et deux cents dollars plus tard même Keelie dut admettre qu'elle était épuisée. La carte de crédit de la Banque de la Redoutable forêt avait fait une séance de musculation.

Toutes les femmes dans le centre commercial du Colorado ne cessaient de reluquer Zeke comme s'il était une sorte d'Adonis, mais il ne leur rendit pas leurs regards. Il concentrait son attention sur Keelie. Un geste qu'elle appréciait.

— Hé! Zeke, que penserais-tu d'une petite bouffe avant le trajet de retour à la foire? Il y a une aire de restauration ici.

Raven s'était retournée pour scruter un corridor, le nez remuant.

L'estomac de Keelie gargouilla à l'odeur de la nourriture, de vraie nourriture, non médiévale. Des mets chinois. Soudainement, elle eut une envie irrésistible de rouleaux impériaux.

— Y a-t-il quelque chose qui ressemble à la cour du roi? demanda Zeke.

— Certainement, sans blague, dit Keelie.

Zeke s'arrêta et lui sourit.

— Tu viens de plaisanter.

— Ouais! elle se sent mieux.

Raven lui tapota l'épaule.

Keelie fut surprise de constater qu'elle avait fait une plaisanterie. C'était probablement à cause des achats. Elle était de retour dans le monde normal. Elle devait être prudente — elle se laissait attendrir. Il pourrait avoir l'impression que leur relation s'améliorait.

En direction de l'aire de restauration, Keelie vit une rangée de téléphones publics. Un lien vital avec Laurie. Peut-être aurait-elle un moment pour s'échapper et téléphoner.

Au restaurant-minute de mets chinois, Keelie commanda du poulet aigre-doux et des rouleaux impériaux. Zeke commanda une sorte de mixture végétarienne avec du tofu.

Comme ils attendaient en ligne pour leur nourriture, Keelie se décida.

— Hé! je dois aller aux toilettes, dit-elle d'un ton décontracté.

— Vas-y. Je trouverai une table.

— Je viens avec toi.

Raven marcha en sa compagnie vers les toilettes.

— Raven, je voudrais vraiment appeler mon amie en Californie.

Elle retint son souffle, pensant que la fille plus âgée risquait d'en informer Zeke.

— Cool. Je dois me laver les mains. J'ai touché à toutes sortes de choses au Cuir noir.

Raven la laissa près des téléphones publics et poursuivit son chemin.

Keelie composa le numéro 1-800 sur les boutons de métal. Pas de faucon ici, grâce à Dieu.

— À qui voulez-vous faire un appel à frais virés?

— Laurie Abernathy. Je veux dire, Elizabeth Abernathy, à Los Angeles, en Californie.

La connexion fut établie, et comme la dernière fois, la téléphoniste s'adressa à l'interlocuteur au bout de la ligne.

— Acceptez-vous un appel à frais virés de Keelie Heartwood?

— Oui. Absolument.

La voix de Laurie lui semblait merveilleuse, spécialement ici dans le centre commercial, entourée de ses achats. Cela lui regonfla le moral. Elle se sentit plus près de maman.

— Allez-y.

La voix de la téléphoniste s'évanouit.

— Salut, Keelie. Qu'est-il arrivé hier?

— Une longue histoire.

— Comment ça se passe? Est-ce aussi primitif que nous le croyions?

— Encore plus. Et tu ne croirais pas à quel point c'est bizarre. Je dois sortir d'ici.

— On va élaborer un plan. J'ai essayé de te joindre depuis, genre, une éternité, sur le téléphone cellulaire.

— Je l'ai échappé dans la boue. Il ne fonctionne pas.

— Toute une poisse.

— Ouais! et pire, je n'ai pas mes vêtements. Ils sont à Istanbul.

— Comme en Turquie?

— Comme la capitale de la Turquie. Au moins mon père a dû m'acheter de tout nouveaux vêtements. Je suis actuellement au centre commercial. On revient au plan.

— De gros problèmes? Il se peut que maman ne soit pas si chaude à l'idée que tu emménages avec nous? Elle a, genre, un important nouveau petit ami?

Elle haussait la voix à la fin de la plupart de ses phrases, faisant de chacune une question.

— En fait, je n'ai jamais exactement confirmé avec elle.

— Keelie. Je pensais que c'était réglé.

— Je n'ai pas eu beaucoup de temps pour consolider les choses avant que l'avocate se montre avec les billets d'avion.

Keelie savait qu'elle devait rejoindre Zeke avant qu'il ne pense qu'elle était tombée dans la toilette. Raven n'était pas encore revenue de la salle de toilette.

— Nous aurions tout arrangé si tu ne t'étais pas enfuie.

Laurie semblait irritée.

— Je trouverai un nouveau plan, dit Keelie. Peut-être que je pourrais demeurer chez toi en attendant.

— Attends, ma fille. Es-tu certaine ? Genre, ma mère est en plein SPM cette semaine. Au point où j'envisagerais même de crécher dans une tente pour échapper à maman Grizzly, dit Laurie. Elle m'a même fait faire ma propre lessive.

— Au moins vous avez une machine à laver et une sécheuse.

Zeke avait trouvé une table. Keelie pouvait le voir en train de scruter le secteur pour les repérer.

— J'essaierai de te téléphoner dans deux ou trois jours. Zeke me surveille comme un faucon.

Un faucon. Elle sentit un serrement dans sa poitrine. Elle avait accepté de nourrir Ariel.

— Pigé ! Prends soin de toi, Keelie. J'appellerai ma cousine à Boulder pour voir si elle peut nous aider.

— Parfait ! Salut, Laurie.

Keelie raccrocha. Son amie lui manquait. Elles se fréquentaient depuis la maternelle, et ne pas être ensemble, c'était comme être éloignée d'une sœur.

Elle ferma les yeux. Il fallait retenir ses larmes. Il lui devenait de plus en plus difficile de garder ses sentiments enfermés dans leur boîte. Une main avec un mouchoir de papier apparut devant son visage.

— Merci, Raven.

Keelie le prit et se tamponna les yeux.

Raven se montra compatissante.

— C'est difficile. Je sais. Allons manger.

Compatissante, jusqu'à un certain point. Elles se dirigèrent vers la table.

Zeke était assis avec une grosse montagne de nouilles végétariennes parsemées de pépites de tofu. Keelie n'avait plus faim. Elle picora dans sa nourriture pendant que Zeke mangeait la sienne.

Les yeux de Raven glissèrent de l'un à l'autre, puis elle déposa ses baguettes.

— Je crois que je dois retourner à la boutique de cuir. Je pense que j'y ai laissé quelque chose.

— Veux-tu que nous t'accompagnions? dit Zeke en fronçant les sourcils.

— Non. Mangez. Je reviendrai. Jasez en attendant.

Quand elle fut partie, Zeke se tourna vers Keelie.

— Est-ce que ça va?

Elle ne répondit pas. Elle prit des pois et des carottes avec ses baguettes et empila un monticule de légumes dans un coin de son assiette.

— Je suppose que la visite au centre commercial ressemble trop à la maison et te rappelle ta maman.

Keelie leva les yeux vers lui, étonnée de constater qu'il devinait ses pensées.

— Pourquoi as-tu laissé partir maman?

On aurait dit qu'il essayait de garder son visage impassible, de retenir une émotion profonde. Keelie pouvait lui donner une leçon ou deux à ce sujet.

— Maman a dit qu'elle ne voulait pas vivre dans un monde de conte de fées où elle ne serait jamais chez elle. Est-ce la vérité?

Papa abaissa sa fourchette de plastique.

— Ta mère avait besoin d'être dans son monde, et j'avais besoin d'être dans le mien. Elle était jeune, tout comme moi, quand nous nous sommes rencontrés et que nous sommes tombés amoureux.

Keelie glissa ses mains sous ses genoux.

— Et pourquoi vous êtes-vous mariés?

— Je ne pouvais m'imaginer vivre sans elle. C'était la même chose pour elle. Ou du moins, c'était le cas au début.

Son dos se voûta comme s'il était très fatigué.

— Et parce que je suis arrivée.

— Non, j'ai épousé ta mère parce que je l'aimais.

Il sourit, mais ce n'était pas un sourire heureux.

— Nous étions mariés depuis quelques années quand tu es arrivée. Tu étais une bénédiction pour nous deux, Keelie.

Quand ses yeux s'étaient-ils injectés de sang? Allait-il pleurer dans l'aire de restauration? Keelie regarda nerveusement aux alentours. Personne ne portait attention. Elle voulait des réponses et c'était un terrain neutre pour tout le monde.

— Alors pourquoi n'êtes-vous pas demeurés ensemble?

Sa voix semblait cassée. Elle essayait de la garder basse.

— Même quand deux personnes s'aiment autant que ta mère et moi, il est parfois trop difficile de fusionner leurs deux univers, particulièrement après l'arrivée des enfants. S'il n'est pas possible d'en arriver à un compromis, alors l'un des deux doit choisir. Nous avons fait une tentative. Ta mère te voulait dans son monde, mais je ne pouvais vous rejoindre là-bas. Je vous aimais toutes les deux, et j'ai pensé que ce serait préférable pour toi.

Il parut malade en prononçant ces mots.

— Je vous voulais tous les deux aussi. Pourquoi ne pouvais-tu venir en Californie? C'est bien là-bas. Les gens aiment les meubles de qualité aussi. Tes créations sont fantastiques; tu aurais fait un malheur.

— C'est inutile d'en discuter maintenant. Tu es ici avec moi.

— Hé! tout le monde est-il prêt à partir? J'ai regardé la chaîne météo sur l'écran des nouvelles près des toilettes. Il y a des alertes à la tornade un peu partout.

Raven paraissait inquiète.

— Je ne veux pas laisser maman seule.

Une douleur aiguë vrilla la poitrine de Keelie. Si maman était vivante, Keelie aurait fait exactement la même chose : retourner vers sa maman parce qu'elle était inquiète à son sujet. La pensée qu'elle ne pourrait plus jamais le faire lui faisait mal.

Zeke se leva et vacilla.

— Holà! Zeke. Est-ce que ça va? Tu as un air terrible.

Raven lui saisit le coude.

— Il a l'air de mal aller depuis que nous sommes ici, dit Keelie.

Raven regarda Zeke, qui n'avait pas répondu. Elle se mordit la lèvre.

— D'accord, je conduirai jusqu'à la montagne.

— Je peux le faire. Peut-être est-ce la nourriture.

Il baissa les yeux sur le plateau en polystyrène et la fourchette de plastique.

Keelie crut l'entendre murmurer.

— Bois.

Il réussit à marcher jusqu'à la camionnette, puis il s'effondra sur le lit à l'arrière.

— Il semble après tout que c'est moi qui conduirai.

Raven prit les clef de sa main. Keelie releva le siège d'un banc encastré et sortit une couverture pliée. Elle déploya les plis épais et les enroula autour de son père.

— Bois, murmura-t-il à nouveau, mais il n'ouvrit pas les yeux.

Elle lui prit la main et l'approcha contre le mur. Ses propres doigts le frôlèrent. Du cèdre.

— Cèdre, murmura-t-il.

Keelie recula de la couchette. Qu'est-ce que tout cela? Papa avait appelé cela un don. Sa mère avait appelé cela une allergie au bois. Il y avait plus. Maman avait menti. Keelie appelait cela une malédiction. Keelie pensa à son attaquant dansant la gigue et au bonhomme mouvant fait de brindilles et à la voix provenant d'en dessous du pont. Cette petite métisse humaine avait besoin d'entendre la vérité de son père.

La porte derrière elle s'ouvrit dans une rafale de vent.

Raven apparut.

— Viens, Keelie. Tu dois t'asseoir devant. C'est trop dangereux ici. J'ai besoin que tu me guides et que tu gardes un œil sur le ciel.

— Si c'est trop dangereux, nous ne pouvons laisser papa ici derrière.

— Zeke ira bien, et nous ne pouvons le soulever et le mettre à l'avant. Viens Keelie. Plus vite nous partons, plus vite nous serons de retour à la foire.

Elle glissa le lit de Knot sous la tête de papa en guise d'oreiller. Elle regarda une dernière fois son père, puis sauta de la cabine et barra la porte. Elle grimpa à l'avant du camion et boucla sa ceinture de sécurité. Au-dessus d'eux, le ciel menaçant était rempli de nuages gris et blancs qui tourbillonnaient en cercles paresseux. La lumière à l'ouest était d'un jaune cireux, comme une ampoule faible dans une chambre obscure. Le vent était tombé, et dans le silence sinistre, Raven démarra le camion et sortit en reculant du stationnement du centre commercial.

— Garde un œil sur ces nuages, dit Raven.

Elle semblait calme, mais ses jointures étaient blanches sur le volant.

— Qu'est-ce que je dois repérer?

Keelie leva les yeux. Des nuages et encore plus de nuages. Magnifiques, sombres et bougeant continuellement.

— Quand l'un d'eux commence à descendre, hurle.

— Descendre? Ils sont déjà pas mal bas.

— Plus bas, comme une tornade, idiote.

Keelie avait vu *Storm Stories*. Elle ne posa pas d'autres questions, se contentant de garder sa joue pressée contre la vitre, ses yeux sur le firmament perfide.

Le voyage fut moins long étant donné qu'elles connaissaient le trajet. Elle ne remarqua aucun indice de tornade. Ils se garèrent dans le stationnement des visiteurs, et Keelie demeura avec Zeke pendant que Raven courait chercher de l'aide pour l'emmener à Heartwood.

Tarl arriva seul, mais il prit Zeke dans ses bras comme si c'était un bébé et le transporta la plus grande partie du chemin. Avant qu'ils n'atteignent la boutique de Janice, Zeke était à nouveau réveillé.

— Je me sens mieux.

— Tu parais mieux. Mieux que mort.

Tarl rit.

Keelie s'efforça péniblement de les suivre avec ses lourds sacs d'emplettes. Elle s'arrêta pour remettre ses vieilles chaussures. Il y avait des champignons dégoûtants partout. Cet endroit avait besoin d'un bon nettoyage avec de l'eau de Javel.

— Je peux marcher, Tarl.

— Je dis que tu ne le peux pas.

Tarl le serra contre lui, et Raven courut en avant pour ouvrir la porte de l'appartement pour eux. Tarl et Zeke disparurent dans l'alcôve garnie de rideaux.

Keelie lança ses nouveaux trésors dans sa garde-robe qu'elle ferma solidement. Knot cligna des yeux vers elle.

— Défendu. Pas touche. J'aimerais pouvoir le dire en dix langues.

Le chat s'étira, le derrière en l'air, et sortit d'un pas nonchalant.

Tarl les rejoignit pour manger le poulet et le riz que Janice et Raven avaient apportés. Janice servit le souper de Zeke au lit pendant que Keelie mettait la bouilloire sur le feu.

À l'extérieur, il faisait sombre, et les nuages avaient éclaté en lambeaux. Les étoiles brillaient çà et là, pour finir par se voiler à nouveau.

Comme les nuages, une multitude de questions tourbillonnaient dans son esprit sur ce qui était arrivé lors de la séparation de ses parents, sur ce qu'elle était et sur la réelle compréhension qu'en avait sa mère.

Papa avait répété que maman était incapable de vivre dans son monde. C'était vrai. Keelie trouvait aussi difficile de vivre dans son monde à lui. Elle ne pouvait tout simplement pas imaginer comment maman et papa avaient pu s'éprendre l'un de l'autre.

Papa. Elle avait pensé à lui à nouveau comme son papa. Cela la perturbait. On aurait dit qu'elle commençait à prendre son parti pour certaines choses alors que sa maman n'était pas là pour se défendre. C'était tellement déroutant.

Elle se rappela l'enseigne qu'elle avait vue sur la route, brillant sur une colline à l'opposé de la route. Keelie avait jeté un coup d'œil dans le rétroviseur et lu l'écriture à l'envers. « Tatouage et perçage corporels d'oncle Harry Mac's ». Ouvert vingt-quatre heures sur vingt-quatre.

Juste ce qu'elle cherchait. Si Zeke avait piqué une crise à cause de la blouse « Fille vampire » et les jeans à taille ultra-basse, il s'évanouirait totalement devant un anneau de nombril. Bien sûr, il était maintenant endormi comme une masse, même si Janice disait qu'il ne faisait que sommeiller. Quel que soit le virus qu'il ait pu attraper, il l'avait frappé soudainement.

Que faisait-elle ici ? Elle n'était pas chez elle. Raven et Janice étaient gentilles, mais Raven retournerait à l'école à la fin de l'été, puis toute la foire partirait, dispersée pour l'année. Et elle serait prise avec Zeke, et qui sait ce que serait la prochaine foire. Ou pire, la Redoutable forêt.

Était-ce sa nouvelle vie ? Zut, non ! Elle ne voulait pas une nouvelle vie. Elle voulait un chez-soi, et pour elle, cela signifiait Los Angeles et ses amis, et les endroits connus où elle avait grandi. Pas de bizarreries. Pas de magie de la terre, ou d'apparitions ou de meubles qui lui parlaient. Los Angeles était une ville normale. Mais elle, Keelie, l'était-elle ?

Dix

Pour la première fois depuis des lunes, Keelie aimait l'image de la fille que lui renvoyait le miroir. Son nouveau haut et ses jeans bleus lui redonnaient son identité de l'époque, l'ancienne Keelie qui avait encore sa maman. Elle leva son haut pour regarder son nombril non percé, imaginant l'anneau qu'elle y mettrait. Du côté gauche ou droit?

Elle posa l'extrémité de ses doigts sur le miroir et s'imagina que maman était là, derrière elle. Cette maman était ici avec papa, ils étaient ensemble et formaient une famille; mais peu importe à quel point Keelie essayait de se la représenter, sa maman n'apparaissait pas dans le miroir.

Elle se demanda soudain si son image mentale de sa mère était juste. Était-elle en train d'oublier quelque chose? Sa façon de se coiffer les cheveux, son petit sourire qui signifiait qu'elle n'était pas vraiment fâchée, ces détails demeuraient présents, bien préservés dans le cerveau de Keelie. Mais qu'est-ce qui s'était effrité? Elle se sentit malade.

Tout cela ne finirait-il jamais? Cette douleur vibrante et brûlante dans sa poitrine chaque fois qu'elle pensait à maman? Finirait-elle par échapper à la nostalgie et se libérer du désir de voir la vie reprendre son cours comme avant l'écrasement d'avion? Disparaîtrait-il cet espoir qu'un jour maman entrerait par la porte et que sa mort ne serait plus qu'un mauvais rêve?

Keelie était rongée par une peur, la seule qu'elle ne pouvait vaincre, celle de perdre complètement maman, la perdre même dans son cœur — si elle se permettait d'aimer quelqu'un autant qu'elle. Elle craignait que l'amour ressemble à un fichier informatique, le nouveau écrasant l'ancien. Elle ne le permettrait jamais. Puis, un frisson courut le long de sa colonne au souvenir des paroles d'Elianard : « la métisse humaine de Heartwood ».

Le téléphone sonna. Elle écarta les rideaux de la chambre et se précipita à l'extérieur, mais papa avait déjà répondu. Non. Même si elle s'était rapprochée de lui la veille au centre commercial, elle n'était toujours pas capable de l'appeler papa. Maman avait quitté son monde et il l'avait laissée partir. Il devait rester simplement Zeke.

— Allo?

Zeke jeta un coup d'œil vers Keelie, le récepteur sur son oreille. Il avait retrouvé son allure habituelle.

— Oui, c'est moi, dit-il à l'appelant.

— Oh! vraiment? C'est intéressant. Tout a été vérifié et enregistré.

Il fit à Keelie le signe de la victoire.

Elle avait des papillons dans l'estomac. Ses bagages devaient être en route en provenance d'Istanbul.

— Merci. Mettez-les donc sur un vol à partir de là, et avec de la chance, nous les aurons dans quelques jours.

Il raccrocha le téléphone.

Elle ne put dissimuler l'allégresse dans sa voix.

— Bien, qu'ont-ils dit ? Quand mes bagages seront-ils là ?

Zeke rit :

— La bonne nouvelle, c'est que les dix valises de tes bagages ont été repérées — à Amsterdam. Et elles s'envoleront de là pour arriver demain ou après-demain.

— Amsterdam. Comme en Hollande. Comme aux Pays-Bas.

Il lui vint une image à l'esprit : ses valises, solitaires et malheureuses sur une rue pavée, entourées de tulipes, de moulins à vent et de gens souriant à vélo.

— Je crois que tes bagages ont voyagé plus loin que n'importe qui que je connais, dit-il, admiratif.

— Irréel, convint-elle.

— J'aime ton ensemble, dit son père.

Il s'assit sur son sofa et but la tisane de sa tasse. Il paraissait encore pâle.

— Tu parais merveilleusement bien dans tes nouveaux vêtements, ajouta-t-il.

Elle ne put contenir son sourire. D'accord, elle lui accorderait simplement celui-ci.

— Merci. Je les aime aussi. Où est Knot ?

Elle chercha dans la pièce pour quelque signe révélateur de la présence de son duveteux ennemi orangé.

— Il est en train de faire sa tournée.

— Sa tournée ?

On frappa à la porte.

— Entrez, cria Zeke.

— Hé ! Zeke, dit Scott, passant la tête dans l'ouverture.

Ses épaules étaient si larges qu'elles remplissaient la porte. Il portait un t-shirt taché de boue, avec l'imprimé du Festival de la Renaissance 2002 de Sterling. Son regard bifurqua vers Keelie.

— Vous êtes impeccablement propre.

— Merci, en effet, dit-elle.

Elle n'avait vraiment pas envie qu'il la regarde de cette façon. Elle ne lui fit aucun commentaire sur ce qu'elle pensait de sa propre apparence. Pas à voix haute.

Scott se tourna vers Keelie avec un sourire.

— Hé ! Keelie, peut-être que ce week-end, pendant la foire, vous aimeriez aller prendre un thé ou quelque chose comme ça ?

Interloquée, Keelie était bouche bée. Scott était-il en train de lui demander de sortir avec lui ?

— Tu es trop occupé avec la boutique ce week-end, dit Zeke d'un ton ferme.

Grâce à Dieu, Zeke était intervenu.

— D'accord, je comprends. Ne pas demander à la fille du patron de prendre un thé. Je mets cela dans ma liste de choses à ne pas faire, dit Scott, roulant les yeux.

Scott regarda Keelie et lui fit un clin d'œil.

— Vous paraissez fantastique dans vos nouveaux vêtements. Vous êtes mieux de surveiller les pirates, les chevaliers errants et les gens de la foire de même acabit.

Ses joues lui brûlèrent quand il prononça le mot « pirates ». Scott était-il au courant ?

— Au fait, j'ai un gros problème avec le bois qui est arrivé d'Oregon hier, dit Scott. Je me demande si tu pourrais y apporter la touche du vieux Zeke et me dire quoi faire.

— Est-ce le chêne ?

Scott fit signe que oui.

L'envie tarauda Keelie. Elle détestait voir le lien étroit qui s'était établi entre Zeke et Scott. Si elle avait été près de Zeke durant les treize dernières années, elle aurait pu lui être utile pour le chêne.

Zeke fronça les sourcils.

— Laisse-le tranquille, c'est un triste cas. Je lui accorderai mon attention personnelle.

— Knot est inquiet aussi. Nous entendons ce bourdonnement, tu sais. Il tourne en rond et cherche à se mordre la queue. Je crois qu'il a besoin d'être débarrassé de ses puces.

— Je m'en occuperai cet après-midi aussi rapidement que je le pourrai, dit Zeke.

Il fit tourner son thé dans sa tasse, puis prit une gorgée. Il avait toujours des cernes noirs sous les yeux, mais un sourire espiègle éclairait son visage.

— Je ferai du spaghetti ce soir, et je mettrai un peu plus d'ail dans la sauce. L'ail aide à se débarrasser des puces.

Des puces. Ce chat n'allait pas dormir avec elle. Elle se gratta le bras.

Keelie jeta un coup d'œil sur une horloge en forme d'arbre (quoi d'autre!) suspendue au-dessus de la cuisinière.

— C'est le temps pour moi de me rendre aux enclos et de nourrir Ariel.

— Je vais avec vous.

Scott remua les sourcils de haut en bas et lui fit son sourire d'abruti. Il avait besoin de se passer le fil dentaire : il avait un morceau de quelque chose de brun pris entre ses deux dents avant.

— Non, vous ne venez pas. Cameron ne vous a pas invité.

— Scott t'escortera jusqu'aux enclos. Je le lui ai demandé.

Zeke avait pris sa voix parentale raisonnable.

Elle lança un regard noir à son père.

— Je vais au collège. Je n'ai pas besoin de lui pour me rendre aux enclos, dit-elle en montrant Scott du doigt.

Elle espérait rencontrer Sean dans ses nouveaux vêtements. Si l'apprenti de la boutique avait l'œil sur elle comme un *colley*, elle perdrait tous ses moyens.

— Scott t'accompagne. Fin de la discussion, dit Zeke. Tu reviens dans trois heures. À seize heures. Si tu dépasses l'heure, je me ferai une mission personnelle de t'escorter partout où tu vas jusqu'à ce que tu aies dix-huit ans.

Keelie poussa un cri d'indignation. Marchant devant Scott, elle trouva la foire désertée surprenante. Certains des résidants portaient des vêtements ordinaires de tous les jours comme elle en avait vu au Shire la veille. Certains travailleurs de la foire étaient en costume. Elle supposa que leurs cerveaux s'étaient téléportés de façon permanente à l'époque médiévale.

L'effervescence de la foule lui manquait, car même dans ses vêtements boueux, elle pouvait se promener sans se faire remarquer. Mais, pour certaines raisons, dans la tranquillité environnante et dans ses vêtements du *populo*, elle se sentait bigrement différente.

Scott la rattrapa, mariant la cadence de ses jambes à son pas alerte.

— J'ai entendu parler de vos aventures au Shire avec le capitaine Dandy Randy, dit-il.

Elle en était sûre. Même si elle avait rougi d'embarras, Keelie ne put s'empêcher de tourner brièvement les yeux vers Scott, et si elle avait eu une motte de boue, elle lui aurait barbouillé le sourire sur son visage. Elle ne se donnerait même pas la peine de lui répondre.

Scott continua.

— Il a dit à tout le monde que vous distribuiez des échantillons gratuits.

Keelie s'arrêta net.

Scott fit de même. Il sourit, la bouche grande ouverte au point qu'elle avait une vue distincte sur ses molaires arrière.

— Il a dit quoi ?

— Que vous donniez des échantillons gratuits et qu'ils étaient vachement jolis.

Elle pivota sur ses talons, se dirigeant vers le Shire.

— Où est-il ?

Elle martela un poing dans sa paume, imaginant le visage du capitaine Randy avec un nez brisé. Le bâtard aurait probablement vraiment bonne mine.

— Il est censé travailler sur un tout nouveau jeu informatique. *Périlleux Pirate* ou quelque chose d'aussi stupide.

— Je vais lui en montrer un pirate périlleux.

— À votre place, je ne m'en ferais pas. Raven l'a remis à sa place. De plus, il sait que s'il avait dit quoi que ce soit à n'importe qui d'autre, elle en aurait parlé à Zeke. Et tout le monde sait que même si votre papa vit et travaille avec nous, les gens normaux, il n'est pas tout à fait comme nous. Le capitaine Randy a eu peur.

— Que voulez-vous dire par mon papa n'est pas normal? Qui est normal ici?

— Ah! allez, Keelie. Vous savez de quoi je veux parler.

— D'accord, l'imbécile qui sait tout. Vous me dites ce qui est différent à propos de mon papa, puisque je viens juste d'arriver et que vous avez passé tout ce temps avec lui.

Scott examina Keelie, mais il cligna nerveusement des paupières à plusieurs reprises alors qu'elle continuait à le regarder droit dans les yeux. Soudainement, la vérité la frappa. Il essayait de lui soutirer de l'information.

Elle sentit ses lèvres se fendre en un sourire.

— Ce sera un secret entre nous.

Tous ses efforts pour lui arracher de l'information étaient inutiles, parce qu'elle avait très peu d'indices sur de nombreux sujets concernant Zeke. Et ce qu'elle savait, elle n'allait pas le lui révéler. Elle avait d'autres problèmes, dont l'un était un pirate nommé capitaine Dandy Randy. Elle ne voulait pas que Zeke découvre ce qu'elle avait fait au Shire l'autre nuit, avant son futur départ pour la Californie. Pire, s'il le découvrait, il pourrait redevenir très paternel comme il venait de le faire à l'appartement, il y a quelques minutes. Il insisterait pour qu'elle revienne vivre avec lui jusqu'à ses dix-huit ans. Apprendre que papa et maman n'étaient pas divorcés avait jeté un gros pavé dans ses plans d'aller vivre avec Elizabeth et Laurie.

Sur le chemin de la quincaillerie, la méchante femme de la bijouterie marcha vers eux. Son nez paraissait à peu près normal, avec sa poitrine géante qui équilibrait le tout. Elle portait une blouse rose et des jeans bleus, et baissait itérativement les yeux sur une planchette à pince. Il était bizarre de voir ces gens de la Renaissance dans des vêtements de tous les jours. La femme leva les yeux et fronça les sourcils vers Keelie, mais elle sourit lorsqu'elle aperçut Scott. Keelie continua à marcher. Elle ne donnerait même pas l'heure à cette femme. De toute façon, Ariel devait attendre Keelie pour son repas du midi. Même si elle était excitée de voir Ariel, Keelie n'était pas tellement chaude à l'idée de toucher un rat mort ou de le regarder se faire dévorer.

— Bon après-midi, Scott. Comment ont été les affaires à Heartwood ce week-end ? demanda la femme de la bijouterie.

— Hé ! Tania. Pas mal. Vous connaissez Zeke. Il attire les femmes, donc il n'en souffre pas. Comment ça va avec votre boutique ?

— Avec ces maudites pluies qui éloignent les clients ? Tout le monde a des soucis financiers. Cette année a été mauvaise pour beaucoup d'entre nous, sauf pour l'équipe d'Elianard. Ils n'ont jamais semblé préoccupés par les questions d'argent.

Tania s'approcha plus près.

— Al, au pub, dit qu'il a le don de la vision, hérité de sa grand-mère irlandaise Janie. Il dit que quelque chose de mauvais fait planer des jours funestes sur la foire.

Elle inclina la tête, attendant la réaction de Scott, mais ses yeux fixaient Keelie.

Scott hocha la tête.

— Ouais ! Cameron est inquiète. Elle a dit qu'elle a vu un étrange petit homme avec un rire bizarre se promener près des enclos, à l'aube et parfois au crépuscule.

— Voyez-vous, dit la femme, je dirais que Cameron fait partie de ceux qui ont le don de vision. Hier soir au pub, j'ai entendu dire qu'ils croient que le petit homme au bonnet rouge pourrait être celui qui a provoqué l'incendie. L'une des danseuses du ventre pense l'avoir vu se diriger vers les bois, au-delà du pré.

Keelie s'arrêta et pivota sur ses talons. Bonnet rouge. Les bois au-delà du pré. Plus d'une personne avait vu cet hystérique petit nain. Elle n'avait pas été la seule victime. C'était un pyromane.

Scott siffla.

— Vraiment. Je me demande ce que fera l'administration avec cette affaire.

— Je l'ignore. Je parie que c'est quelqu'un de cette compagnie de développement du territoire qui est l'instigateur de ces actes. Pourquoi n'arrêtez-vous pas prendre une tasse de café avec moi ? Nous pourrions parler un peu plus.

Tania battit des paupières dans sa direction.

Keelie ressentit une nausée.

— Non, je ne peux pas. Je dois faire une course importante. Je dois conduire la fille de Zeke aux enclos, répondit Zeke.

— C'est la fille de Zeke Heartwood ?

Keelie pensa que Tania allait s'étouffer en prononçant ces mots.

Keelie rejoignit Scott, se sentant beaucoup mieux. Voir le visage de la femme comme elle apprenait que Keelie était la fille de Zeke Heartwood valait le retard. Elle commençait à apprécier l'importance de son père à la foire.

— Je l'ai vue hier, mais je croyais que c'était une nouvelle artiste dans le show *Muck n'Mire*.

— C'était si gentil à Tarl de venir à ma rescousse et de me prêter des vêtements, parce que mes vêtements de tous les jours sont en Europe.

Keelie battit aussi des cils. Si Scott avait fait de même, la brise produite par leurs trois paires d'yeux aurait été perceptible.

— L'Europe.

Elle regarda Keelie de haut en bas, comme si elle évaluait le coût de l'ensemble de Keelie.

— Bonté divine, je ne me suis pas rendu compte que vous étiez la fille de Zeke.

La femme sourit mais son sourire n'était pas sincère. Il ressemblait à celui de la rivale de tennis de maman quand elles se rencontraient toutes les deux à l'épicerie.

— Beverly, ma chérie, comment allez-vous ?

— Fabuleux, Katy chérie, répondait Beverly. J'ai tellement hâte à notre prochain *match* au club.

Bien que leur échange verbal paraissait amical, Keelie sentait le venin couler dans chaque mot qu'elles échangeaient. Des baisers dans l'air à vingt pas de distance.

— Keelie, je sais que vous aimez ce pendentif en forme de fée. Je l'ai toujours, dit Tania.

Elle montra les bois en direction de sa boutique.

— Je peux aller le chercher si vous le voulez toujours.

— Non, merci, dit Keelie, en hochant la tête, je dois vraiment partir. Je dois me rendre aux enclos. Cameron m'attend.

En s'éloignant, Keelie sentit l'hostilité qui émanait de Tania, tout comme de la rivale de tennis de maman. Keelie éprouvait une grande satisfaction. Le collier proposé aurait probablement laissé une tache verte autour de son cou. Peut-être était-ce la raison pour laquelle Tania ne faisait pas d'argent — marchandise de mauvaise qualité.

À l'enclos des rapaces, Keelie courut vers la cage d'Ariel. Le faucon était assis sur son perchoir et ouvrit les yeux, tournant la tête pour regarder Keelie qui s'approchait. L'œil doré du faucon brilla et sa posture paraissait noble. Keelie savait que c'était à cause de l'autre œil, d'un blanc laiteux, qu'Ariel ne pouvait plus s'élancer en flèche vers le ciel, et elle se sentit triste pour le pauvre oiseau.

— Vous y voilà. Vous voilà rendue à destination saine et sauve. Je serai de retour vers quinze heures quarante-cinq pour vous ramener. Amusez-vous bien avec les rats morts.

Scott hocha la tête en direction d'un des ouvriers des enclos et s'éloigna d'un pas nonchalant.

Cameron s'approcha, transportant un sac de papier brun où était écrit « Ariel » au crayon noir.

— Bonjour Keelie. Ariel vous attendait.

Elle remit à Keelie deux gants de cuir épais.

— J'ai hâte.

Pas sûre.

— Où est votre père ? Je dois lui parler.

L'inquiétude creusait des ridules sur son visage.

— Il se repose. Il ne se sent pas bien depuis notre voyage d'hier au centre commercial.

Keelie enfila les gants.

— Je crois qu'il a pu y avoir du glutamate dans son tofu.

— Votre père est allé au centre commercial ?

La bouche de Cameron s'ouvrit toute grande.

— Ouais ! D'après Raven, c'était un événement historique. J'avais besoin de vêtements. Tout ce que j'avais à porter, c'était les vêtements boueux. La compagnie d'aviation a perdu mes valises, et Knot a fait pipi sur mes sous-vêtements.

Le commentaire à propos de Knot qui urinait sur ses sous-vêtements attirait toujours la sympathie.

— Knot a fait pipi sur vos sous-vêtements ?

Keelie fit signe que oui.

Cameron plissa son visage et hocha la tête.

— Connaissant Knot, il doit avoir averti quelqu'un ou quelque chose que vous lui apparteniez. Il vous a marquée comme si vous étiez son territoire, pour ainsi dire. C'est ce que font certains chats.

Keelie fixa la dame aux oiseaux, déconcertée et frappée de mutisme. Quelqu'un avait dû demeurer avec ses gentils amis à plumes un peu trop longtemps.

— Je ne suis pas son territoire. Je crois que c'était un message de haine : *Va-t'en maintenant.*

— Bien, dit Cameron en souriant, Knot a toujours été un peu spécial, même pour un chat. J'espère que Zeke se sent mieux. Pensez-vous que votre père sera debout pour une visite demain ?

— Je le crois.

Cameron ouvrit le sac.

— D'accord, Keelie, insérez le bras ici et sortez-en le souper d'Ariel.

Elle se sentait un peu gauche à cause du cuir épais des gants. Insérant le bras dans le sac, Keelie prit quelque chose de mince mais lourd. Elle souleva lentement du sac un gros rat blanc mort. Sa queue était molle et dégoûtante, mais, heureusement, il avait les yeux fermés. Keelie détourna les yeux, craignant de dégobiller.

— Dégoûtant mais nécessaire, Keelie. Donnez-le à Ariel, dit Cameron.

Keelie s'avança vers la cage.

Le bon œil d'Ariel l'observait — ou plutôt il observait le rat.

Un paquet de fourrure de la couleur des feuilles d'automne courut vers Keelie. Que faisait ici ce chat sadique ? Avait-il compris qu'on parlait de lui ? *Oublie-le.*

Keelie se concentra sur Ariel. Elle croisa le regard du faucon alors qu'elle s'approchait, maudissant secrètement Knot de zigzaguer ainsi entre ses jambes. Lorsqu'elle tendit le bras pour ouvrir la porte de la cage d'Ariel, elle sentit des griffes sur sa cheville et recula, trébuchant sur le chat. Elle chercha à attraper la cage de bois d'une main pour freiner sa chute. Au même moment, elle laissa tomber le rat qui s'écrasa au sol avec un bruit sourd comme la porte de la cage s'ouvrait brusquement.

Le chat hurla comme une furie lorsque le rat froid atterrit sur lui. Ariel étendit une fois ses ailes, puis s'envola en spirale vers les arbres.

Knot s'enfuit dans les bois comme s'il était conscient du chaos qu'il venait de causer.

Cameron cria pour qu'il s'arrête, mais le chat continua sa course, laissant une piste d'herbes ondulées sur son chemin.

Dans les airs, Ariel s'arrêta dans son élan comme si elle remarquait une nouvelle proie, puis descendit à sa poursuite.

Tous les oiseaux commencèrent à pousser des cris stridents et à battre des ailes contre les barreaux de leur enclos. Il sembla à Keelie qu'ils applaudissaient Ariel alors que le faucon volait à la poursuite de Knot qui se sauvait à toute vitesse. Keelie avait aussi envie de s'enfuir.

C'était son deuxième jour de travail, et elle avait laissé le faucon s'échapper.

Onze

Sur le chemin vers Heartwood, Keelie donna des coups de pied sur les cailloux. Elle avait pourchassé Ariel partout sur le site de la foire. Heureusement, Cameron avait appâté le faucon avec un autre rat. Comme c'était une idée de Keelie, elle considérait qu'elle s'était rachetée, en quelque sorte.

Elle s'arrêta devant le Labyrinthe magique. Un groupe de jeunes étudiants fauteurs de troubles, qui tenaient les baraques les week-ends, étaient en train de jouer au soccer, occupant la route et le terrain dégagé de part et d'autre du chemin. Elle les contourna et fit le tour du Labyrinthe magique. Un petit sentier menait à travers les bois.

Un raccourci : fantastique! Il conduisait probablement aux terrains de joute. Le chemin était étroit, et elle frôla des branches odorantes et ses doigts effleurèrent à l'occasion la rude écorce des arbres qui le bordaient. Des pins, pensa-t-elle.

Une branche s'accrocha à ses cheveux et elle se baissa vivement pour s'en libérer. Sa tête fut tirée vers l'arrière. Elle leva le bras pour démêler ses cheveux. Ils étaient enroulés autour de deux brindilles. Cela commençait à faire mal. Elle tira sur un rameau et sentit une texture veloutée. Puis une main osseuse légère comme une brindille saisit son doigt, s'enroulant tout autour.

Était-ce un oiseau? Elle le palpa, en lutte contre la panique provoquant une contraction de ses épaules et une sensation de picotement sur sa peau. S'agissait-il de fourrure, de plumes? On aurait dit des brindilles et des feuilles et de la mousse. Et la chose remuait contre ses doigts chercheurs.

Elle hurla et se mit à courir, dégageant ses cheveux. C'était hautement douloureux, mais peu importe ce que c'était, il lui fallait sortir de là. À bout de souffle et le cœur battant, elle s'arrêta près d'un arbre. Qu'est-ce que c'était?

Elle regarda autour d'elle. Des arbres la cernaient de toute part, et tout était calme. Où se trouvait-elle? Elle aurait dû maintenant se trouver au cercle de joute. Elle s'était perdue.

Quelque chose remua dans ses cheveux. Elle se figea. La chose se glissa le long de sa tête, puis elle la sentit sur son épaule. Effrayée de regarder, elle tourna les yeux vers la droite. Des rameaux. Elle bougea un peu la tête. C'était seulement des brindilles, retenues ensemble par de la mousse.

Mais ce n'était pas ça! Elle pouvait maintenant apercevoir de petites mains, brunes, dures et luisantes, et des yeux qui brillaient sur la mousse du visage. La petite créature leva une main vers sa joue.

Ce n'était pas réel, se dit-elle. C'était une poupée de l'un des vendeurs. Une marionnette, laissée dans les arbres pour plaisanter. La marionnette indiquait les bois vers la droite.

Elle suivit le minuscule doigt en forme de brindille. Les buissons remuaient, probablement un animal.

— Danger.

La voix ressemblait à un murmure de feuilles séchées.

— Courez, Keliel.

Bon. Le rameau connaissait son véritable nom. À quelques mètres de là, les buissons bruissèrent. Elle aperçut un éclair rouge.

Elle courut aussi vite que possible sur le sentier. Puis elle entendit des voix. Des voix humaines. Elle bifurqua vers le son et vit une lumière à l'avant. Elle avait quitté les bois.

Elle se trouvait en bordure d'une clairière. Elle s'arrêta, son cœur battant la chamade, et regarda du côté de son épaule, mais la petite créature avait disparu. Elle savait qu'elle ne l'avait pas imaginée, pas plus que la brève apparition du chapeau rouge.

Assez, c'est assez. La malfaisante petite personne la traquait. Elle pensa à Sir Davey, qui avait environ la même taille. Elle n'avait pas vu nettement son assaillant, mais elle savait qu'il ne s'agissait pas de Davey.

Elle vit devant elle un large bâtiment à un étage avec des poutres massives, entouré d'une véranda remplie de gens qui riaient. Elle marcha vers lui et se rendit compte qu'il était érigé sur les rives d'un lac ayant une île au milieu. Un large pont de planches plus loin sur le rivage menait à l'île, qui était assez grande pour contenir plusieurs bâtiments.

Maintenant qu'elle était loin de la forêt, elle pouvait recommencer à penser clairement. Elle était fâchée contre elle-même d'avoir couru et à cause de quoi? Un paquet de brindilles et un nain maniaque habillé en lutin de jardin? Si c'était ça la magie de la terre, gardez-la, pensa-t-elle. Et le petit mec ne lui allait qu'à la taille. Qu'il s'approche d'elle à nouveau et elle lui montrerait un peu de la magie de la terre, dans le style Keelie. Elle lui flanquerait une de ces raclées.

La foule sur la véranda semblait pas mal tapageuse, et elle hésitait à demander son chemin. Puis elle en reconnut deux d'entre eux comme étant les pirates qui les avaient dépassés en voiture, après avoir ramassé leurs chèques plus tôt. Maintenant, elle n'allait certainement pas solliciter leur aide.

Le batteur de la tente du Shire lui fit signe.

— Hé! Keelie! Vous avez faim?

L'homme adossé à la balustrade se retourna. C'était Scott. Fabuleux.

Deux des pirates sautèrent de la véranda et vinrent vers elle d'un air fanfaron. Son cœur se serra. Capitaine Dandy Randy était l'un d'eux. Elle devait admettre qu'ils étaient séduisants avec leurs longues bottes et leurs chemises bouffantes.

— Quelle jeune femme pulpeuse avons-nous ici, dit l'autre pirate.

Il oscillait quelque peu tout en avançant.

Le capitaine Randy la lorgna, mais il saisit le bras de l'autre pirate, le faisant pivoter pour lui faire face.

— Elle est mineure. Relance-la et attrape-la de nouveau lorsqu'elle sera mûre.

Elle lui lança un regard furieux. Merci beaucoup, capitaine Débile.

L'autre pirate sourit.

— Elle paraît assez vieille pour moi.

Il tendit une chope de bière.

— À toutes les charmantes gamines.

Il but à grands traits, puis toussa au moment où la voix calme de Scott résonna dans la clairière.

— C'est la fille de Heartwood.

La chope de bière tomba des doigts soudainement inertes du pirate. Elle décrivit un arc comme au ralenti, son contenu jaillissant et éclaboussant les nouveaux jeans de Keelie. Fantastique. Elle dégagerait une odeur de brasserie.

Les pirates figèrent sur place, puis reculèrent.

La fille de Heartwood. Les mots résonnaient comme une malédiction. Elle était condamnée à ne pas avoir de petit ami. Des sabots retentirent derrière elle, comme la cavalerie dans un vieux western. Elle se retourna pour voir des chevaux blancs pénétrer dans la clairière, au galop, menés par des cavaliers colorés.

Sean. Sean était l'un des cavaliers, suivi du cheval d'Elia qui le rattrapait. La dernière personne qu'elle voulait voir, tout particulièrement alors qu'elle sentait la bière.

Elle vit que Scott s'était placé à côté d'elle. L'air sentait la bière, la cannelle et l'ozone. Des nuages noirs s'étaient rassemblés au-dessus d'eux, faisant écho à son humeur.

Elle pouvait sentir la tension entre le groupe sur la véranda et les cavaliers. Elle regarda brièvement derrière elle. Certains des jeunes étudiants qui jouaient aux pirates agrippaient le garde-fou, comme s'ils attendaient que le combat commence.

Sean sourit tranquillement aux buveurs.

— Une journée extraordinaire pour une excursion. Nous sommes venus rentrer les chevaux — une tempête se prépare.

Les yeux d'Elia se braquèrent sur ceux de Keelie, ses lèvres resserrées en une ligne fine.

— Vous allez au *Mire*? *Oups!* désolée. Je veux dire au *Shire*.

Les éclairs flamboyèrent au-dessus de leur tête, suivis par le grondement du tonnerre. Les cieux s'ouvrirent. Keelie fut trempée en quelques secondes. Elle baissa les yeux, consternée. Ses nouveaux vêtements.

Le rire argenté d'Elia tinta dans le ciel. Les poings de Keelie se fermèrent, prêts à la bataille, puis elle s'arrêta net. Elia n'était pas trempée. Aucun parapluie en vue, mais les boucles dorées de la fille étaient parfaites et il n'y avait pas la moindre tache sur sa longue robe verte. Les autres cavaliers ne semblaient pas aussi chanceux. Eux et leurs chevaux étaient trempés, même Sean.

Ils firent faire demi-tour à leurs chevaux et se dirigèrent vers le pont. Même de dos, Elia était sèche. Que diable se passait-il ici?

Keelie voulut tirer la langue, mais elle craignait de provoquer une mêlée. Lorsque le moment serait propice à un face-à-face entre elle et Elia, elle n'y entraînerait pas un paquet de types innocents. Il n'y aurait qu'elle et la garce de sorcière de l'enfer médiéval, *mano a mano*. Et de longues boucles dorées seraient arrachées par les racines.

Scott lui saisit l'épaule. Avant qu'elle puisse protester, il l'entraîna vers un large chemin bordé d'arbres. Le même chemin où elle avait cru se trouver, un peu plus tôt. Ils passèrent devant une longue scène peu élevée avec une bannière au-dessus qui annonçait des démonstrations d'escrime, et une baraque aux volets clos appelée le *Shimmy Shack d'Aviva*. Une boutique de danse du ventre! Elle se souviendrait certainement de cet endroit. Peut-être y viendra-t-elle avec Raven quand le temps serait plus clément.

Un cri derrière elle les arrêta.

— Hé! Keelie, revenez au Shire ce soir. Il y aura un groupe de batteurs près du pré. S'il pleut encore, ça se passera à l'intérieur.

Depuis la véranda, le batteur lui fit un signe et plusieurs pirates agitèrent la main, un large sourire fendant leur visage jusqu'aux oreilles.

Elle leur sourit à son tour et agita sa main libre en guise d'au revoir. Scott lui tira brusquement le bras.

— Cessez de faire l'idiote. Vous vous attirez pas mal d'ennuis. Votre père vous a dit de ne pas vous promener seule.

Elle dégagea son bras de sa poigne.

— Ouais! Bien, vous étiez celui qui était chargé de m'escorter. Et où étiez-vous? À boire avec les copains de Jack Sparrow?

Avait-il pâli? Elle espérait qu'il se sentait mal. Difficile à dire avec l'eau qui coulait sur son visage.

— Où êtes-vous allée? Vous avez de fines branches dans les cheveux.

Il examinait sa tête.

Paniquée, elle leva le bras, mais les fines branches n'étaient que de menues brindilles et des morceaux de mousse. Rien ne remuait.

Scott la regarda d'un air bizarre.

— Venez.

Sentant qu'ils étaient maintenant quittes, elle marcha rapidement pour suivre le rythme de son allure avec ses longues jambes, tout en enlevant les débris de ses cheveux trempés.

Ils passèrent devant des magasins et des aires d'exposition fermés, et puis elle vit le panneau indicateur qu'elle avait aperçu la première journée avec Mme Talbot. Elle était allée dans le sens opposé. Peut-être s'achèterait-elle une boussole et apprendrait-elle à s'en servir.

— Le batteur, quel est son nom?

— Nous l'appelons Skins.

— Comme c'est amical! Skins a dit que le cercle de tambours, ou quoi que ce soit, se trouverait dans le pré, mais je suis allée sur les lieux hier, et c'est un endroit qui donne sérieusement la chair de poule.

— Ouais! Votre père m'a dit que vous êtes allée jusqu'au campement d'Elianard. Restez loin de lui. Il est pire que sa fille.

Il la lorgna.

— Mais le Shire est vraiment un endroit amusant.

Elle ignora la remarque.

— Et qu'en est-il de ce type avec le bonnet rouge? demanda-t-elle? Que savez-vous sur lui? Travaille-t-il ici? Il a de sérieux problèmes. De type meurtrier en série, par exemple. Papa n'a pas voulu non plus me laisser appeler la police.

Scott soupira.

— Il y a beaucoup de choses que vous ne comprenez pas à la foire. Mais vous comprendrez un jour. On n'appelle jamais la police.

— Jamais ? Par exemple, si vous trouvez le cadavre d'une personne assassinée, vous l'enterrez simplement dans les bois ?

— Vous avez l'intention de tuer quelqu'un ?

— Seulement vous.

Elle devait marcher rapidement pour suivre la cadence de ses longues enjambées.

— Qu'en est-il du type au chapeau rouge ?

— Parlez-en à votre père. Et le pré n'est pas si mal. Qu'est-ce qu'il y a de sinistre là-bas ? L'administration de la foire veille à ce que la section près du Shire soit dégagée et les enfants se tiennent là. Ils font des feux de joie et d'autres trucs, loin des arbres.

— Ça a l'air vraiment passionnant. Mais vous ne sentez rien d'étrange à propos du pré ?

— Non. Pas près du Shire. La saison n'a pas été normale. À part le mauvais temps, il y a eu des vols et des combats, et Skins dit qu'il y a des mauvaises vibrations autour du Shire.

— Des mauvaises vibrations ? Euh... maintenant, qui parle comme quelqu'un de la Californie ?

— Alors, vous n'essayez plus de vous enfuir, n'est-ce pas ?

— Je ne me suis pas enfuie ! J'étais avec Cameron dans les enclos.

— Les enclos sont de l'autre côté des terrains de la foire.

— Je me suis perdue.

Il la regarda d'un air sceptique.

— Rappelez-moi de ne pas marcher dans les bois avec vous.

Elle faillit dire, *pourquoi, avez-vous peur ?* Mais elle redressa plutôt le menton.

— Qu'est-ce qui vous fait penser que je veux marcher dans les bois avec vous ?

Pourquoi lui avait-elle dit cela ? Elle ne voulait pas l'encourager. Sean, oui. Scott, pas question. Mais il ne sembla pas avoir remarqué. Une mauviette d'ignorant.

Les pieds de Keelie provoquèrent des éclaboussures tout le long du trajet vers Heartwood. Le vent avait changé de direction, et il faisait plus chaud. Voilà qui était une bénédiction. Elle n'aurait pas à supporter d'être transie et trempée. Et il y avait des vêtements secs qui l'attendaient. Elle accéléra le pas, dépassant presque Scott.

Il y avait de la lumière dans l'atelier, et Scott se faufila à travers les meubles, maintenant protégés par de longues bâches. Keelie s'engagea dans les étroits escaliers.

L'appartement était sombre, mais il y flottait une délicieuse odeur d'oignons en train de cuire. Keelie était étonnée de voir des rayons de lumière qui fusaient du plancher. Pendant une seconde, elle crut à un autre moment à donner des sueurs froides typique de la foire, mais elle se rendit compte qu'il s'agissait de la lueur des lumières de l'atelier qui s'infiltrait par les fentes du plancher.

Elle s'agenouilla sur le large sol de planches (du cèdre) et mit son œil vis-à-vis un interstice. Pendant une seconde, les images n'eurent pas de sens, puis elle comprit qu'elle était en train de regarder un énorme rondin toujours recouvert de son écorce et attaché aux chevalets de sciage. Zeke et Scott se tenaient de chaque côté de la bille et l'examinaient.

Un intense ronronnement résonna près d'elle, et la tête poilue de Knot heurta sa joue. Elle demeura immobile, craignant qu'il lui égratigne les yeux.

— Bon chat.

Le ronronnement s'arrêta.

— Misérable félin.

L'intense ronronnement reprit.

— Comme tu es étrange.

Elle se releva et se dirigea vers la salle de bain pour se sécher. Knot la suivit, la regardant les yeux mi-clos alors qu'elle se déshabillait et enlevait les étiquettes de ses nouveaux vêtements.

— Où étais-tu quand j'ai rencontré le nain au chapeau rouge dans les bois?

Ses yeux s'écarquillèrent et il la regarda fixement, comme s'il comprenait presque ses paroles.

— Et cette petite marionnette de brindilles? Les studios Henson ont besoin de connaître cette technologie. Elle semblait bien réelle.

Knot ne ronronnait plus. Il l'observait avec attention. Elle cessa de se brosser les cheveux.

— Quoi? Tu n'as jamais vu une nana avec de la mousse dans les cheveux? Ça fait fureur dans les bois du Colorado.

Une brindille jaillit de la brosse et tomba près de ses pattes. Il l'inspecta de plus près et la renifla, puis se remit à ronronner.

Keelie rit alors qu'elle remarquait l'énorme tache chauve sur le dessus de sa tête.

— Ariel doit en être la cause. Bien fait pour toi.

À nouveau au sec et réchauffée, elle marcha vers la cuisine, ayant envie d'une tasse de thé. Un gros paquet était posé sur la table. Elle jeta un coup d'œil sur l'étiquette. Redoutable forêt, Oregon? Elle se rappela la carte de crédit de son père. Ce doit être de la famille.

Elle prit la théière sur la tablette et ouvrit l'eau froide. Knot s'assit sur son pied. Elle le repoussa de son autre pied. Il ne bougea pas d'un centimètre. Le chat diabolique lui enfonça profondément les griffes dans la peau.

— *Ouch*!

Elle le poussa violemment avec son pied. Il la relâcha, glissant sur le plancher de bois franc sur son ventre. Knot s'enroula comme un ballon. Il remua la queue. Il releva le derrière, prêt à bondir.

— Allez, chat fou. Chiche !

Keelie agita le pied dans sa direction. Il abaissa son postérieur, s'assit et se mit à l'observer, soudainement calme, pendant qu'elle remplissait la théière. Elle tenta de l'ignorer, mais il continuait de la fixer et ses yeux commencèrent à se dilater, devenant de larges orbites noires.

Il serpenta à travers le rideau de la chambre, puis se rassit.

— Jamais de la vie, l'avertit-elle.

Elle posa la théière sur la cuisinière, alluma le brûleur, et s'essuya les mains sur un torchon à vaisselle. Son père avait commencé le souper. Une casserole de sauce à spaghetti était en train de mijoter, et l'eau frémissait dans une marmite.

— Je ne plaisante pas, chat. Éloigne-toi de mes nouveaux vêtements et reste loin de moi. Tu es au-delà de la démence.

Le chat ronronna comme si elle lui avait fait un compliment. Quelque chose de bleu et de menu émergeait d'une touffe de fourrure près de son épaule. Elle baissa le bras rapidement et l'enleva de son pelage. Une minuscule plume bleue. De quel type d'oiseau provenait-elle ?

Knot miaula et tenta de lui donner un coup de patte, puis se ravisa et s'éloigna calmement, comme si ce n'était pas important.

Elle alluma deux bougies blanches, de cire d'abeille, enchâssées dans des chandeliers de bois sur la petite table de cuisine. Les flammes dansèrent, jetant une lueur chaude autour de la pièce, neutralisant la morosité du ciel nuageux à l'extérieur.

Zeke entra.

— N'est-ce pas que ça sent bon ici ? Je suis en train de préparer de la sauce à spaghetti.

— Ça sent bon, en effet.

— Peux-tu m'aider à préparer le repas ? Je dois redescendre.

— Certainement.

Son estomac gargouilla.

Zeke ouvrit une armoire et en retira une passoire qu'il déposa sur le comptoir.

— Nous devons parler.

Un coup retentit à la porte.

Il ne détacha pas les yeux de Keelie.

— Entrez.

C'était Scott.

— Désolé de déranger votre agréable petite réunion de famille, mais j'ai toute la misère du monde. Peux-tu redescendre, Zeke?

Keelie lança un regard furieux à Scott. Elle paria qu'il n'était nullement désolé de cette interruption.

Zeke soupira.

— J'étais tellement fatigué aujourd'hui que j'ai dormi et j'ai omis de descendre pour examiner l'arbre. Il est vraiment dans un état désespéré.

Il s'avança vers les bougies sur la table et les éteignit. Plus de lueur dorée.

Scott actionna l'interrupteur près de la porte et l'éclairage de la cuisine devint soudain d'une luminosité irritante.

— Keelie, peux-tu servir le spaghetti et apporter les assiettes en bas? Nous en ferons un souper de travail.

— Fantastique. Du spaghetti pour souper, dit Scott d'un air narquois. Zeke et moi avons eu beaucoup de soupers de travail dans la boutique. Oh! et Keelie, saupoudrez le mien de poivre. Cela lui donne plus de saveur — un peu comme l'aiment les pirates.

— Oh! comme les pirates avec qui je vous ai trouvé au pub quand vous avez oublié de venir me chercher?

Scott lui lança un air furieux et orienta son regard vers Zeke pour évaluer sa réaction.

— Aussitôt que nous aurons terminé, je me dirige vers le Shire. Grosse fête ce soir. Un groupe de batteurs et tout le reste. Vous allez manquer à tout le monde.

Il lui fit un clin d'œil.

Il n'était pas mieux que mort.

— Keelie. Scott. Ça suffit! cria Zeke. Allons travailler. Keelie, il y a aussi un pichet de thé froid à la menthe dans le réfrigérateur.

— Parfait.

Elle avait vraiment l'impression d'être leur servante.

Ils sortirent, mais Scott rouvrit la porte.

— Hé! Keelie. Je prendrai de la glace dans mon thé. *Ciao!*

Elle aurait voulu hurler. Depuis quand était-elle devenue une serveuse? D'abord, elle servait un rat à un faucon, et maintenant elle servait du spaghetti à une autre pauvre espèce de rat appelée Scott.

Elle ouvrit les armoires de la cuisine et déposa bruyamment sur le comptoir les assiettes de céramique décorées de feuilles.

— Je lui en donnerai un supplément de saveur.

Keelie égoutta les nouilles de spaghetti au-dessus de l'évier, puis les déversa dans un bol. Quelque chose s'accrocha à ses nouveaux jeans bleus. Elle baissa les yeux. Deux yeux verts luisants et furieux la dévisageaient.

— Si tu ne lâches pas mes pantalons, je te botte le derrière.

Un petit monticule d'ail écrasé gisait sur une planche à hacher en bois.

— Je suppose que c'est pour toi, mais tu n'as pas de puces, n'est-ce pas? Scott en a.

Keelie agita de nouveau le pied. Knot la scrutait alors qu'elle brassait calmement la sauce à spaghetti, puis il courut dans la cuisine et sauta sur une chaise comme s'il était prêt à se faire servir.

— Je ne te donnerai pas de spaghetti. Je ne suis pas non plus ta servante.

Elle marcha vers l'évier et distribua trois parties égales de spaghetti dans trois assiettes. Elle allait prendre la sauce avec sa cuiller lorsqu'elle remarqua de nouveau l'ail.

— Tu sais, Scott a dit qu'il voulait plus de saveur dans son spaghetti.

Elle cacha stratégiquement l'ail dans l'énorme montagne de spaghetti. Inspirée, elle fouilla dans l'armoire à épices de la cuisine.

— Le gros lot.

Elle saupoudra de la poudre chili sur un peu de sauce supplémentaire et la mélangea dans la portion de Scott.

— Allez, une invitation lancée à tous — un nouveau spectacle à la foire. L'idiot cracheur de feu!

Knot ronronnait en la regardant. Elle déposa les trois assiettes de spaghetti sur un plateau, se rappelant que celle de Scott était bleu foncé. Elle ajouta des ustensiles et des serviettes près des assiettes, puis souleva le plateau et se dirigea vers le rez-de-chaussée. Ils devraient venir chercher leur propre thé parce qu'elle ne pouvait apporter le spaghetti et les breuvages en même temps.

Lorsque Keelie ouvrit la porte en la poussant vers les escaliers extérieurs, Knot courut devant elle.

— Félin au cerveau fêlé.

Le chat descendit en courant l'escalier. Elle s'arrêta sur la dernière marche. Elle pouvait entendre le bourdonnement de centaines de petites abeilles. Mais aucun insecte qui aurait pu faire ce bruit ne volait dans les alentours.

Zeke et Scott étaient dans l'atelier en train de parler. Aucune trace de Knot. Aussi agaçant qu'il pût l'être, elle enviait Scott. Il connaissait Zeke mieux qu'elle. Son père s'était intéressé à lui et lui avait enseigné le travail d'ébénisterie. Elle n'avait elle-même reçu qu'un jouet occasionnel.

Elle entra, mais aucun d'eux ne la remarqua. Les mains de Zeke étaient posées sur le tronc massif et balafré d'un arbre attaché aux chevalets de sciage, comme un patient sur une table chirurgicale. Il le touchait de façon révérencieuse, caressant l'écorce.

Quelque chose n'allait pas. Quelque chose n'allait pas du tout ici. Keelie sentait l'air vibrer, comme des vagues émanant de l'arbre dans sa direction.

— Alors?

Les mains de Scott pendaient le long de son corps, bien à l'écart du gros arbre.

— Elle est encore en deuil et ne veut pas être transformée en quelque chose d'autre. Elle a été prise avant son temps. Elle fait le deuil du soleil. Elle veut enfoncer à nouveau ses racines dans la terre mère.

— De quoi parlez-vous? demanda Keelie, saisissant un morceau carbonisé de bois de la table (du chêne).

Elle eut une brève vision d'un éclair et de feu. Une silhouette s'animait dans l'éclair.

Les hommes lui jetèrent un coup d'œil, mais ils étaient beaucoup plus préoccupés par le gros tronc d'arbre.

— Le bois. Viens le toucher, Keelie, dit Zeke.

— Crois-tu qu'elle devrait le faire? demanda Scott.

Il semblait ennuyé.

Elle lui sourit gentiment et lui tendit son assiette.

— Pour vous.

— Où est le thé?

— Là-haut. Allez le chercher vous-même.

Elle tendit le bras vers l'arbre, mais elle retira sa main lorsqu'elle vit un délicat visage féminin tordu de douleur, regardant de l'intérieur de l'écorce. Elle ferma les yeux, puis regarda de nouveau, mais ce n'était qu'un arbre. Il n'y avait rien de gravé.

Elle recula.

Maman, les gens des arbres disent qu'ils me connaissent. Ils connaissent papa.

Keelie était soudainement transportée en pensée dans un parc, petite, le bras élevé et sa main enserrée dans celle sa maman.

Ça n'existe pas les gens des arbres, Keelie, avait répondu maman, mais même à l'âge de cinq ans, Keelie savait qu'elle lui mentait. Maman lui avait dit qu'elle avait une allergie au bois qui la faisait voir et entendre des choses. Mais si elle restait loin du bois, elle irait bien. Jamais plus Keelie n'avait parlé à sa mère de sa sensation du bois.

— Quelque chose ne va pas? dit Zeke.

— C'est seulement mon allergie, dit-elle.

Elle recula de la bille de bois. Elle était incapable d'y toucher. Elle imagina le désespoir de l'arbre, et cette sensation l'enveloppa. Si elle le touchait, la souffrance la consumerait, et elle en avait assez de la sienne. Tout cela est dans ma tête, pensa-t-elle.

Mais la douleur imaginée de l'arbre réveilla sa souffrance. Ce n'était pas censé se passer ainsi. Maman aurait dû être ici, vivante et forte, le visage au soleil et les pieds sur terre. Keelie trembla. Elle voulait pleurer.

— Maman.

Le mot sortit comme un gémissement.

Papa la serra dans ses bras.

— Ça va, Keelie. Je suis ici pour toi. Et je ne te quitterai jamais plus.

Elle enveloppa ses bras autour de lui.

— Oh mince, c'est chaud! cria Scott.

Knot sauta sur la bille. Keelie recula, mais Zeke garda un bras autour de ses épaules, l'attirant plus près.

Le bruit de bourdonnement que Keelie avait entendu devint plus intense et plus distinct, comme de petits morceaux de conversation, les murmures de minuscules voix différentes qui se mélangeaient.

Les yeux bizarres de Knot étaient ronds comme des billes noires bordées de vert. Sa queue cinglait l'air comme un cobra qui se tord. Ses oreilles étaient rabattues en arrière, sa tache chauve encore plus marquée. Il grogna, fixant l'air au-dessus de lui.

Keelie regarda aux alentours pour voir si un autre chat ne le mettait pas au défi, mais il n'y avait rien sauf ce bruit bizarre, qui devenait de plus en plus fort. Le chat était peut-être pris d'une crise psychotique.

Sautant de la bille de bois, Knot atterrit sur le sol, puis sortit en flèche vers la clairière et grimpa à une couple de mètres de hauteur dans un chêne voisin. Il bondit de l'arbre et atterrit sur le sol, se tournant sur le dos pour donner des coups de patte dans l'air, se battant contre un ennemi invisible. Tout aussi vitement, il se remit sur ses pattes et fit le tour du gros chêne en courant à trois reprises, puis s'arrêta et frappa le sol avec sa patte. Puis il se mit à courir sur le chemin passé l'arène de joute et vers le lac. Le bourdonnement et les murmures de conversation disparurent comme s'ils poursuivaient le chat.

— Est-il malade ? demanda Keelie.

À ses yeux, cela ressemblait à de la pure folie féline. Peut-être aurait-elle dû servir du spaghetti au chat avec un supplément d'ail. Elle jeta un coup d'œil vers Scott, qui avait englouti son souper, et son visage était brillant de sueur, et rouge vif.

— Voulez-vous aller chercher le thé ? demanda Scott. J'ai la bouche en feu.

— Scott, que se passe-t-il ? Va chercher le thé toi-même, le réprimanda Zeke.

Il serra légèrement le bras de Keelie.

— Je voulais faciliter ta nouvelle vie, te donner du temps avant que tu commences à en apprendre sur moi, sur ma famille et sur mon univers. Je suppose que ça ne fonctionne pas.

— De quoi parles-tu ? Qu'est-ce que l'arbre a à faire là-dedans ?

— L'éclair l'a frappé le jour de ton arrivée. Tu te souviens, tu as vu la fumée ? Tu as sauvé quelques vies ce jour-là, Keelie. Mais cet arbre est au-delà du salut, et sa magie est emprisonnée en lui. En tant que berger des arbres, je dois guider son esprit vers l'avant et transformer sa magie en énergie de guérison.

— Alors, tu es une sorte d'arboriste et de prêtre ?

— En quelque sorte. Ce n'est pas tout le monde qui peut faire ce que je fais, et tu possèdes les mêmes pouvoirs que moi. Plus que cela, Sir Davey et moi soupçonnons que tu es plus puissante que moi.

— Vraiment ?

Les superpouvoirs sont pratiques, même si les pouvoirs liés aux arbres étaient un peu limités. Que pouvait-elle faire, effrayer les écureuils ? Elle ne croyait pas toute cette histoire. Maman l'avait avertie que papa était bizarre et que c'était un adepte du nouvel âge. Il aurait dû venir en Californie. Ça lui aurait parfaitement convenu.

Keelie se rendit compte qu'elle avait la bouche béante et elle la referma. Des larmes lui piquaient les yeux, des larmes de colère.

— Il y a aussi de bonnes fées, et certaines sont venues dire au revoir au chêne qui les a protégées. Knot a fait de l'interférence. Connaissant ce chat, il a probablement profané leur cercle de champignons en l'utilisant comme boîte à litière.

Zeke hocha la tête. Il semblait se délecter de la situation.

— Arrête ça, Zeke. Je pensais que nous avions eu beaucoup de plaisir au centre commercial, dit-elle. Je pensais finalement que tu me traitais comme un membre de la famille au lieu d'une touriste. Mais maintenant tu repars avec cette loufoque ritournelle de conte de fées.

Elle s'écarta de lui, heureuse de voir qu'il avait l'air blessé. Il le méritait. Pas étonnant que maman ait quitté son monde. Il ne pouvait distinguer le réel de l'imaginaire.

— Je ne fais pas partie du *populo*, tu sais.

Il parut sérieux.

— Keelie, tu ne fais certainement pas partie du *populo*. Tu en es bien loin.

— Je vais aller aider Cameron avec Ariel. Profitez bien de votre spaghetti.

Elle traversa l'aire ouverte et entreprit de descendre le chemin vers le domaine des oiseaux de proie.

— Keelie? cria Zeke derrière elle. Attends une minute. Je vais avec toi. C'est dangereux pour toi d'être seule.

Elle lui fit signe sans se retourner, puis elle commença à courir au pas de jogging, qui se transforma bientôt en une course démoniaque. D'ici sa rentrée scolaire, elle serait dans une si bonne forme que le reste de l'équipe de cross-country mordrait la poussière qu'elle soulèverait. Des baraques sombres filèrent, leurs propriétaires se trouvant dans des remorques ou des appartements au-dessus. Elle ralentit alors qu'elle dépassait les bois de l'autre côté du champ de joute.

Un enfant costumé marchait à travers les arbres. Keelie s'arrêta comme si elle se rendait compte de ce qu'elle voyait — ce qu'elle *croyait* voir. C'était Knot, portant des bottes, marchant sur ses pattes de derrière, et brandissant une épée avec sa patte de devant. Et il n'était pas seul. Une créature feuillue, un enchevêtrement de bois et de vignes, combattait avec lui, brandissant un grand bâton.

Keelie courut plus vite que jamais, pressée d'échapper à son imagination débordante.

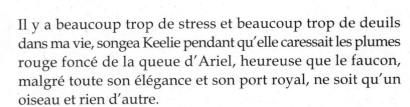

Il y a beaucoup trop de stress et beaucoup trop de deuils dans ma vie, songea Keelie pendant qu'elle caressait les plumes rouge foncé de la queue d'Ariel, heureuse que le faucon, malgré toute son élégance et son port royal, ne soit qu'un oiseau et rien d'autre.

Elle pouvait entendre son père parler d'une voix étouffée à Cameron. Il avait couru après elle tout le long du chemin. Fâchée comme elle était de se faire traiter comme un bébé, elle ne lui aurait jamais dit à quel point elle était heureuse qu'il soit là. Des fées ? Exact.

Ariel l'observait de son unique œil doré. Lorsque Keelie était arrivée à l'enclos des rapaces, Cameron était absente. James, l'un des autres artistes, avait donné la permission à Keelie de sortir Ariel de sa cage et il avait partagé son repas de spaghetti avec elle. Un spaghetti normal, grâce à Dieu. Zeke était arrivé quelques secondes après, mais il disparut dès qu'il la vit avec James.

Encore ébranlée par la scène fichtrement étrange dans l'atelier d'ébénisterie, Keelie se demanda si elle devait consulter un psychiatre. Non, car si on avait à proposer une quelconque forme de thérapie, son père et Scott auraient intérêt à se trouver au début de la file.

Bien sûr, peut-être que des drogues en étaient la cause. Peut-être y avait-il quelque chose dans la tisane que tout le monde buvait. Peut-être les graines de cristal de Mme Butter. Elles semblaient dangereuses.

Tout cela ressemblait à une immense hallucination. Des visages dans les arbres, des mottes de boue magiques, et des insectes invisibles aux voix bourdonnantes. Knot dans le costume de mousquetaire du Chat botté. Elle ne pourrait jamais en parler à ses amis sans qu'ils ne craquent et s'esclaffent. Mais d'un autre côté, elle avait personnellement intérêt à restreindre son usage de l'expression «craquer» ces temps-ci.

Comment pouvait-elle décrire ce chat ? Chaque jour que Keelie passait à la foire, sa capacité de distinguer le réel de l'irréel était de plus en plus compromise. Comment pouvait-elle expliquer sa vision du visage d'une femme sur une bille de chêne, sinon qu'il s'agissait d'une étrange hallucination provoquée par son allergie ? Comment Keelie pouvait-elle logiquement expliquer la connaissance des arbres qui semblait émerger d'on ne sait d'où ? Le plus tôt elle partirait de ce pays imaginaire, le mieux ce serait pour elle. Pas étonnant que maman ait arraché Keelie au monde de papa, il y avait bien des années.

Ariel descendit lentement le long du gantelet vers le visage de Keelie et nicha sa tête contre sa joue. Keelie s'immobilisa. Les faucons ne sont pas des chatons. Était-ce un geste d'amitié et de confiance, ou bien Ariel avait-elle envie de lui déchirer le visage?

La tête du faucon était chaude et dure, et pourtant les plumes qui la couvraient étaient d'une douceur incroyable. La bête ne fit aucun mouvement pour attaquer, et Keelie pouvait sentir cette partie d'elle qu'Ariel avait éveillée s'agrandir de plus en plus, lui procurant un sentiment de bien-être malgré la matinée bizarre qu'elle venait de vivre.

La voix de Cameron rompit le charme.

— Keelie, grâce à Dieu, vous êtes ici, dit-elle, sur un ton de panique. J'ai besoin de votre aide.

Cameron semblait si désespérée qu'elle ne remarqua pas que le faucon s'était niché contre la joue de Keelie.

— Bien sûr. De quoi s'agit-il?

Keelie se leva lentement, pour ne pas effrayer Ariel. Le front de Cameron était plissé d'inquiétude, et elle était aussi habillée dans ses vêtements de tous les jours — un chandail en molleton, des jeans bleus et des chaussures Nike. Elle paraissait absolument normale. Keelie avait besoin de ce qui était normal.

— Moon a été malade toute la journée, et je sais que ce que je vous demanderai est étrange, mais j'ai besoin que vous le fassiez. Il ne faut pas me poser de questions.

Keelie sentit son cœur se serrer. Pendant une seconde, elle pensa que Cameron lui demanderait de tuer l'oiseau, d'abréger sa souffrance. Mais non. Cameron le ferait elle-même lorsque le temps viendrait. Elle adorait Moon, le harfang des neiges. Ce devait être quelque chose d'autre, et Keelie savait que Cameron ferait n'importe quoi pour aider Moon.

— Certainement.

— Suivez-moi.

— Attendez une minute.

Zeke s'avança devant Cameron.

— Elle ne peut le faire, Cameron. Elle n'est pas prête.

— Ce doit être elle.

Cameron regarda autour d'elle, puis baissa la voix.

— Je sais que vous avez entendu aussi. Moon est dans le pré, sur le tremble le plus haut, Hrok. Le bonnet rouge ne peut l'atteindre à cet endroit.

Le pré, la terre des mauvaises vibrations.

— Que dois-je faire? Pourquoi moi?

Keelie essaya de capter le regard de Cameron, mais elle fixait Zeke comme si elle voulait son approbation.

Zeke semblait médusé, mais finalement il hocha la tête et s'écarta du chemin.

— J'assurerai la sécurité de l'endroit.

— Attends une minute. J'ai besoin d'une réponse. Tu te souviens de moi, Keelie? La personne dont il est question?

Ariel sembla ressentir leur humeur. Le faucon s'envola du bras de Keelie vers son perchoir sans que personne le lui commande. Cameron ferma la porte de la cage, puis se tourna vers Keelie.

— Je vous en parlerai sur le chemin vers le pré. Il ne nous reste pas beaucoup de temps.

Ils partirent tous les trois à travers la singulière étendue dorée si tranquille. Keelie portait toujours le lourd gantelet.

Ils passèrent devant la section des enfants. Le cercle des poneys avec son mât enrubanné semblait étrange et vide. Quand la maison de thé de Mme Butter fut en vue, ils tournèrent à gauche, traversèrent une barrière où il était écrit «Employés seulement», et ils gravirent le chemin de la Nymphe des eaux, vers le pré.

En traversant la barrière, elle entendit le bruit des tambours. Le Shire n'était pas très loin, et la fête commençait sans elle.

Ils passèrent devant une allée d'arbres, le pré étant à leur droite. Il semblait immense et amical dans la morose lumière du jour, avec un fourré de trembles de l'autre côté et d'autres feuillus çà et là. Un énorme roc se dressait au centre.

Keelie pouvait voir le reflet de la pierre à travers les arbres au loin. Le campement d'Elianard. Malgré son apparence amicale, Keelie savait que l'endroit était dangereux. Elle pouvait sentir la vague de panique grandir à son approche et une étrange vibration émaner de la terre au centre du pré.

De l'arbre où était accrochée sa cage, Moon hulula et battit des ailes, frappant les murs métalliques.

En s'approchant, Cameron gloussa d'une voix réconfortante. Zeke regardait les bois avec méfiance, et Keelie se concentrait simplement pour placer un pied devant l'autre alors que, tout ce qu'elle voulait, c'était de courir vers le Shire et de se cacher dans une tente.

Les trembles semblaient vieux et elle pouvait les sentir. Des esprits austères. Comme des gardiens dans un endroit sacré. Les branches supérieures du plus gros étaient calcinées, d'un noir écaillé qui ressemblait à une blessure vive par contraste avec le vert de ses voisins feuillus.

Même de l'autre bout du pré, Keelie pouvait dire que le hibou était malade. Normalement, Moon était assis, le port érigé sur son perchoir, les yeux alertes. Épuisé par ses efforts, il était amorphe, ses plumes blanches ternes et affaissées, ses énormes yeux fermés. Il ne bougeait pas, malgré le bruit qu'ils firent à leur approche.

Il semblait probable qu'aucun remède artisanal ne pouvait le guérir.

— Ne croyez-vous pas qu'on devrait appeler un vétérinaire?

— Je suis vétérinaire. La médecine moderne ne peut l'aider, dit fermement Cameron. Tôt ce matin, la musique m'a éveillée, et les oiseaux étaient en train de devenir fous, faisaient du tapage. Lorsque je suis sortie pour voir qui jouait la musique qui dérangeait les oiseaux, j'ai immédiatement compris que quelque chose n'allait pas avec Moon.

— Donc un fou a joué de la musique pour ensuite blesser Moon? Croyez-vous qu'il a été empoisonné?

Keelie savait qu'il se passait quelque chose de plus profond, mais elle ne voulait pas s'approcher de ces arbres à faire frémir.

Cameron parut perplexe, puis inquiète.

— Zeke, je croyais que vous lui aviez parlé. Keelie, voulez-vous dire que vous ne comprenez pas votre rôle ici?

— Ces contes de fées à propos de bonnets rouges et d'adieux aux arbres?

Même si Keelie ne voulait pas l'admettre, elle ne pouvait dénier qu'elle possédait une affinité rare avec les arbres et le bois, et qu'elle avait vu certaines choses assez étranges.

— Keelie, j'ai besoin que l'énergie de guérison du tremble soit canalisée vers Moon. Votre père ne peut guérir les animaux, mais j'ai le sentiment que vous en êtes capable. Il est possible que ça ne fonctionne pas, mais Moon n'a plus beaucoup de temps à vivre.

Cameron toucha les plumes du hibou.

Zeke la regarda.

— Je serai là pour t'aider.

— Qu'est-ce qui se passe avec les gens et les arbres?

Keelie les regarda fixement.

La partie d'elle qui appartenait à sa mère disait: «Enfuis-toi, Keelie! Ne le fais pas; tu es train de te transformer en l'un d'eux.»

Mais la partie qu'Ariel avait éveillée la poussait à étirer le bras pour toucher le tremble. Elle résistait à poser sa main sur cet arbre, se souvenant de la tristesse suffocante du chêne dans l'atelier d'ébénisterie.

Des larmes montèrent aux yeux de Cameron.

— S'il vous plaît, Keelie. Moon est tout pour moi. Je sais que vous pouvez l'aider. Pouvez-vous vous imaginer ne pas venir en aide à Ariel ?

— Ce n'est pas ça, Cameron. Je ne possède aucune sorte de pouvoir. Vous parlez de magie, non de médecine.

Et les arbres. Keelie frissonna. Tout cela cachait quelque chose. Quelque chose de mauvais. Qu'est-ce que cela voulait dire ?

— Vous avez hérité de ce don magique, Keelie, dit Cameron.

Keelie songea à Ariel, à la tête osseuse du faucon contre la sienne. Ariel avait confiance en elle. Elle pensa à sa mère, qui avait toujours dit que la médecine était surestimée et qu'elle ne croyait qu'en la loi.

Keelie aurait défié maman pour sauver Ariel. Pour sauver Moon, elle devrait défier la mémoire de maman, ses croyances. Ou ses non-croyances.

Elle ne laisserait pas mourir Moon, même si cela signifiait qu'elle devait s'ouvrir à ces effroyables arbres, à ces mauvaises vibrations souterraines.

— D'accord, que dois-je faire ? Je ne fais que l'essayer, Cameron. Je ne promets rien. Mais je suis prête à essayer pour vous et pour Moon.

Zeke posa sa main sur son épaule.

— Brave fille. Je continuerai à faire le guet. Rien ni personne ne s'approchera.

Des larmes coulèrent des yeux de la femme.

— Merci, Keelie.

Cameron retira Moon de la cage. Le hibou ouvrit lentement les yeux. Keelie ne pouvait voir aucune blessure, mais elle sentait une force intentionnelle autour du hibou, comme une couverture invisible de préméditation qui l'enveloppait. Celui qui l'avait blessé l'avait fait si malicieusement.

Cameron le déposa sur le bras de Keelie. Les serres de Moon pressaient contre le cuir raide du gantelet, et Keelie leva son autre main pour assurer l'équilibre du frêle oiseau. Moon se pencha sur la main de Keelie et celle-ci rapprocha son bras de sa poitrine pour que l'oiseau puisse s'appuyer contre son corps — même si le bec redoutablement pointu si près de sa peau lui faisait peur. Keelie avait la confiance d'Ariel, mais elle n'avait jamais tenu Moon. Peut-être qu'un oiseau malade, comme un chien malade, pourrait s'en prendre violemment à elle sous l'effet de la peur.

Keelie déglutit.

— D'accord. Et ensuite ?

— Vous devez toucher ce tremble et laisser l'énergie de l'arbre circuler à travers vous vers Moon.

Cameron pointa l'arbre du doigt puis s'écarta.

Toucher l'arbre ? Keelie frissonna. De l'autre côté du pré, le bruit des tambours s'était intensifié, maintenant ponctué de cris excités et de hurlements. La danse avait débuté.

L'arbre paraissait en santé et vert, une version vivante de la bille brisée dans l'atelier de son père. Elle s'avança vers le tremble, les mains tremblantes, puis recula d'un bond lorsqu'elle vit le visage d'un jeune homme qui la regardait à travers l'écorce. Ce n'était pas une allergie.

— S'il vous plaît, Keelie, dit Cameron derrière elle.

Keelie ferma les yeux pour bloquer l'étrange hallucination et posa sa main libre sur l'arbre. La chaleur s'écoula de l'écorce rude dans ses doigts puis dans son bras. À travers ses yeux fermés, le mouvement semblait vert comme une sève vivante. Elle n'était plus effrayée. C'était correct. Ou au moins, cela ne lui faisait pas mal.

Que cherchez-vous, fille du berger des arbres ?

Keelie ouvrit les yeux. L'arbre lui avait parlé dans son esprit. Ses mots semblaient aussi verts, et des portions de ses paroles émergeaient, prenant racine dans son cerveau.

Moon hulula faiblement. Il ne restait pas beaucoup de temps au hibou. Keelie ferma les yeux et pressa sa main plus fermement contre l'écorce. Il était aussi temps pour elle d'avoir confiance.

Elle s'imagina en train d'ouvrir la boîte verrouillée où elle gardait ses sentiments enfermés. La boîte s'ouvrit, révélant le sombre vide à l'intérieur.

Si vous pouvez guérir ce hibou, faites-le. Il a besoin de votre aide, pensa-t-elle. *Je ne sais que faire.*

Fille du berger des arbres, vous avez répondu à mon appel lorsque le feu m'a frappé depuis les nuages. Je vous donne mon pouvoir pour votre noble usage.

La lumière verte qui était remontée dans son bras s'écoulait maintenant de l'arbre à travers Keelie, remplissant la boîte dans son esprit. Elle la dirigea dans le corps du hibou malade et tout autour de lui.

Keelie se forma une image de Moon en santé et la retint dans son cerveau. Comme l'énergie du tremble qui lui picotait la peau se propageait en elle, Keelie conserva l'image de la lumière verte qui se dissolvait dans l'obscurité qui infectait l'oiseau.

Elle demeura immobile, tenant le hibou dans la magie de guérison du tremble, jusqu'à ce qu'une faiblesse la saisisse et que ses genoux s'amollissent. Elle bloqua son genou droit et s'appuya contre l'arbre, et le contact décupla le pouvoir qui circulait entre eux.

Après quelques minutes, Keelie s'effondra sur le sol. Le corps léger de Moon était devenu lourd comme du plomb.

— Je suis désolée, murmura-t-elle.

Elle ne pouvait plus le tenir.

Elle sentit une ultime caresse verte émanant de l'arbre et un murmure lointain, *Fille du berger des arbres*, puis elle entendit Cameron qui disait :

— Tu as réussi Keelie, tu l'as sauvé.

Keelie ouvrit les yeux et vit Cameron qui berçait le harfang des neiges contre sa poitrine. L'épuisement avait envahi le corps de Keelie, mais elle était accompagné d'une sensation de bonheur. Elle avait sauvé Moon avec l'aide de l'arbre.

Zeke se pencha vers elle, la silhouette de son visage apparaissant devant elle.

— Ça va ?

Elle hocha la tête, puis posa une main derrière elle pour caresser l'écorce.

— Merci, murmura-t-elle.

Vous êtes une amie des arbres, murmura à nouveau la voix.

Un bourdonnement remplit ses oreilles, comme si un moustique volait trop près. Elle avait entendu le bruit auparavant, lorsqu'il avait pourchassé Knot.

Elle tourna la tête pour suivre le son et vit un insecte s'accrocher à l'écorce lisse du tremble. Il tourna ses yeux intelligents et brillants vers elle et déploya ses ailes.

Keelie continuait de le regarder, doutant qu'il partirait si elle fermait les yeux. Trop de choses venaient d'arriver, et elle ne pouvait plus se montrer sceptique.

— Keelie, non.

Il semblait y avoir de l'urgence dans le ton de voix de son père.

— Êtes-vous une fée ?

Elle approcha son visage de l'immense insecte, qui eut un mouvement de recul. Elle tendit la main, et il s'approcha et posa une patte sur son doigt.

Puis il recula, et un fin nuage de gouttelettes frappa le visage de Keelie. Les particules semblèrent prendre vie. En quelques instants, elles s'étaient envolées directement vers ses yeux, paraissant accélérer plus elles s'approchaient.

Keelie s'entendit tousser, puis tout devint noir.

Douze

Si une gueule de bois ressemblait à ça, alors elle ne touche-
rait jamais à l'alcool, pensa Keelie d'un air malheureux. Sa
tête battait au rythme de son pouls. Elle releva les couvertures
sur sa poitrine, puis le bruit sonore des draps au contact de
sa peau la fit grimacer.

Raven lui montra une robe verte avec des manches traînantes, constituées d'environ un milliard de mètres de tissu.

— Que penses-tu de celle-ci ?

Des rubans verts saillants ondulaient en haut de la robe.
Tout ceci n'était pas possible. Keelie aurait souhaité avoir
pris le thé d'écorce d'osier que Janice avait envoyé. Stupide
poussière magique. Lorsqu'elle attraperait le minuscule
terroriste, elle le ferait bouffer par Knot. Mais comment
différencier un insecte magique d'un véritable insecte ?

— Keelie ? Cette robe ?

Raven leva les sourcils en la regardant.

Keelie rabaissa les couvertures.

— C'est trop, murmura-t-elle, souhaitant que Raven l'imite. C'est trop tentant pour Knot. Bien sûr, il pourrait suffoquer en l'avalant, ce qui serait un bonus.

C'était lui qui avait mis les fées en rogne en premier lieu. Les fées. Elle grogna et posa sa paume contre son front.

— Raven, peux-tu me laisser seule, s'il te plaît ? J'ai besoin de mourir.

— Pas question, sourit Raven.

Ses dents étaient tellement, tellement… brillantes.

Raven sourit et remit la robe sur le support de bois qu'elle et Janice avait apporté, rempli de costumes afin que Keelie les essaie. Raven décrocha la suivante.

Keelie grogna. Ce matin, elle s'était redressée d'un bond, le cœur battant, se rappelant Moon, le tremble, la petite créature de brindilles et l'insecte venimeux. Son terrible mal de tête persistait, comme si quelqu'un lui cognait l'arrière de la tête en même temps qu'il lui comprimait les tempes, comme le soufflet du forgeron dans son atelier.

Des fées en colère, avait dit Zeke. Elle avait perdu toute la soirée, ayant sombré dans l'inconscience à cause de la poussière magique. Il avait aussi expliqué qu'il était possible que la petite créature se soit fâchée parce qu'elle avait guéri Moon. Si elle ne l'avait pas vue de ses propres yeux, elle aurait cru qu'il s'agissait d'une autre bizarrerie de son père. Bien sûr, ce qui s'était passé dans le pré le faisait paraître bien moins bizarre.

— Il faut que tu prennes ce thé contre le mal de tête, dit Raven.

— Apporte-le. En double.

Keelie regarda autour d'elle, au cas où la sinistre petite chose volante soit là quelque part.

— Pourquoi les fées m'ont-elles frappée ainsi ?

Raven lui tapota l'épaule.

— Ton papa est en train d'y voir.

Elle fouilla dans les robes sur le support.

— Tu peux rester étendue encore quelque temps, mais il est préférable que tu bouges un peu.

Son père était déjà parti à son atelier lorsqu'elle était sortie du sommeil provoqué par les fées et avait découvert que sa main droite était vert Crayola. Janice était restée assise près de son lit, avec une tasse de thé relaxant et sucré au miel qu'elle lui avait préparé. Il était froid maintenant. Raven avait pris la relève après une heure, pour que sa mère puisse aller terminer la comptabilité à sa boutique.

Keelie s'avança pour prendre la tasse que Raven lui offrait.

— Donc, tu crois aux fées, toi aussi? Les as-tu vues?

Le thé était froid, mais il sentait bon.

— Je ne les ai jamais vues. Maman les appelle les *bhata*.

Elle prononçait «watta». Raven semblait mélancolique.

— Mais ce bonnet rouge dont tout le monde s'alarme? J'ai vu ce qu'il peut faire. Deux types se sont presque entre-tués à propos d'un lecteur MP3 manquant au Shire, et aucun d'eux n'était du genre à se battre. Il y avait de mauvaises vibrations, et très bizarres. Bizarres, genre à glacer le sang.

— Bizarres à glacer le sang? Venant de *celle qui aime les films d'horreur*?

— Hé! Je n'aime pas les vivre dans la vraie vie!

Raven releva la base de la tasse avec son doigt.

— Bois, fillette, puis nous activerons ta circulation.

Keelie fit ce qu'on lui dit, vidant complètement sa tasse. Elle se sentait déjà mieux, même si la chambre penchait toujours vers la gauche lorsqu'elle tournait sa tête trop rapidement.

— Que veux-tu dire par activer ma circulation?

Raven la regarda d'un air mystérieux, puis tendit le bras vers le plancher et ramassa un long foulard noir couvert de pièces de monnaie, dorées et cliquetantes. Elle se leva, frétillant des hanches pendant qu'elle y enroulait le foulard qu'elle noua sur le devant.

— C'est le temps de ta leçon.

— Maintenant ? Raven, je suis en train de mourir. Ce n'est pas un bon moment.

— Lève-toi, fainéante. La danse t'aidera à te sentir mieux, je te le promets.

Raven saisit les couvertures et les tira d'un coup sec pour les faire tomber sur le plancher, exposant le pauvre corps agonisant de Keelie à l'air froid.

— Oh ! c'est cruel. Maintenant, je mourrai aussi de pneumonie.

Sous le lit, Knot ronronna.

Keelie se retourna et pencha la tête sur le côté du lit, s'accrochant au bord du matelas avec ses mains. Sous le lit, Knot mâchait l'une de ses chaussettes, bavant de plaisir sur le tissu déchiqueté.

— J'ai apporté une balle magique pour toi, hier soir, boule de poil. Tu pourrais être un peu reconnaissant.

Sa position la tête en bas était une mauvaise idée. Le martèlement était encore plus intense.

Knot la fixa, avec d'énormes yeux verts, puis lui décocha un coup de patte. Dans son mouvement, elle aperçut son téléphone cellulaire qui dépassait de son flanc dodu.

— Hé ! mon téléphone.

Elle tendit le bras et s'en empara, évitant ses griffes. Elle essaya de se redresser, mais glissa hors du lit, atterrissant d'un bond sur le plancher de bois.

Raven lui arracha le téléphone de la main.

— Berk ! C'est tout couvert de boue séchée.

Elle gratta la croûte avec un ongle.

— Je crois qu'il a rendu l'âme.

Keelie resta étendue sur le sol, les yeux levés. À tout moment, les types de la police criminelle pouvaient surgir pour dessiner une ligne de craie autour de son corps.

— Mais on n'est jamais certain. Peut-être que si tu le nettoies soigneusement et qu'il sèche rapidement, il pourrait fonctionner à nouveau.

Keelie ferma les yeux.

— J'ai besoin qu'il fonctionne. C'est mon seul lien avec mes amis à Los Angeles.

Elle pensa avoir entendu Raven grogner, mais décida qu'elle s'était probablement trompée.

— La journée d'hier a été tellement étrange. Comme un rêve. La journée avait commencé normalement, mais tout s'est retrouvé sens dessus dessous. Je crois que j'ai vu Knot qui portait des bottes et combattait ces fées faites de brindilles avec une épée.

— Ça ne me surprendrait pas, entendit-elle Raven lui répondre.

— Knot est une créature intéressante. Une sorte de mystère, comme le triangle des Bermudes.

— Un mystère? Plutôt un calvaire. Je suis incapable de penser à d'autres mots pour le décrire.

Sa répartie fit rire Raven.

Knot ronronna alors qu'il se frottait contre les jambes de Raven. Elle recula.

— Oh! dégueulasse. J'ai de la bave de chat sur moi. Il a bavé partout sur mes bottes faites sur mesure.

Quelque chose de lourd atterrit sur le lit, au-dessus de sa tête. Keelie n'eut pas besoin de regarder pour savoir que c'était la boule de poil. Il ronronna.

— Puis-je regarder les robes plus tard? Je crois que j'ai besoin de me recoucher.

Elle prit ses lunettes de soleil qu'elle avait lancées sur la table de nuit le jour de son arrivée et les mit. Plus sombre, mais mieux.

— Est-ce que c'est utile? Tu es encore un peu verte.

Keelie ouvrit les yeux:

— Au moins, je ne vois pas de serpentins verts qui te sortent de la tête.

Raven toucha le dessus de ses cheveux noirs.

— Dieu merci. Le vert n'est pas tellement ma couleur.

Elle fit un geste vers le support rempli de robes.

— Tu as deux sous-robes, ce sont les blanches. Tu peux aussi t'en servir comme robes de nuit. Nous avons aussi trois robes pour toi, dont la verte, et maman a mesuré tes chaussures pour te procurer des bottes médiévales. C'est un mélange entre la pantoufle et la botte. Superconfortables, résistantes à la boue. Tu devrais les recevoir dans quelques jours.

Dans quelques jours, Keelie espérait qu'elle serait partie. Elle se sentait coupable d'accepter les costumes, mais elle aurait encore besoin de vêtements jusque-là, et elle pourrait toujours les porter lorsqu'elle reviendrait rendre visite à son papa. Ce n'était pas comme s'ils étaient démodés ou quelque chose de semblable, étant donné que leur date d'expiration remontait déjà à quatre cents ans.

— Toi et ta maman êtes si gentilles. C'est sûrement différent de ce costume du show *Muck n'Mire*.

Elle était certaine qu'Elia ferait des remarques désobligeantes sur ses nouveaux vêtements, et ne manquerait pas de rappeler à tous les empreintes vulgaires sur son ancienne jupe du show *Muck n'Mire*. Elle se demanda ce que savait Elia au sujet des fées. Était-elle aussi capable de voir tous ces trucs bizarres, ou bien n'était-ce qu'une histoire de famille ? Elle se rappela que la pluie n'avait pas touché Elia même quand tous les autres étaient trempés.

Keelie frotta sa main droite sur sa robe de nuit. La peau de sa main et de ses doigts était toujours tachée de vert, mais ne paraissait plus brûlée par le soleil.

Raven ne pouvait voir les fées ni les visages dans les arbres. Et s'il se révélait qu'elle avait plus en commun avec Elia qu'avec Raven ? Elle haussa les épaules. Pas question.

— Sir Davey a apporté du café pour toi. C'est dans la cuisine. Il a dit d'en prendre une gorgée toutes les deux minutes.

— Merci.

Du café comme médicament. On doit adorer ça. Sir Davey. Elle avait aussi besoin de lui parler. Il avait mentionné la magie de la terre. C'était peut-être ce qu'elle avait fait la veille.

— Je te promets de revenir plus tard. Je dois aller voir ce qui se passe dans le pré.

— Dans le pré? Quoi?

Keelie se redressa, puis se prit la tête. Bon Dieu! Comme si le martèlement avait cessé depuis des heures. Elle se rappela ce sinistre nain maniaque au chapeau rouge et la chose qui vivait dans le ruisseau.

— Que se passe-t-il dans le pré? Est-ce Moon? Va-t-il bien?

Raven aida Keelie à se lever.

— Moon va mieux. Rappelle-toi ce que je t'ai dit. Ne te fais pas de souci à propos de ce qui se passe. Ce sont les affaires du Shire. Notre fête d'hier soir a viré au chaos en quelque sorte. Je reviendrai, je te le promets. Skins et moi y allons pour mener une enquête sur quelques trucs. Aviva, l'une de mes amies, danseuse du ventre, a perdu un anneau d'argent gravé avec des feuilles de sorbier. C'est un héritage familial. Peut-être trouverons-nous aussi le lecteur MP3 manquant.

— D'accord. Si tu promets de revenir et de tout me raconter.

Le Shire avait fait la fête, et Keelie avait tourné au vert. Si elle ne s'était pas sentie si mal, elle aurait fait une blague à ce sujet.

— Pourrais-je avoir une autre invitation pour cette danse?

— Ouais! Repose-toi un peu, et quand tu te sentiras mieux, je te montrerai quelques déhanchements.

Raven l'aida à se mettre au lit.

— Des déhanchements?

Keelie se dressa sur ses coudes.

Raven releva sa hanche, qui retomba en un doux mouvement fluide. Elle répéta le mouvement plusieurs fois, les pièces métalliques de son foulard tintant comme un tambourin. La tête de Knot bougeait de haut en bas, comme un yoyo pelucheux pour chat, pendant qu'il observait les mouvements de Raven, et Keelie commença à être étourdie. Raven s'arrêta. Keelie s'affala sur son oreiller.

— Je ne serai jamais capable de faire ça.

— Probablement que non. Tu es tellement californienne. À bientôt, fillette.

Raven quitta la pièce, puis pencha la tête vers l'intérieur, en souriant.

— Au fait, tu as manqué une grande fête, mais je comprends. C'était pour une bonne cause.

Elle disparut à nouveau, et Keelie entendit le bruit de la porte et la voix de Raven.

— Salut Zeke. Elle va beaucoup mieux.

Les pas résonnèrent fortement sur les planches de bois, la faisant tressaillir, puis son père surgit à travers l'interstice des rideaux.

— Heureux de voir que tu peux t'asseoir.

Il tenait un plateau où il y avait une carafe argentée avec un couvercle de verre décoré de différents joyaux étincelants. Elle inhala l'arôme du café.

— Je pensais que je pourrais t'apporter un peu du café de Sir Davey qui peut littéralement «faire disparaître tout ce qui donne mal à la tête».

Elle fit signe que oui.

— Du café. Fantastique. Je suis encore vivante. Camée, mais vivante.

— Tu veux entendre une bonne nouvelle?

Il déposa le plateau sur la table de chevet et versa le café dans une tasse de céramique verte décorée d'une feuille dorée.

— À propos de?

Il lui tendit la tasse, et elle la saisit des deux mains. La chaleur se répandit en elle, puis elle sirota le breuvage fort, mais délicieux. Immédiatement, le martèlement dans sa tête diminua.

— Il semble que tes bagages soient arrivés à Londres.

Il souriait, mais il y avait encore de l'inquiétude dans son regard. Il ne croyait pas qu'elle allait bien.

— Londres. Comme en Angleterre. Comme en Grande-Bretagne.

La douleur lui battait les tempes. Elle n'aurait pas dû hocher la tête. Elle sirota une autre gorgée du café de Sir Davey.

— Ils approchent. Ils seront à New York dans deux ou trois jours. C'est New York comme dans l'État de New York. Comme aux États-Unis.

Il sourit.

— Pourquoi ne pas t'étendre et te reposer?

— Je vais bien. Je veux me changer et mettre mes nouveaux vêtements. Je me sens mieux. Je crois que je peux maintenant bouger.

Sa tête tourbillonnait, mais pas autant qu'avant.

Malgré son mal de tête, elle était heureuse de la bonne nouvelle. Les choses étaient en train de s'arranger. Elle récupérerait ses bagages, dont les photographies de maman et Boo Boo Bunny. Il lui fallait voir les photographies de maman. Elle avait besoin de s'assurer qu'elle se souvenait de son visage, comme il était. Et maintenant, elle aurait bien besoin d'étreindre un lapin de peluche.

— Si tu te sens capable, j'aimerais recevoir des gens ce soir pour parler des affaires de la foire. Seulement Janice et Sir Davey. Ils sont aussi inquiets à ton sujet, et je ne voulais pas te laisser seule. Nous déplacerons la réunion si ça te dérange.

Il regarda ses mains, sa voix douce devenue plus grave sous l'effet du remords.

— Je me sens mal à cause de ce qui s'est passé, Keelie, et du fait que tu aies eu à subir tout ça sans y être préparée.

Keelie enroula ses bras autour d'elle. Était-ce papa qui l'avait transportée depuis le pré ? Elle ne se souvenait de rien après la morsure de l'insecte ou quoi que ce fut.

— Tu ne cesses de répéter que nous devons parler, dit-elle. Parle-moi maintenant.

Il haussa les épaules et parut sur le point de dire quelque chose, puis il se ravisa. Après avoir réfléchi pendant un moment, il leva la tête et la regarda.

— Tu te souviens de l'arbre sur lequel je travaillais hier ?

— Comment pourrais-je oublier ?

— Tu as fait mention d'une allergie, puis les fées ont attaqué Knot, et notre conversation s'est arrêtée là. Que voulais-tu dire ?

— Maman a dit que j'étais allergique au bois, depuis que les arbres m'ont parlé dans le parc quand j'avais cinq ans et que je le lui ai raconté. Elle a dit que c'était une psychose provoquée par les allergènes.

Son visage prit une expression sombre.

— Ta mère voulait te protéger, et elle l'a fait, de la meilleure façon qu'elle connaissait. Mais tu n'as aucune allergie, Keelie.

— Je l'avais compris. C'était pire depuis que je suis déménagée ici, mais les yeux ne me piquaient pas et je ne reniflais pas. J'entendais les arbres. Je pouvais les sentir dans ma peau. Est-ce que c'est la même chose pour toi ?

— Oui.

Ses yeux vert feuille regardaient droit dans les siens.

— Et ce visage triste sur le chêne dans ton atelier était réel. Je le sais maintenant. J'ai aussi vu un visage dans le tremble du pré. Il m'a parlé.

Keelie retint son souffle, se demanda s'il lui ferait confiance en lui disant la vérité.

Il hocha la tête pensivement.

— J'ai vu l'échange de pouvoirs. Est-ce que ça t'était arrivé avant?

Elle fit signe que non.

— Pouvais-tu ressentir les esprits des arbres en Californie?

— Oui. Bien, un peu. Il n'y avait pas tellement d'arbres où nous habitions. Mais ici, papa, juste à toucher le bois, je devine son essence, ainsi que sa provenance. De quoi s'agit-il au juste? Peux-tu le faire toi aussi?

— Oui. Nous sommes plus en communion avec la nature que les autres créatures, Keelie. Tous les arbres ont des esprits, et leurs racines s'abreuvent profondément à la magie de guérison de la terre. Il y a des gens qui sont bienveillants envers les arbres, qui empêchent les forces malveillantes de les blesser, et en retour, les arbres leur permettent de puiser à leur magie.

— Le tremble m'a appelée la « fille du berger des arbres », dit Keelie.

— Je suis l'un des bergers.

Son père semblait las.

— Il semble que tu sois aussi une des bergères. Je m'y attendais.

Elle baissa ses lunettes de soleil.

— Exact. Ils n'en ont pas parlé lors de la journée de la carrière à l'école. Mon emploi rêvé n'est pas de me promener dans les bois à arroser les arbres et leur parler des écureuils et des fées en colère.

Papa rit un peu.

— Ce n'est pas exactement ce dont il est question, et les professeurs de ton ancienne école n'en ont aucune idée, mais tu dois apprendre à maîtriser ton don.

— Que penserais-tu de tout simplement l'ignorer? Jusqu'à maintenant, je n'en ai retiré qu'un gros mal de tête. Littéralement.

— Tu ne peux l'ignorer. Pas dans une forêt, Keelie. Je suis si fier de toi. Ce que tu as fait était très courageux. Cameron ne cesse de parler de ce que tu as fait pour Moon.

Des larmes brûlèrent à nouveau les yeux de Keelie. Dieu merci, elle portait des lunettes de soleil foncées, car elle était en train de se transformer en marécage. Cette fois, ce n'étaient pas des larmes de tristesse. Son père était fier d'elle.

— Je descendrai bientôt et te montrerai mes nouveaux vêtements. C'est Janice et Raven qui les ont choisis.

Son père sourit et lui toucha la joue.

— Je suis certain que tu éblouiras tout le monde. Tu parais même magnifique dans les vêtements du show *Muck n'Mire*. Mais tiens-toi loin des pirates!

Que savait-il?

— Sont-ils magiques eux aussi?

— Non. La plupart sont simplement des étudiants aux hormones galopantes en quête de jolies filles.

Après trois tasses du café de Sir Davey, le mal de tête de Keelie était presque complètement disparu, mais elle devait vraiment aller à la salle de bain. Elle s'assit avec précaution, puis laissa ses jambes choir sur le côté du lit. Jusqu'ici, tout allait bien.

— As-tu besoin d'aide? demanda papa.

— Non. Ça va. Raven a dit que je devais bouger.

— Tu es certaine?

— Oui.

— Il faut vraiment que j'aille tout de suite m'occuper de quelque chose dans la boutique. Je veux m'assurer que

Scott peut se charger des foules et des ventes. Il lui arrive parfois d'être débordé.

— Je vais mieux. Descends à l'atelier.

Lorsque papa partit, Knot ouvrit les yeux et bâilla. Il sauta en bas sur le plancher de bois franc, devant les vêtements que Raven avait apportés.

— Ne les regarde même pas, dit Keelie. Si tu pisses dessus, j'aurai un nouveau manchon en fourrure de chat.

Alors qu'elle retournait à son lit quelques minutes plus tard, Keelie se rendit compte que son mal de tête avait complètement disparu. Elle avait aussi perdu sa couleur verte, à sa plus grande joie. Elle était heureuse de ne pas être forcée de se promener en ressemblant à la cousine humaine de Kermit la grenouille.

Les foules déambulaient à l'extérieur de l'atelier et pas très loin de l'appartement; les applaudissements retentissaient depuis le terrain où la joute se tenait. Sean conduisait-il son cheval aujourd'hui ? Probablement. Elle jeta un coup d'œil sur le support à vêtements, les robes colorées brillant comme des joyaux. *Surveille-toi, Elia; Keelie va s'habiller de manière à remporter les honneurs du triomphe.*

— Je me demande ce que fait Moon, dit Keelie à Knot, mais il était disparu.

Après tout ce qu'elle avait traversé pour guérir le hibou, Keelie voulait s'assurer qu'il se rétablissait. Le chemin vers les enclos passait justement près du cercle de joute. Peut-être tomberait-elle sur Sean en s'y rendant, et il remarquerait son nouveau look. Adieu, la fille à la boue.

À l'extérieur, le tonnerre grondait au loin. La pluie ne s'arrêtait-elle jamais ici ? On aurait pu croire que c'était Seattle, pas le Colorado. Keelie était heureuse que Janice et Raven lui ait procuré une bonne cape de laine épaisse. Le large capuchon de la cape irlandaise au rebord ondulé lui permettait de tout voir sans se sentir claustrophobe.

Keelie s'habilla, ravie de constater que les grandes manches étaient confortables. Mais elle devrait se surveiller lorsqu'elle passerait par une porte. En quittant l'appartement, l'une de ses manches s'était coincée dans la porte, et elle avait été prise par surprise, atterrissant sur le derrière.

— Papa, je vais faire une promenade, cria-t-elle, alors qu'elle sortait de l'atelier.

Il était occupé à montrer une chaise à une femme au décolleté débordant. Une autre rôdait autour, cherchant son attention. Bien sûr.

Il leva les yeux et lui fit signe, puis ramena son regard sur elle lorsqu'il remarqua ses vêtements.

— On dirait que l'infusion de Sir Davey a fait son œuvre.

Il la salua avec un grand geste du bras, et elle fit ce qu'elle pensait être une révérence, puis prit le chemin vers le cercle de joute.

Elle reconnut l'argent et le vert, le noir et le doré des couleurs de Sean alors qu'il galopait autour de l'arène avant d'entrer en lice. Elle fit une pause à l'écart de la foule pour observer alors qu'un page lui lançait une grande lance dans la main. Il l'attrapa avec légèreté même si Keelie savait qu'elles étaient lourdes et gênantes.

— Va, mon brave chevalier, va, murmura-t-elle à l'intérieur de sa cape.

— Ah! quelle vue charmante ai-je devant les yeux?

Keelie connaissait cette voix. Donald Satterfield, alias capitaine Randy Dandy, son pirate qui lui faisait des avances. Elle se retourna, laissant tomber son capuchon.

Il recula un peu en chancelant.

— Oh là là! Vous.

Il se reprit, posant ses mains sur son cœur.

— Ah! jeune fille. À cause de vous, mon cœur a cessé de battre. Il n'y a qu'un seul médicament pour cela. Un baiser, mon ange, de vos lèvres.

Il s'appuya contre l'arbre, lui bloquant la vue du cercle de joute, et tendit les bras, faisant des bruits de baisers.

Elle recula comme il se penchait vers elle, les lèvres offertes, dégageant une odeur d'hydromel.

— Allez-vous-en. Je ne suis pas intéressée.

— Mais jeune fille, il semble que Dame Amour conspire pour nous réunir.

— Vous êtes saoul.

Elle fit une grimace et se retourna pour partir, mais s'arrêta lorsqu'elle l'entendit rire derrière elle.

Il s'arrêta de tituber et se tint droit.

— Keelie, ma jolie. Croyez-vous que l'administration de la foire accepterait que je sois saoul parmi le *populo*? Mon cul de pirate serait congédié. Je ne prends qu'une gorgée avant de parler pour que ça ait l'air réel pour les invités.

Il salua et fit un geste d'au revoir, avec son chapeau dans la main gauche, la droite posée sur son cœur.

Elle se sentit rougir. Bien sûr. Elle aurait dû savoir.

Le capitaine Randy Dandy fit un clin d'œil et remit son grand chapeau de pirate.

— Je vous rattraperai plus tard, ma jolie. Et croyez-moi, le capitaine Randy gagne toujours ses combats.

Des applaudissements se déclenchèrent derrière elle. Keelie pivota pour faire face à une large foule de gens, certains costumés, d'autres dans leurs vêtements de tous les jours. Ils tapaient des mains et sifflaient. Keelie se retourna brusquement pour voir le capitaine Randy faire un salut en balayant l'air.

— Une révérence, siffla-t-il.

Elle fit une petite révérence, tenant ses jupes.

— Pirates.

Comment osait-il l'utiliser comme matériel pour l'une de ses performances improvisées? Que pouvait bien être cet endroit où votre vie privée était en partie comprise dans le prix du billet?

Le tonnerre gronda de nouveau, et la foule commença à se disperser. Un homme rassembla ses enfants en disant : « Il est temps de retourner à la maison. »

Le vent courait à travers les arbres et une branche d'un grand chêne s'écrasa sur le sol. Elle sentait l'arbre qui se secouait. La branche était à moitié morte.

Une forte odeur d'ozone remplit les narines de Keelie, puis ses cheveux se hérissèrent. Un éclair frappa le sol tout près. Les gens se mirent à courir pour s'abriter dans les baraques voisines, où les marchands les priaient d'entrer.

Keelie leva le visage. Les nuages tourbillonnaient sauvagement au-dessus d'elle comme des esprits vengeurs. La pluie s'abattit sur son visage, descendant des cieux en cascades. De petits ruisseaux boueux se formèrent le long des sentiers sur le sol, transportant des brindilles et des fragments d'écorce de pin. Keelie remonta ses jupes et courut vers les enclos. Elle voulait voir Ariel et Moon avant de rentrer à Heartwood. Mais une fois qu'elle eut atteint le chemin de la Quincaillerie, il était hors de question de courir. La pluie avait transformé le sentier de terre en une nappe de boue périlleuse. Au moins, elle n'avait pas à s'inquiéter des coulées de boue, comme elle le faisait en Californie. Pendant qu'elle courait, le bord trempé de sa jupe frappait ses chevilles. Elle aurait pu jurer qu'elle entendait la voix de ce mesquin petit bonnet rouge dans le vent.

Keelie leva de nouveau la tête. Le ciel était d'un vert bizarre. Un ciel vert ? Ce n'était pas de bon augure. Elle se souvint des précédentes alertes à la tornade, et le ciel avait alors cette même couleur de soupe au pois. Le soleil lui manquait. Cela faisait des jours qu'elle ne sentait pas sa chaleur sur son visage. Les arbres se balançaient alors que le vent soufflait autour d'eux. Ils étaient de son avis. Il y avait si longtemps que le soleil n'avait touché leurs faîtes, leurs racines ayant grand besoin de l'énergie vivifiante qui les nourrissait.

Partout, les baraques étaient bondées de gens du *populo* qui cherchaient à demeurer au sec. Les enclos se trouvaient devant elle, et elle se dépêcha de se réfugier sous le couvert de la bâche installée au-dessus des cages. L'odeur musquée des oiseaux l'entourait.

Les aides de Cameron couraient çà et là, détachant les cages de leurs supports.

— Que faites-vous ici?

Cameron paraissait dans tous ses états.

— Je suis venue voir comment allait Moon. Que se passe-t-il?

Tous les gens travaillaient avec rapidité et précision, mais leurs mouvements étaient teintés de peur.

— N'avez-vous pas regardé le canal météo? Un front froid s'en vient, qui frappera un front chaud venu de nulle part. Des alertes à la tornade sont lancées partout. Les agents de sécurité font sortir les visiteurs.

Le vent souleva la toile au-dessus de la cage d'un vautour. Celui-ci poussa un cri guttural. Un grand duc frappa frénétiquement ses ailes contre sa cage. Ariel cria quand Keelie courut vers elle.

— Cameron, dois-je la laisser sortir?

— Oui, dit Cameron, en retirant doucement Moon de sa cage, trouve-lui une caisse de transport.

Cameron déposa Moon à l'intérieur d'une caisse qui lui rappelait celle dont la maman de Laurie se servait pour leur perfide chat himalayen Pickles.

Après que Keelie eut réussi non sans peine à mettre Ariel dans la caisse, le faucon lui donna un coup de bec. Le sang coula, mais Keelie tint la poignée de peur d'échapper Ariel.

— Où amenons-nous les oiseaux?

Elle cria pour être entendue par-dessus le vent violent qui décuplait.

— Nous allons chez Sir Davey. C'est l'abri le plus solide. Dépêche-toi.

Cameron courut à l'avant.

Keelie se demanda où était son père, s'inquiétant pour lui. Enroulant sa cape autour de la cage d'Ariel pour essayer de calmer le faucon affolé, elle suivit Cameron. James courait rapidement et efficacement alors qu'il ramassait les autres oiseaux. Ils les chargèrent à l'arrière d'une jeep, empilant les cages de façon précaire.

Keelie courut vers la boutique de Sir Davey, plus inquiète de la sécurité d'Ariel que de son propre confort. Ses jupes s'enroulaient autour de ses jambes. La grêle la martelait pendant qu'elle traversait la petite clairière vers le chemin de la Quincaillerie et la boutique de la Horde du dragon. Elle devait rester concentrée, faisant dévier la peur des arbres face à la tempête qui s'approchait. Si elle s'ouvrait à eux, leur panique la paralyserait.

Sir Davey aboyait des ordres.

— Déplacez les petits oiseaux vers l'arrière. Ils seront plus en sécurité là-bas.

Lorsqu'il vit Keelie, ses sourcils gris se levèrent comme de petites chenilles poilues.

— Jeune fille, que faites-vous debout à vous promener après l'épisode de la nuit dernière? Votre père est-il au courant que vous êtes ici?

— Votre café vraiment extraordinaire m'a rétablie.

Keelie repoussa sa cape pour révéler la cage d'Ariel. Le faucon se balançait dans tous les sens sur son perchoir. Ses cris stridents martelaient les oreilles de Keelie. Le battement de la pluie sur le toit de métal n'aidait en rien.

Sir Davey hocha la tête.

— Je vois ce que c'est. Il y a un lien entre vous et le faucon. Maintenant, amenez-la avec vous à l'arrière. Et restez là.

Quelque chose de dur tomba bruyamment sur le toit de métal de la boutique de Sir Davey; d'autres objets suivirent.

La taille des grêlons grossissait. Keelie se pelotonna près d'Ariel.

— Ça va aller. Je suis là, lui murmura-t-elle.

Pensée ridicule. Si une tornade frappait la baraque, elles mourraient toutes les deux.

Il y eut d'autres cris à l'avant de la boutique. Cameron hurla quelque chose à James. Le vent rugissant étouffa sa réponse. Le signal sonore de la radio retentit.

— Alerte à la tornade pour le grand secteur de Fort Collins, y compris la région de High Mountain, fit l'annonceur d'une voix terne de robot.

Sir Davey revint dans la petite pièce de la boutique en se dandinant, murmurant pour lui-même, alors qu'il transportait une cage presque aussi grande que lui. À l'intérieur, le vautour à tête rouge battait des ailes et poussait de petits cris.

— Gardez un œil sur ce vautour, dit Sir Davey en faisant tomber lourdement la cage près de celle d'Ariel. C'est un fauteur de troubles.

Il pivota.

— Lorsque je découvrirai qui ou ce qui est responsable de cette tempête, je lui jetterai un sort pour lui donner une leçon.

Frissonnant, Keelie leva les yeux.

— Vous croyez que cette tempête a été soulevée exprès? Qui aurait pu le faire?

Le chant qu'elle avait entendu dans le vent était-il celui du bonnet rouge? Peut-être… Son cœur battait à tout rompre. Cette petite ordure était-elle aussi forte en matière de magie?

Le vautour battit des ailes, et ses plumes frottèrent contre son bras à travers les barreaux de la cage. Elle voulait s'éloigner de l'affreux oiseau, mais il cessa ses cris et pencha sa tête chauve comme s'il étudiait Keelie, essayant de la comprendre. Il replia calmement ses ailes. Le verdict était tombé : il l'aimait. Elle ignorait si c'était une bonne chose ou non.

Vingt minutes après leur arrivée dans l'abri, la tempête s'était calmée. Comme les aides de Cameron partaient évaluer les dommages, Sir Davey accompagna Keelie pour retourner à Heartwood.

— Cameron vous est très reconnaissante. Votre aide a fait toute la différence aujourd'hui.

Keelie rougit. Elle avait été heureuse d'aider Ariel, mais il était bon de recevoir de la gratitude.

— Sir Davey, vous avez dit que vous croyiez que quelque chose ou quelqu'un avait soulevé cette tempête. Croyez-vous qu'il s'agissait du bonnet rouge ?

Il la toisa sous son chapeau.

— Ne mentionnez pas son nom à haute voix dans la forêt. Les pauvres arbres viennent de traverser une tempête. Ils sont déjà assez traumatisés.

Keelie leva les yeux vers les immenses troncs qui l'entouraient. Solides et immobiles. Silencieux comme toujours. Mais elle pouvait sentir l'énergie nerveuse qui courait dans leur sève. Elle circulait de haut en bas sur sa peau comme un million de fourmis. Elle se frotta les bras à travers ses grandes manches.

— Comment pouvons-nous nous débarrasser de lui si nous n'en parlons pas ?

De sa main solide, Sir Davey lui saisit le bras.

— Laissez cela aux adultes, jeune fille. C'est trop dangereux pour vous. La magie est nouvelle pour vous, et même si vous êtes forte, vous ignorez dans quoi vous vous embarquez.

Un bruit de pas pataugeant dans la boue se fit entendre derrière eux. C'était James.

— Toutes les cages ont été renversées et les bâches sont disparues. Cameron veut savoir si les oiseaux peuvent rester où ils sont ?

— Oui.

Sir Davey paraissait stupéfait.

— Tous ces oiseaux dans ma boutique? La Horde du dragon a été transformée en un véritable perchoir.

Son avertissement à propos du bonnet rouge la laissait songeuse, mais elle avait vu les horribles champignons en décomposition sur les deux côtés du chemin et près de la boutique.

— C'est une bonne chose que nous ayons notre réunion. De fait, il se peut que je reste pour la nuit et que je couche sur le sofa de votre papa. Ces oiseaux sentent mauvais.

À l'atelier, il n'y avait aucun signe de Knot, Dieu merci.

— Zeke vous attend à l'étage, Sir Davey, dit Scott.

Il la regarda.

— Vous êtes toute mouillée.

— Merci, Lord Évident.

Elle devait se changer et mettre des vêtements secs, puis accrocher ceux qui étaient trempés hors de la portée de Knot. En haut, Janice était assise sur le sofa, buvant dans une tasse verte ornée d'arbres dorés. Des volutes de vapeur s'élevaient et l'arôme de la menthe embaumait la pièce. Son père était debout près de la cuisinière, en train de verser de l'eau bouillante dans la théière.

Il interrompit son geste et la serra dans ses bras, la libérant rapidement avant qu'elle ne puisse protester.

— J'étais tellement inquiet pour vous pendant cette tempête, mais j'ai appris que vous étiez avec Sir Davey. Est-ce que tout va bien aux enclos?

— C'est le grand désordre, mais les oiseaux vont bien.

Keelie baissa la voix.

— Zeke, les arbres étaient effrayés. J'ai senti leur peur lorsque la tempête s'est levée.

Zeke soupira.

— Moi aussi, je l'ai sentie. La magie noire a perturbé l'équilibre énergétique dans la forêt.

— Nous avons trouvé les champignons, Zeke, et ce n'est pas une bonne chose.

Janice s'était levée du sofa et marchait vers la cuisine. Elle déposa sa tasse sur la table, ses bracelets tintant. Keelie remarqua que Janice portait un chandail violet et des jeans, des vêtements normaux, pour faire changement. Elle paraissait bien.

— Moi aussi, j'ai vu les champignons. Ils étaient tous autour de la Horde du dragon.

— On peut les sentir avant même de les voir.

Les sourcils de Zeke, en forme de chenille, vibrèrent.

— Ces oiseaux resteront dans ma boutique jusqu'à ce que les enclos soient réparés. Tu n'as pas d'objection à ce que je campe chez vous, Zeke?

— Bonne idée. Il y a un autre front qui traverse la région et il se peut que le temps se gâte de nouveau.

Papa tendit une tasse de thé à Keelie.

— Je peux faire du café pour vous deux. Il m'en reste encore.

— Tu as du café?

Les yeux de Janice s'agrandirent.

Zeke haussa les épaules.

— Un peu du mélange de Sir Davey. Il l'a apporté pour Keelie ce matin. Keelie avait légèrement la nausée après l'agitation du sauvetage de Moon.

— Je prendrai du jus d'orange, si ça ne vous dérange pas.

Keelie avait grand besoin de rayons de soleil même si c'était sous forme liquide.

— Pas de café?

Zeke fit semblant d'être choqué.

Sir Davey lui prit la main et la retourna. Une trace verte persistait sur sa paume.

— Trop d'acidité va déséquilibrer la photosynthèse que son corps essaie de neutraliser. Pas de jus d'orange.

— Du café, alors.

Keelie s'assit sur le sofa, serrant un oreiller vert contre sa poitrine.

— Je suis fatiguée.

Elle se pencha vers l'avant pour examiner les cartes météorologiques étendues sur la table à café. D'étranges symboles runiques étaient dessinés sur les montagnes Rocheuses. Des points verts délimitaient les forêts. Certaines des forêts portaient la désignation «Sensibles». Et il y avait des points brun foncé étiquetés «Terre».

— Qu'est-ce que ça veut dire? demanda Keelie.

— Ce sont les centres magiques au-dessus des montagnes, dit Zeke.

Sir Davey s'assit près de Keelie.

— Les centres de magie de la terre sont rares, mais ils sont profonds et très anciens. Les forêts vont et viennent, mais la terre est là pour toujours.

— Comment fonctionne la magie de la terre?

— Je pensais que vous ne le demanderiez jamais.

Sir Davey leva vers elle un sourire rayonnant.

— Tendez-moi la main ouverte. Ne craignez rien.

Elle leva sa paume et il y déposa une boule d'argile non cuite et froide. C'était à la fois dur et spongieux, mais heureusement cela ne ressemblait pas à de la boue. Où l'avait-il prise? Elle l'imagina se promenant avec des balles de boue dans ses poches.

— Souvenez-vous, Keelie. Souvenez-vous des tartes à la boue, souvenez-vous des carrés de sable, souvenez-vous quand vous pataugiez dans les flaques par une chaude soirée d'été.

Keelie ferma les yeux et enroula ses doigts autour de l'argile froide. C'était réconfortant comme un baume sur son cœur meurtri. Sa fatigue s'apaisa.

. Soudainement, apparut le souvenir net d'avoir pataugé avec Laurie dans son petit bassin rose. Elle avait oublié le bassin, à proximité duquel elles fabriquaient des tartes à la boue, où elles simulaient une séance de thé sous l'eau et jouaient avec leurs poupées pendant des heures, près de maman, assise dans sa chaise longue et lisant la revue *Glamour*.

Keelie se mit à rire, se rappelant le soleil chaud et les moments où elle jouait à la cachette avec Laurie dans le jardin de fleurs. Maman s'était plainte des grands lilas que son voisin avait plantés et qui croissaient maintenant jusqu'à l'intérieur de leur clôture. Et soudainement, un autre souvenir refit surface. Elle sentit tomber sa mâchoire, alors qu'elle se souvenait des petits êtres qui ressemblaient à des insectes et qui partageaient leurs jeux.

Elle pouvait presque sentir la chaleur d'une soirée californienne, animée par le chant que lui offraient les lucioles. Keelie dansait avec les petites lumières, et les étoiles semblaient aussi lumineuses que les lucioles étincelantes, et la caresse de leur magie picotait sa peau.

Lorsque maman criait : « Il est temps de rentrer », Keelie voulait s'opposer, et maman allumait les projecteurs. Elle savait que c'était plus que des insectes parce qu'ils disparaissaient toujours lorsque les lumières s'allumaient. Après l'incident dans les bois, elle n'avait jamais mentionné les fées à maman.

Maman. Maman qui portait des shorts en jean bleu et une légère blouse blanche ayant des roses brodées sur la poche. Keelie comprima l'argile plus fortement. Elle voulait revivre ce souvenir et être de nouveau la petite fille que sa maman bordait le soir dans son lit. Elle ne jouerait pas avec les fées si elle pouvait ravoir sa maman.

Le souvenir commença à s'évanouir.

— Non ! Maman, reviens !

Keelie raffermit sa poigne sur l'argile. La nausée et la fatigue l'envahirent. Elle ouvrit les yeux et laissa l'argile mutilée tomber de ses doigts sur le plancher.

Sir Davey l'observait, ses yeux gris empreints de gravité. Keelie ferma à nouveau les yeux et vit les images de Moon, du visage de l'homme dans le tremble et de l'homme fait de brindilles qui flottaient devant elle. Finalement, le visage de sa mère apparut, exactement comme dans ses souvenirs. Elle ne l'avait nullement oublié. Keelie ouvrit les yeux et remarqua que les yeux de Sir Davey étaient embués. Il lui tenait la main.

Des larmes coulèrent aussi sur son visage. Elle était incapable de les arrêter. Elle essaya de repousser toute la tristesse dans la boîte qu'elle avait créée pour y enfermer ses sentiments, mais la serrure avait été brisée. La boîte ne pouvait plus contenir sa tristesse envahissante, devenue démesurée et impossible à cacher, et Keelie n'avait de choix que de la laisser sortir.

— Encore, murmura-t-elle.

Davey hocha la tête.

— Je n'ai rien fait, Keelie. Vous avez ravivé ce souvenir par vous-même. Votre quartz fonctionne de la même façon que l'argile. Les choses de la terre vous permettent de vous enraciner et vous aident à concentrer vos énergies sans vous laisser distraire.

Keelie portait à peine attention à Sir Davey. Elle se leva, libérant sa main. Elle ne voulait pas d'argile ou de cristaux pour s'enraciner. Elle voulait maman. Keelie chancela et serait tombée si Zeke ne l'avait pas rattrapée. Il la tint dans ses bras, et elle se détendit. Cette fois seulement, elle se blottirait contre lui. Cette fois seulement, elle le laisserait la réconforter jusqu'à ce que la tristesse se dissolve assez pour qu'elle puisse la remettre dans la boîte et construire un autre solide mur de briques tout autour.

Son papa la serra contre lui, et elle répondit à son étreinte et pleura sur son épaule. Il lui donna un baiser sur le dessus de la tête.

— Elle me manque aussi, Keelie. Ma Katy me manque.

Keelie s'excusa pour aller se laver le visage. Lorsqu'elle entra dans la chambre, Knot était installé sur son lit, ses étranges yeux verts rivés sur elle. À la fenêtre, dans l'obscurité extérieure grandissante, elle vit son propre reflet. Il était trop tôt pour qu'il fasse nuit. Une autre tempête approchait. Comme elle regardait, un éclair zébra silencieusement le ciel au-delà de la forêt.

Elle entendit sonner son téléphone cellulaire, le pépiement subtil que sa maman avait exigé. Le son venait de la table de chevet. Elle prit le téléphone encroûté de boue et vérifia son écran, mais il était vide. Elle devrait appeler Pacific Bell pour le faire remplacer. Elle se demandait quel genre de service ils pouvaient bien offrir dans la Redoutable forêt.

— Boue stupide.

Une toute petite voix jaillit du téléphone. Surprise, elle le posa sur son oreille.

— Hé! tu as répondu!

C'était la voix de Laurie!

— Tu ne le croiras pas. Ce téléphone est bousillé. Je n'ai pas été capable de le faire fonctionner du tout, dit Keelie. Comment vas-tu? Comment va tout le monde à l'école?

— Ça va.

Laurie semblait impatiente.

— Cousine Addie se rend dans ton coin, à notre place. Elle sera à la foire dimanche soir, et elle te délivrera alors.

— Dimanche.

Elle aurait dû être heureuse, mais elle se sentait apathique.

— Ouais, c'est le temps qu'il te reste à souffrir dans cette foire bizarroïde!

— Je dois partir, Laurie, dit-elle, entendant des pas à l'extérieur de la chambre. Téléphone-moi demain.

Keelie glissa rapidement le téléphone sous son oreiller comme papa montrait la tête à travers les rideaux de la chambre.

— Ne reviens-tu pas avec nous?

Knot l'observait. Lorsqu'elle rencontra son regard, ses yeux baissèrent vers l'oreiller, puis revinrent sur elle, comme s'il savait ce qu'elle était en train de mijoter.

— Ouais, je ne fais que regarder mes nouveaux vêtements!

C'était vraiment boiteux comme excuse.

Le visage de son père perdit son éclat.

Une peur froide enserra Keelie. La voix de Hrok était dans sa tête. *Fille du berger des arbres, aidez-la.*

Elle hurla alors qu'elle tombait sur le plancher. Elle sentait ses bras comme si l'on cherchait à les disloquer, alors que le vent tirait par secousses sur son corps, tel un zéphyr maléfique la forçant à danser avec lui. Les branches du chêne à l'extérieur de l'atelier frappèrent et égratignèrent les panneaux de verre de la fenêtre. La voix de Hrok fit écho dans sa tête. *Berger des arbres, arrêtez la tempête.*

L'arrêter? Comment son père pouvait-il arrêter une tempête? Elle avait l'impression qu'on tirait sur ses bras et ses jambes, qu'on lui arrachait les cheveux par la racine.

Puis elle perdit le contact avec Hrok, entendant plutôt le rire sadique dans le mugissement du vent. Le bonnet rouge. Une panique explosive s'empara de Keelie, lui arrachant un hurlement.

Dans l'obscurité et le froid, une panique verte fluait parmi les arbres alors que leur appel de danger se répercutait dans les profondeurs de la terre, de racine à racine.

Une chaleur soudaine attira son attention, puis elle entendit la radio météo émettre son avertissement de tempête. Des mains. Des mains l'agrippaient.

— Ouvrez les yeux, Keelie, dit Janice.

— Nous sommes là, jeune fille. Ouvrez les yeux.

— C'était la voix de Sir Davey.

Elle lui obéit, et vit Sir Davey et Janice agenouillés de chaque côté d'elle.

— Papa !

Sa voix était rauque.

— Il ira bien. Êtes-vous avec nous maintenant ?

La voix de Sir Davey ressemblait à une ancre, un rocher solide qui la retiendrait ici-bas, la préservant du danger.

Keelie referma les yeux, un nouvel appel à l'aide montant dans son esprit. Elle vit un grand tremble royal qui croissait dans la forêt sur l'autre flanc de la montagne. Elle avait la sensation que le tremble était une reine et que les plus petits trembles qui l'entouraient étaient ses servantes et des membres de sa cour des bois. Les arbres étaient en danger, entourés par des débris qui tourbillonnaient dans le sens inverse des aiguilles d'une montre. Un éclair grésilla et frappa le tremble. Le feu consuma son tronc parcheminé. À ce moment, Keelie sentit la force vitale de l'arbre s'évanouir.

— Keelie.

Elle entendit la voix de son père, mais c'était dans son esprit une brume chaude et verte qui l'enveloppait. Elle s'efforça de retrouver sa voix.

— La tornade.

La peur et la douleur l'emplirent. Une chaleur cuisante lui brûla les chevilles. Comme si des doigts rudes les avaient saisies et tiraient sur elles. Les racines du tremble étaient arrachées de la terre. La dernière conscience de l'arbre remplit Keelie. *Protégez la magie, fille du berger des arbres.*

La couverture verte qui résonnait avec la magie de son père l'enveloppa comme l'arbre s'écrasait sur le sol forestier. L'esprit de l'arbre disparut de son cerveau, mais elle gardait l'image de la tornade qui labourait les bois comme un titan éthéré en colère.

Treize

Keelie sentit des bras la soulever. Elle ouvrit les yeux et vit le visage inquiet de son papa alors qu'il la déposait sur son lit.

— C'est terminé, Keelie.

— Oh! papa, elle est morte et quelque chose l'a tuée. Ce n'était pas une vraie tempête. C'était de la magie. L'as-tu entendue rire? Elle est morte, et la chose a ri.

Janice était bouche bée. Elle se tenait au pied du lit, une main sur le visage, bouleversée.

Sir Davey était à ses côtés, le visage sombre.

— Le bonnet rouge, assurément.

Zeke hocha la tête.

— Je crois que tu as raison. Demain, nous la trouverons et nous procéderons à la Cérémonie de l'arbre. Keelie y participera, bien sûr. La reine des trembles s'est adressée directement à elle.

Sir Davey leva les sourcils.

— Surprenant.

— Qu'est-ce qu'une Cérémonie de l'arbre? Des sortes de funérailles?

— On pourrait l'appeler ainsi. C'est une cérémonie pour faire ses adieux et rendre les derniers hommages, et par laquelle la magie de l'arbre sera moissonnée et redonnée à la terre.

Quelque chose de chaud et de duveteux se pelotonna contre la tête de Keelie. Bercée par un doux ronronnement hypnotique, elle glissa dans un état de somnolence, mais elle entendait Sir Davey et papa parler d'une voix étouffée.

— Sommes-nous en droit d'espérer que c'est elle?

— Ne sois pas ridicule. C'est ma fille.

— Ce n'est que dans les légendes qu'un berger des arbres a une telle capacité d'entrer en contact. Ta fille est novice en matière de magie, et déjà les trembles lui parlent, l'appellent depuis l'autre versant de la montagne.

Keelie ne voulait pas de ce don. Elle ne voulait pas sentir les arbres en train de mourir. Il lui était déjà assez difficile de faire le deuil de maman. Elle ne pouvait s'occuper de toute une forêt.

— J'ai peur, Jadwyn. Elle vient tout juste de revenir dans ma vie, et je ne veux pas la perdre. Mais que faire si c'est elle? Certains ne l'accepteront pas. Ma mère, pour commencer.

— Pouvez-vous vous calmer tous les deux? dit Janice dans un murmure de réprimande. Keelie en a assez traversé depuis les deux derniers jours; laissez la pauvre enfant se reposer.

Keelie voulut s'asseoir, mais le ronronnement augmentait, et elle avait de plus en plus sommeil. Donc, sa grand-mère ne l'accepterait pas? Entendre une telle chose lui fit un peu mal, même si ça n'aurait pas dû.

Ce n'est que ce mois-ci qu'elle avait appris l'existence de cette femme. Ce petit jeu pouvait se jouer à deux.

— Vous n'êtes pas quelqu'un de matinal, n'est-ce pas? dit Keelie.

Sir Davey lança un regard furieux à Keelie de l'autre côté de la table de cuisine. Il avait les sourcils hérissés de poils laineux.

— Hum! Je ne peux croire que Zeke n'ait pas de café ici.

— Nous l'avons tout bu hier. J'ai besoin d'une dose de Starbucks.

— Il faut que je dorme. Les arbres qui frappent contre la fenêtre, Zeke qui n'arrête pas d'entrer et sortir toute la nuit, et ce chat. Vous devriez lui couper les griffes.

Elle se pencha contre la table. Donc Sir Davey était son allié contre Knot. Ah!

— Qu'a-t-il fait?

— À part ronfler, il m'a gardé éveillé avec le bruit qu'il faisait en aiguisant ses griffes sur mon dos.

— Moi aussi, il m'utilise comme poteau à gratter.

Elle lui montra sa cheville blessée.

Sir Davey hocha la tête.

— Je n'ai jamais entendu une bête aussi bruyante de toute ma vie. On aurait dit que je couchais avec un mammouth qui aurait attrapé un rhume de cerveau.

— Où est papa maintenant?

— Il est sorti à l'aube, mais il n'est pas rentré. Il a dit que, s'il ne revenait pas, il fallait donner un coup de main à Cameron pour les oiseaux. Et même si je suis redevable à Zeke de m'avoir permis de dormir ici la nuit dernière, j'ai hâte de retrouver ma propre maison. Ma propre maison sans oiseaux, rectifia-t-il.

En chemin vers les enclos, Keelie fut surprise de voir les divers dommages qu'avaient subis les ateliers et boutiques à cause de la tempête. Le toit du magasin de musique, où l'on vendait des flûtiaux, des harpes et des tympanons avait été arraché. Dans la section des enfants, des champignons pourris encerclaient le kiosque d'ailes de fées, qui était renversé. Les ailes de fées étaient maculées de boue, mais dans les pâles rayons du soleil matinal, elles étincelaient, paraissant tristes avec leurs petites paillettes étincelantes.

De l'autre côté de la rue, Janice était dehors en train d'accrocher une toile bleue au-dessus de l'entrée de la boutique aux herbes. Elle leva les yeux vers eux, mais continua à travailler.

— Allons lui dire bonjour. Elle semble contrariée.

Keelie le suivit d'un pas précipité.

— Bonjour. On dirait que vous avez subi quelques dommages, même s'ils ne sont pas aussi sérieux que certains, dit Sir Davey.

Janice soupira d'un air las.

— Avec un peu d'aide de Zeke, je pourrai réparer les dommages causés par le vent.

Raven écarta la toile pendante.

— Dépêche-toi! cria-t-elle.

Elle avait un bandeau noir dans les cheveux et portait un haut noir, avec l'inscription *Wildewood Faire, New York* et des jeans à taille basse. D'un air renfrogné, elle tendit un ramasse-poussière rempli d'un tas de champignons pourris.

— Oh! c'est tellement affreux. Je ne mangerai plus jamais de portobellos.

Keelie se boucha le nez.

— Affreux. Cela sent la litière de Knot.

— Je te parlerai plus tard, Keelie, dit Raven. Je dois aller porter toutes ces ordures putrides dans la pile de compost.

Elle courut, tenant le ramasse-poussière devant elle comme une offrande maléfique.

Sir Davey plissa le front.

— Est-ce là l'ampleur des dommages à l'intérieur ? Des champignons ?

— Oh ! non. Je viens à peine de commencer à vérifier les dégâts. La plupart de mes herbes sont maculées de moisissures et de champignons. Je ne peux les vendre.

Janice s'approcha et baissa la voix.

— C'est le bonnet rouge. De la magie noire. Ça doit cesser, Davey. Skins et Raven ont emmené deux ou trois des étudiants à l'urgence la nuit dernière. La tempête a frappé le Shire très fort.

Janice devint soudainement silencieuse, comme Tania s'approchait avec un compagnon. Elle affichait une expression méprisante en passant près d'elle.

— Je suis surprise que vous ayez des dommages ici ; nous n'en avons pas eu du tout.

Janice se retourna. Apparemment, elle n'avait rien de pertinent à répondre.

Keelie reconnut l'ami de Tania comme étant l'un des propriétaires du pub. Il s'arrêta et inclina la tête.

— Bonjour, nobles gens.

Tania continua son chemin, faisant semblant de ne voir ni Sir Davey ni Keelie.

Keelie la fixait des yeux. Quelle sorcière !

— Comment ça va, Al ? demanda Janice.

— Pas bien, dit-il. Je vois que vous avez aussi subi quelques dommages. Certains des barils du pub ont été ouverts, et j'ai un lac de Guinness sur mon plancher. Cela me coûtera une fortune pour tout remplacer. J'ignore si je pourrai absorber la perte.

— Je reviendrai plus tard, dit Sir Davey. Je dois aller vérifier ma boutique, et j'ai promis à Keelie que nous irions aux enclos.

Il fit un signe de tête au type du pub.

— Je suis désolé d'apprendre au sujet de la Guinness sur le plancher.

— Ah! j'ai eu un terrible dégât à nettoyer, mais le chat de Heartwood a lapé le liquide toute la matinée. J'ignorais qu'un chat pouvait ainsi supporter la bière. Il pourrait boire autant sinon plus qu'un Viking.

Keelie se fit une note mentale de ranger ses nouveaux vêtements et ceux venant de La Jolie rouge dans le chalet suisse — loin, très loin de ce chat. La bière avait des effets bien connus liés à la cuvette.

Dans la boutique de la Horde du dragon, papa était en train d'aider James à transférer un grand duc d'Amérique dans un cageot. L'oiseau semblait calme. James ferma le loquet de la porte de la cage.

— Ça ira. Merci, Zeke. J'ignore comment j'y serais arrivé si tu n'avais pas été là pour m'aider.

— Quand tu le veux, James. Nous sommes une famille ici.

— Ce n'est pas tout le monde qui pense comme ça. Nous sommes reconnaissants.

James prit le cageot et sortit de la boutique.

— Attention. Faites place au hibou.

Ils ne pouvaient voir qui se trouvait derrière le cageot géant. Le hibou hulula.

— Bonjour Keelie et Davey, dit papa.

Pour une personne qui avait été debout toute la nuit, il n'avait pas l'ombre d'un cerne sous les yeux. Bien sûr, c'était la même chose pour Keelie ; elle pouvait rester debout toute la nuit à étudier, et le matin suivant, elle n'était pas obligée de se servir d'un cache-cernes, comme la plupart de ses amies à l'Académie Baywood.

De l'arrière de la boutique, Keelie entendit un cri perçant familier, suivi d'un gloussement. Cela ressemblait à deux jeunes oiseaux qui piquaient une crise. Elle passa rapidement devant les étalages de pierres de Sir Davey.

Deux jeunes filles et un beau garçon en uniforme d'hôpital étaient en train d'écrire des notes sur une planchette à pince. On aurait dit des étudiants.

— Assurez-vous qu'ils soient bien attachés. Je ne veux pas qu'ils soient secoués pendant leur voyage, dit Cameron, agitant un mince paquet. Leurs dossiers médicaux sont dans cette chemise.

Ariel battit des ailes contre sa cage.

— Que se passe-t-il? demanda Keelie en s'agenouillant pour réconforter le faucon.

Immédiatement, Ariel se calma, tout comme le vautour dans la cage voisine.

— J'envoie quelques-uns des oiseaux au centre des rapaces de l'université. Une grande partie des enclos a été détruite la nuit dernière pendant la tempête, et les prévisions météorologiques annoncent que les mêmes conditions persisteront pour le reste de la semaine. Nous allons toujours tenter de donner le spectacle des oiseaux de proie ce week-end, mais je me sentirai mieux en sachant que les autres sont à l'abri.

— Quoi? Que fait-on d'Ariel?

Keelie ne voulait pas que le faucon soit envoyé au loin comme cela lui était arrivé, pour vivre parmi des étrangers.

— Elle fait partie de cet endroit.

Le vautour donnait des coups de bec sur la cage alors que le superbe garçon essayait de saisir la poignée. Il jura et retira sa main.

— Madame, personne ne peut s'approcher de cet oiseau.

Keelie se pencha au-dessus de la cage et l'oiseau replia ses ailes et essaya de se blottir plus près d'elle.

— Oh là là! C'est incroyable! dit le vétérinaire aux cheveux blonds bouclés. Vous avez le tour avec les oiseaux.

— Merci.

Il lui fit un clin d'œil qui la fit rougir. Mais même s'il était beau garçon, Ariel n'irait pas dans une université.

— Cameron, je peux m'occuper d'Ariel. S'il vous plaît, ne l'envoyez pas.

Papa s'appuya contre le chambranle de la porte.

— Je l'aiderai à s'occuper du faucon.

— Bien, dit Cameron, je ne peux exiger de meilleure garantie.

Elle se tourna vers le type.

— Dites aux autres que j'arrive.

— Oui, madame.

Il écrivit quelque chose sur son bloc-notes et s'éloigna.

Keelie baissa les yeux vers le vautour, qui cligna de ses yeux de fouine vers elle, comme s'il demandait s'il pouvait aussi rester. Elle se sentit désolée pour lui.

— L'affreux peut rester avec moi.

— Quoi? demandèrent plusieurs voix en même temps.

— Il peut rester avec moi, redit Sir Davey, détachant chaque mot d'une voix forte.

— Quelqu'un a besoin de son café, répondit Keelie.

— J'aurai une cafetière bientôt prête, mais je ne suis pas en manque de caféine. Je peux prendre soin du vautour.

Sir Davey baissa les yeux vers le prédateur enfermé.

— Je n'aurais jamais pensé que vous aimiez autant les animaux, Davey. Vous vous plaigniez tellement hier quand nous les avons apportés ici.

Cameron fit un grand sourire.

— Je parie que Louie peut camper avec vous.

Zeke se mit à rire.

— Tu crois que ça améliorera le commerce, Davey?

— Bien mieux que ton chat. Nous avons entendu dire qu'il avait bu la bière brune répandue dans le pub.

— Pas encore! Je suppose que je le trouverai avec les pirates.

Zeke hocha la tête.

— J'espère qu'il n'a pas accumulé une note de bar trop salée.

— Dis-moi que tu plaisantes, répliqua Keelie.

— J'aimerais pouvoir rester, mais je dois courir vers le centre de rapaces à Fort Collins.

Cameron ramassa une cage dans laquelle se trouvait une petite crécerelle.

— J'ai appris quelque chose d'intéressant du commis d'épicerie. La rumeur veut que les terrains de la foire soient vendus pour la construction d'un centre commercial linéaire. Ça ne me surprendrait pas que l'administration essaie de profiter de la tempête, en commençant par fermer la foire plus tôt à cause des dommages. Et peut-être en condamnant immédiatement certains des bâtiments.

Papa fronça les sourcils.

— Tu as entendu parler de cette rumeur de centre commercial de la bouche du commis d'épicerie?

Cameron fit signe que oui.

— Il travaille au poste près de la sortie.

— Il me faudra vérifier cette information, dit-il.

Ariel frotta sa tête duveteuse contre le bout des doigts de Keelie. Elle sourit au faucon. Au moins elles auraient encore un peu de temps ensemble.

— J'ai laissé ma liste de réparations sur le bureau de Davey, à l'arrière.

Cameron se dirigea vers la porte avant, tenant la cage élevée et à distance de toute la marchandise.

— Je commencerai à y travailler quand je reviendrai. Keelie et moi avons des plans pour cet après-midi.

Zeke posa une main sur l'épaule de Keelie.

La liste de choses à faire de papa devenait de plus en plus longue. Il lui faudrait un BlackBerry pour pouvoir gérer tout cela. Elle se demanda s'il s'opposerait à en posséder un, étant donné qu'il ne semblait avoir besoin ni d'un four à micro-ondes ni d'un cellulaire.

— Et que se passe-t-il avec Ariel? demanda Keelie.

Elle ne voulait pas la laisser dans la minuscule cage de transport.

— Apporte-la. Nous allons dans la forêt. Ariel sera très bien.

Excitée, Keelie enfila son gantelet et inséra son bras dans la cage pour qu'Ariel y saute.

Alors qu'ils marchaient sur le chemin de la Quincaillerie, Ariel demeura perchée sur le bras de Keelie, ses ailes déployées en coupole pour garder l'équilibre. Quand ils eurent passé le pont, Keelie jeta un coup d'œil derrière elle pour tenter de repérer la mystérieuse créature qui vivait dans l'eau et qui l'avait sauvée du bonnet rouge. Peut-être la tempête avait-elle emporté la créature.

Papa se retourna vers Keelie.

— Nous entrons dans la forêt et je veux que tu ne fasses qu'observer. Ne parle pas, même si ce qui se passe te semble étrange. Je répondrai à toutes tes questions plus tard. Nous devons nous presser, le temps approche.

Cela ressemblait tellement à un conte de fées des frères Grimm. *Le temps approche.* D'accord. Son père avait un accès de mystique des arbres. Aussi longtemps qu'il ne transportait pas un bâton surmonté d'un gros cristal, Keelie ne se laisserait pas gagner par la panique. Après tout ce qu'elle avait vu et expérimenté, elle estimait que rien ne pouvait l'affoler.

Knot courut devant Keelie, comme s'il voulait diriger l'expédition. N'y avait-il rien qu'elle puisse faire sans que la boule de poil ne se montre ?

Plus profondément dans les bois, un sentiment de claustrophobie commença à l'envelopper. La sueur coulait dans son dos, et elle trouvait difficile de respirer. C'était la même sensation que lorsqu'elle s'était perdue et qu'elle avait rencontré Elianard.

Ariel poussa un cri et tourna sa tête duveteuse vers papa.

Keelie s'arrêta. Et si elle ne retrouvait pas son chemin ? Et si elle tombait sur ces choses qui ressemblaient à des insectes et à des brindilles ? Et si le bonnet rouge se montrait ?

Papa se retourna.

— Je ne peux pas y aller.

Son père parut perplexe, puis il leva les sourcils.

— Oh ! ça va. Je suis si désolé. J'avais oublié.

— Oublié quoi ?

Papa posa sa main sur Keelie, et une chaleur réconfortante irradia de ses doigts. Était-ce la sensation qu'il procurait aux arbres lorsqu'il les touchait ? Elle sentit son anxiété se dissiper comme un brouillard sous le soleil matinal. Elle inspira, puis prit plusieurs respirations libératrices comme elle le faisait pendant ses cours de yoga à l'école.

— Ça va mieux ?

— Ouais ! J'ignore pourquoi je deviens claustrophobe dans ces bois. Ça ne m'est jamais arrivé avant.

— C'est un charme pour tenir les intrus à l'écart.

— La Redoutable.

— Comment es-tu au courant ?

Avant qu'elle ne puisse répondre, Ariel battit des ailes et s'éleva vers les branches supérieures d'un grand cèdre.

— Ariel, reviens ici.

— Laisse-la aller. Elle sera très bien. Elle commence son voyage.

— Voyage. Ce n'est pas ce que je veux qu'elle fasse. Et si elle devait s'éloigner ?

— Les arbres la surveilleront. Maintenant, suis-moi.

— Ouais, mystique des arbres !

Comme ils reprenaient la route, Ariel passa comme une flèche devant eux et se posa sur une branche d'arbre pour les attendre. Lorsqu'ils s'approchaient, elle s'envolait vers un autre perchoir et attendait. À part le battement d'ailes d'Ariel et le crissement de leurs pieds sur les brindilles, il planait un silence complet et absolu. Knot se déplaçait avec légèreté d'un côté du chemin à l'autre.

Une douce brise ébouriffa les cheveux de Keelie, répandant une infime odeur de pourriture dans l'air. Encore les champignons. Ariel s'envola vers elle. Keelie étendit le bras et le faucon atterrit en équilibre précaire. L'oiseau tourna la tête et son œil doré brilla. Il frotta sa tête duveteuse contre la joue de Keelie.

Keelie se tint immobile jusqu'à ce qu'Ariel ait étendu ses ailes pour retrouver son équilibre.

— Viens, Keelie.

Un miroitement argenté au centre d'un cercle de champignons attira l'attention de Keelie.

— Attends, papa.

Keelie s'avança vers le cercle et s'agenouilla, prenant soin de ne pas déloger Ariel. C'était un anneau d'argent. Elle le ramassa et l'examina. Des feuilles soulevées par le vent dansaient autour du mince cercle brillant. Raven lui avait dit que son amie Aviva, la danseuse du ventre, avait perdu un anneau semblable à celui-ci.

Ariel poussa un cri et tourna la tête vers le grand chêne. Quelque chose miroita, mais Keelie ne vit personne. Insérant l'anneau dans la poche de ses jeans, elle sentit qu'il y avait quelque chose à cet endroit.

Les poils de son cou se dressèrent. L'air miroita encore. Elle sentit la cannelle. C'était sinistre. Était-ce le bonnet rouge ?

Elle se tint tout à fait immobile et entra en contact avec le même sens intérieur qui lui permettait de parler à Hrok. Ce qui restait de chlorophylle dans son sang chanta en même temps que les arbres répondaient. Et là, devant l'arbre, se tenait Elianard, habillé de robes richement brodées, serrant fort son bâton. Leurs yeux se croisèrent, et il lui lança un regard furieux, se rendant compte qu'il était visible.

Il marcha vers elle et elle recula.

— Comment pouvez-vous exercer tant de pouvoir, Keelie Heartwood ? Les faucons apportent la chance, dit-on, et celui-ci en particulier vous protège. Pourquoi donc ? Comment se fait-il que vous, une sale gosse à moitié humaine, puissiez apprivoiser les animaux sauvages, parler aux arbres et vaincre mes charmes ? De quel charme êtes-vous dotée ? Je sens son pouvoir.

— Je ne possède aucun charme. Et qui êtes-vous, exactement ; une sorte de lutin géant comme le méchant petit type au bonnet rouge ?

De son orteil, Keelie toucha l'un des champignons répugnants sur le sol. Il se dégonfla et son odeur putride s'éleva.

Elianard parut très surpris.

— Le bonnet rouge ?

Il chercha nerveusement aux alentours.

— Est-il ici ?

Keelie espérait que non. Elle avait tout juste survécu à sa dernière rencontre avec le nain maniaque. Mais si Elianard croyait qu'elle avait senti sa présence, cela aurait l'effet d'un insectifuge. Elle leva le menton et flaira l'air. Ariel poussa un petit cri, tournant sa tête d'un côté et de l'autre, fixant férocement Elianard de son bon œil.

— Il n'est pas loin.

Aux aguets, Elianard fit tourbillonner sa robe en se retournant.

— Elianard. Vous marchiez si silencieusement que je ne vous ai pas entendu.

Zeke s'avança vers eux, toisant avec méfiance l'homme richement vêtu. Donc, papa n'aimait pas non plus Elianard.

Ariel s'élança du bras de Keelie, effleurant la tête de papa avec le bout de son aile.

— Allons, Keelie, c'est le moment de la Cérémonie de l'arbre. Tu seras témoin d'un rituel très important, l'un des plus importants qu'un berger des arbres doit pratiquer.

Le visage et la voix de papa étaient remplis de tristesse.

Keelie hocha la tête, jetant un coup d'œil à Elianard.

Il se raidit, puis dut se rendre compte que Keelie n'allait pas parler du charme d'invisibilité. Avec un léger salut, il s'éloigna d'eux.

À sa grande surprise, Sean et quelques autres jouteurs se tenaient solennellement près d'un wagon de bois, entourés par d'autres qu'elle avait vus à la foire. Les chevaux de l'île Equus étaient attachés au wagon. Tout le monde était vêtu comme Elianard de robes vert foncé brodées de motifs d'arbres. Elle fut surprise de la présence d'Elia, qui paraissait tout aussi triste que les autres.

Papa serra la main de Keelie dans la sienne. Le calme s'insinua en elle.

Papa laissa tomber sa main et leva ses paumes ouvertes vers le groupe rassemblé.

— Vous êtes dans la forêt de Reinanlon. Devant vous repose Reina, la reine des trembles.

Comme s'il s'agissait d'un signal, un rayon de soleil perça à travers les nuages et illumina un arbre mince abattu, le tronc calciné. Sans le toucher, Keelie savait que c'était le tremble qui avait communiqué avec elle au moment de sa mort la nuit dernière.

Elle eut la chair de poule.

— Nous sommes venus afin d'honorer sa magie et de la retransmettre dans le monde, pour la guérison. Nous demandons à la forêt et à tous ceux qui l'ont aimée la permission de procéder, dit papa.

Tout le monde inclina la tête. Keelie fit de même. Ariel était perchée sur un petit tremble tout près.

Une douce brise souffla à travers les arbres. Des feuilles vertes dégageant un arôme de fleurs de cerisier tombèrent en cascade sur le tremble abattu, un tribut de ses sœurs. Ariel s'envola dans les airs à travers la cascade, ses ailes formant une masse indistincte dans le vert scintillant. Keelie leva les yeux et haleta lorsqu'elle vit un autre faucon qui volait à travers les branches vers Ariel.

Les deux faucons décrivirent un cercle. Puis Ariel poussa de petits cris et plongea. Keelie leva sa main gantée et Ariel fit un atterrissage parfait. L'autre faucon s'élança en flèche de plus en plus haut, et le cœur de Keelie se serra à la pensée qu'Ariel ne pourrait jamais s'envoler aussi haut et aussi librement. L'oiseau la regarda de son œil doré, comme pour lui dire qu'elle y arriverait.

Sean et les autres jouteurs s'avancèrent et soulevèrent le tronc comme s'ils portaient un drap mortuaire à des funérailles et le déposèrent révérencieusement dans le wagon, ses branches pendant derrière, raclant le sol avec les feuilles qui se fanaient rapidement.

— Viens, Keelie, dit papa.

Elle avança prudemment avec les autres à travers la forêt jonchée de débris, évitant les branches qui se balançaient. Les arbres étaient baignés d'une tristesse, comme une rosée matinale, qui l'étreignit dans sa cape irlandaise. Elle inspira et se sentit envahie par un immense chagrin émanant des arbres et des gens en robe verte autour d'elle. Elle devait l'écarter. Keelie tendit le bras et se ressaisit en touchant un arbre. Un tremble. C'était aussi un tremble. Une peine vive circulait dans son tronc. Elle pouvait entendre son cœur battre d'un rythme lent et régulier, lui rappelant Skins qui jouait du tambour lorsqu'elle était au Shire.

Notre reine.

Mère racine.

Keelie n'avait pas dit à sa mère qu'elle l'aimait le matin où elle était décédée. Elles s'étaient disputées au sujet de l'anneau de nombril. Maman avait été en retard pour son vol.

— Nous parlerons de ceci plus tard. Je t'aime, Keelie, avait-elle dit.

Maman lui avait donné un baiser sur la joue.

Keelie se laissa lentement tomber sur le sol et donna libre cours à ses larmes. Elle n'aurait jamais plus l'occasion de dire à sa maman qu'elle l'aimait.

Comment produirons-nous des feuilles sans notre reine ? Comment fleurirons-nous ?

Comment Keelie pourrait-elle vivre sans maman ?

Papa lui toucha l'épaule, et un peu de son chagrin se dissipa, s'écoulant, comme ses larmes, dans les feuilles sur le sol.

Les petits trembles et les autres arbres qui faisaient partie de la cour forestière de la reine des trembles souffraient. Leur chagrin était intense, et elle essaya de s'en protéger, mais sans succès. Son cœur était si lourd qu'elle ignorait si elle était capable de bouger. Elle ne voulait que se pelotonner sur le sol de la forêt, fermer les yeux et revenir à ce matin, avant la mort de maman.

Un par un, les membres du cortège funèbre s'avancèrent pour poser une main sur l'arbre abattu, murmurer une parole, puis s'éloigner. Que disaient-ils ? Se montrerait-elle à la hauteur ?

— Viens, Keelie, fais tes adieux.

Se tenant près du wagon, elle étendit sa main sur l'arbre. Comme elle le touchait, il y eut un craquement retentissant. L'arbre se fendit en deux, révélant un objet en son centre, un petit cœur carbonisé.

Des murmures de stupéfaction éclatèrent dans la foule.

— Un présent. L'arbre lui a offert son cœur.

Papa le saisit, puis le déposa dans sa main. Elle referma ses doigts sur le cœur, ressentant la chaude rugosité du bois carbonisé. Des lamelles noires se détachèrent sur sa peau, révélant l'ébène à l'aspect lisse à l'intérieur.

— Ce n'est pas juste. Elle n'est même pas l'une des nôtres.

La voix stridente d'Elia avait rompu le silence.

Papa attira Keelie contre son épaule, ignorant la complainte de la jeune fille. *Il était le roc dont elle avait besoin*, pensa Keelie, pas un arbre. Elle sentait son amour débordant, émanant des profondeurs de son âme. Elle laissa les larmes couler librement sur ses joues. Pour le tremble, pour la forêt, pour maman.

■ ■ ■

Knot fit le trajet dans le wagon, assis près du tronc du tremble comme un garde félin. Il se comportait bien, pas du tout comme un chat qui avait la gueule de bois parce qu'il avait lapé un baril de bière renversée. Marchant à côté du wagon, Keelie ne cessait d'observer Sean à travers ses cils. Il regardait fixement droit devant, comme les autres jouteurs, alors qu'ils escortaient le wagon vers la foire.

Elle se demanda ce qu'il pensait de l'emportement d'Elia. Les autres avaient été choqués et ils en discutaient encore durant leur marche. Elianard et sa fille avaient disparu tôt après l'incident.

Cela ressemblait tellement au *Seigneur des anneaux*, sauf en ce qui concernait Knot. Elle pressa sa main autour du cœur de l'arbre. Elle se demanda ce que Sean pensait d'elle maintenant. Elle n'était pas certaine de ce que cela signifiait, sauf qu'elle avait reçu un très précieux cadeau de la reine des trembles.

Le wagon s'immobilisa complètement à l'extérieur de Heartwood. Papa, Sean et les autres transportèrent le tronc à l'intérieur de l'atelier.

Sir Davey inclina la tête au passage du tronc. Le vautour à tête rouge était sur le sol près de lui, tel un poulet de compagnie tout à fait hideux.

— Papa? dit Keelie.

— C'est bien. Tu peux rester avec Sir Davey.

— Un nouvel ami?

Elle observa le vautour à tête rouge qui frottait sa tête chauve le long des jambes de pantalons de Sir Davey, comme un chien dévoué. Ariel passa rapidement au-dessus de lui, ses serres touchant la tête de Sir Davey, avant d'atterrir sur le chêne à l'extérieur de l'atelier.

— Des oiseaux. Je serai devenu une cervelle d'oiseau avant la clôture de la foire.

Le café qu'il tenait dans sa main n'avait pas réussi à améliorer son caractère.

Knot sauta d'un bond du wagon et monta nonchalamment vers l'entrée de l'atelier. Le vautour à tête rouge siffla au moment où le chat passait à côté de lui. Knot l'ignora, puis se réfugia vivement sous une table comme les jouteurs sortaient de l'atelier à la file.

Ils avançaient en silence et avec fluidité. Sean était le dernier. Il s'arrêta, sourit, et lui fit un clin d'œil.

— Que les bénédictions des arbres soient avec vous, fille du berger des arbres.

Sa voix s'abaissa en un murmure.

— Vous devrez me dire ce que vous avez fait pour obtenir le cœur de cet arbre.

Frappée de mutisme à cause de sa proximité, elle se rendit compte qu'elle avait laissé passer le moment et qu'il allait sortir de l'atelier. Elle le regarda grimper gracieusement dans le wagon avec les autres jouteurs. Ils allaient probablement regagner l'île Equus. Keelie se promettait d'aller y jeter un coup d'œil un soir. Leurs fêtes risquaient d'être tout aussi intéressantes que celles du Shire. Elles devaient l'être. Sean s'y trouverait, sans mentionner les autres jouteurs.

Ce soir-là, après sa douche, Keelie remarqua la lumière à travers les fissures du plancher. Papa se trouvait dans l'atelier. Elle mit ses chaussures, drapa sa cape sur sa sous-robe et descendit dans l'atelier.

Papa était en train de préparer la reine des trembles, ses outils tout près, comme un chirurgien.

— Que vas-tu faire?

— Nous fabriquerons une berceuse. La magie de l'arbre se transformera en énergie guérissante.

Elle serra le petit cœur de bois dans sa main. Cette partie de l'arbre lui appartiendrait toujours.

Elle était si triste de regarder le tronc et de savoir qu'un esprit sensible avait jadis vécu à l'intérieur. Comme papa se penchait pour retirer une petite scie à main de sa boîte à outils, Keelie vit le bout d'oreille pointu. Elle se souvint des paroles d'Elianard.

— Papa.

— Quoi, Keelie?

— Tu te souviens quand Elianard s'est montré pendant que nous marchions pour la Cérémonie de l'arbre.

— Oui.

— N'as-tu pas trouvé étrange qu'il soit simplement apparu comme ça?

— Pas vraiment.

Il avait l'attention fixée sur le bois, faisant courir ses mains sur les côtés calcinés du tronc.

— Je l'ai vu apparaître. Il avait un charme qui le rendait invisible.

Zeke leva les yeux à ces mots.

— Quoi?

— Il voulait savoir quel charme je possédais, pourquoi j'avais tant de pouvoir. Il m'a traitée de moitié humaine.

La scie à main tomba au sol dans un cliquetis.

Keelie regarda fixement papa au-dessus de l'arbre.

— Elia aussi m'a appelée comme ça.

Avec ses mains, papa repoussa ses cheveux derrière ses oreilles pour montrer leur extrémité pointue. Elle ramena ses cheveux vers l'arrière, révélant les siennes. Une ronde. Une pointue.

— Keelie, je voulais te parler quand le temps serait propice. J'aurais dû le faire depuis des années.

Son père paraissait rempli de remords.

Elle pensa aux oreilles de Sean et à celles d'Elia. Chaque personne de la foire ne pouvait être dotée de la même anomalie bizarre de naissance.

— Pas besoin, papa. Tu es un elfe. Je suis... qu'est-ce que je suis ? Une sorte de métisse ?

Keelie toucha son oreille droite. Elle était ronde. De ses doigts tremblants, elle palpa son oreille gauche, qu'elle savait ne pas être exactement ronde ni pointue ; elle avait une forme unique, un bout régulier.

S'avançant vers elle, papa tendit la main et releva doucement sa tête, face à lui. Elle ne pouvait détourner les yeux.

— Keelie, je sais que tu t'es aperçue que la vie à la foire était terriblement différente de ton ancienne vie. Je sais que la vie avec moi a bouleversé ta conception de la réalité. Le monde est rempli de créatures différentes, et parmi celles qui pensent et raisonnent, les humains ne forment qu'une petite partie.

Il pointa le tremble.

— Tu as rencontré les gens des arbres ainsi que les *bhata* et les *feithid daoine*. Tu dois prendre conscience que Knot est plus qu'un chat.

Des griffes de chat s'accrochèrent à ses pantalons, et comme elle bougeait sa jambe, la boule de poil continua de s'agripper à sa jambe.

Papa sourit avec mélancolie.

— Il adorait aussi ta mère.

— Oh ! et je suppose qu'elle lui retournait son amour. Mais je veux en savoir plus sur les elfes.

— Plusieurs d'entre nous ici à la foire et autour du monde sommes des elfes, continua-t-il. Nous sommes plus que des humains et nous sommes les gardiens de la nature. Je suis un berger des arbres et tu sembles avoir hérité de mon don.

— C'est pourquoi j'ai ce lien anormal avec les meubles, dit-elle.

Il sembla heureux qu'elle ne se soit pas évanouie sous le choc, qu'elle n'ait pas hurlé ou pris la fuite.

Elle ne savait pas exactement ce qu'être un elfe signifiait, mais au fond d'elle-même, sa compréhension émergeait, comme si la digue qui l'avait retenue avait disparu. Certains événements étranges et soudains pouvaient maintenant s'expliquer. Elle n'était pas folle et elle n'était pas bizarre. Elle devait remercier Ariel de lui avoir appris à ouvrir son cœur.

— Maman savait-elle que tu étais un elfe lorsqu'elle t'a épousé?

— Oui. Il n'y avait pas de secrets entre nous.

Le soulagement la réchauffa. Elle était heureuse que maman aient été au courant, même si cela soulevait de nouvelles questions sur les raisons pour lesquelles elle avait ramené Keelie en Californie.

— La magie existe vraiment et ses conséquences sont très réelles, dit son père. Tu dois la maîtriser, sinon c'est elle qui pourrait te contrôler. Ou pire, d'autres pourraient l'utiliser à travers toi.

Elle haussa les épaules, pensant au bonnet rouge. Puis une pensée lui vint.

— Cela signifie-t-il que maman est partie pour s'éloigner des elfes?

Il soupira.

— Oui. Pour t'éloigner d'eux. Tu étais si petite, si impuissante. Et elle savait qu'un jour tu devrais affronter ce qu'elle avait subi de la part de gens à l'esprit fermé.

Il la saisit fermement par les épaules.

— Comprends cela, Keelie, et ne doute jamais un moment que ta maman et moi, nous nous aimions. Un lien spécial nous unissait. Et cela te rendait spéciale aussi.

Des larmes se formèrent dans les yeux de Keelie. Des mots inexprimés l'étranglaient. Papa écarta une mèche folle de son front.

— Tu es le meilleur de nous deux, ma fille, dit-il.

— Pourquoi ne m'en as-tu pas parlé plus tôt?

— Parce que j'ignorais comment tu réagirais, Keelie. Non, c'est faux. Je savais exactement quelle serait ta réaction. Tu ne m'aurais pas cru. Tu venais juste de revenir dans ma vie. Tous les deux, nous faisions le deuil de ta maman. Je ne voulais pas te perdre, et je craignais que cela arrive si je te disais la vérité. M'aurais-tu cru si je te l'avais dit?

Elle hocha misérablement la tête.

Papa mit son bras autour de ses épaules.

— Quitter la Californie a été difficile pour toi, mais tu serais bientôt revenue vers moi, Keelie. Tes pouvoirs magiques prennent de la maturité entre la puberté et la vie adulte. Ta mère t'aurait ramenée.

Il embrassa ses cheveux.

— J'aurais simplement aimé que tu ne sois pas venue ici parce que ta mère est partie.

— Seriez-vous revenus ensemble?

Elle avait du mal à croire que sa mère aurait été à l'aise dans une vie basée sur les coutumes médiévales.

— Le temps a joué contre nous, j'en ai bien peur, dit Zeke. Après un certain temps, nous avons découvert que le seul terrain commun que nous partagions, c'était toi. Je ne veux pas te perdre encore une fois, Keelie. Nous trouverons une solution.

Le cœur calciné du tremble vibra. Elle ouvrit la main et regarda l'objet qui reposait dans sa paume. Briserait-elle le cœur de papa si elle retournait à Los Angeles?

Quatorze

Keelie avait mal au dos et elle dégageait une odeur de copeaux de cèdre et de sueur. Après avoir travaillé toute la nuit avec papa sur le tremble, elle s'était levée à sept heures du matin pour aider Cameron aux enclos. Une fille découvre un jour qu'elle est un elfe, et le lendemain, elle est en train de monter des cages.

Le cœur en bois du tremble était suspendu à une chaîne d'argent sous sa blouse. Papa en avait fait un pendentif, et au lieu de le percer, il l'avait enveloppé de fils d'argent. Avec cet objet, elle se sentait en sécurité. Ariel volait au-dessus d'elle, et de temps en temps, un autre cri répondait à proximité. L'autre faucon était caché pas très loin. Ariel avait-elle un petit ami?

Sir Davey avait enterré des pierres de protection autour des cages, espérant éloigner le bonnet rouge. Keelie était curieuse, mais elle n'était pas prête à en apprendre plus sur la magie de la terre. La magie de la boue. Elle essayait de s'adapter aux arbres.

Papa avait été convoqué à une réunion des elfes dans un lieu secret de la forêt. Il aborderait la question du bonnet rouge. Certains elfes niaient son existence, mais il était temps d'agir à son sujet. Suffisamment de mal avait été causé, dont celui envers les deux étudiants toujours hospitalisés.

Une réunion de tous les gens de la foire devait avoir lieu plus tard cet après-midi-là. Keelie avait besoin de prendre une douche avant d'y assister. Elle espérait voir Raven, qui était occupée à nettoyer la boutique aux herbes.

— Bon, bon. Elle fait une bonne action, et elle devient la chérie de son papa.

La voix douce avait une intonation malveillante. Elia.

— Le matin était magnifique avant que je ne te voie, dit Keelie. Tu es comme un orage pendant un pique-nique. Tu apparais quand personne ne t'a invitée.

— Boum! boum! boum! dit Elia.

Ses yeux verts brillaient d'un reflet meurtrier.

— Oh! était-ce ton imitation du tonnerre? Ou peut-être ton cerveau qui tire une rafale de neurones?

— Très drôle, l'humaine, ricana Elia.

— Humaine? Et tu ne l'es pas? Au moins, nous sommes d'accord sur un point! Je suis au courant au sujet des elfes, Elia.

Elle tressaillit, mais retrouva rapidement son sang-froid.

— Écoute, simplement parce que Sean chante maintenant tes louanges — surtout, ne t'habitue pas trop à ta gloire nouvellement acquise — peut-être profites-tu d'un rayonnement momentané du soleil, mais souviens-toi que tu es la fille à la boue et qu'il finira nécessairement par pleuvoir. Tu devras regagner le trou de boue visqueux d'où tu es sortie en rampant.

Elle sourit et joua avec un ruban argenté sur sa robe rose vaporeuse.

— Oh! je suis la fille à la boue? J'ai peut-être les pieds fermement plantés dans le sol, mais je ne porte pas de coups de salope comme certaines personnes mesquines.

Ariel s'envola vers Keelie puis atterrit sur un cèdre.

Keelie lui tendit son bras ganté. Ariel vint à elle, ses serres creusant le cuir. Keelie pensa qu'elle avait vu un petit bonhomme de brindilles qui l'observait d'un buisson de houx à proximité. Lorsqu'elle regarda à nouveau, il était encore là. Keelie sourit, mais il disparut sous le couvert des bois.

— Jeune fille, comment ça va aujourd'hui?

Sir Davey vint se placer à côté de Keelie. Louie le vautour le suivait en se dandinant.

Elia fronça les sourcils en voyant Sir Davey.

— J'aurais dû savoir que Keliel Heartwood se tiendrait avec des gens de votre sorte, le nain.

Keelie aurait voulu gifler Elia ou faire tomber l'un des petits bidules argentés de sa robe couleur bonbon en raison de son impolitesse envers Sir Davey.

— Qu'est-ce qui te prend d'être aussi méchante avec tout le monde?

— Je ne suis pas méchante, comme tu dis, avec tout le monde. À vrai dire, on me louange souvent pour ma capacité de socialiser avec les touristes et pour l'impression de noblesse que je dégage.

D'une main pâle, Elia souleva une poignée de frisettes dorées qu'elle repoussa sur son épaule délicate.

Keelie fit semblant de vomir, enfonçant son doigt dans sa bouche ouverte.

Sir Davey se mit à rire.

— Voilà qui est grossier, dame Keelie. Votre père ne serait pas d'accord.

Elle roula des yeux.

— Alors, ne riez pas.

Il lui fit un clin d'œil, puis leva son nez en l'air. Louie siffla et secoua sa tête chauve, les yeux rivés sur Elia.

— Pourquoi ne rejoignez-vous pas les gens de votre sorte pour nous permettre de profiter d'une belle journée et de terminer notre travail ? dit Sir Davey.

Les yeux d'Elia luisirent de colère.

— Vous osez m'insulter ?

— Ce n'est pas une insulte. C'est une suggestion.

Sir Davey croisa ses bras sur sa poitrine.

— Une indication, ajouta Keelie.

Elia lissa une longue mèche de cheveux derrière son oreille et c'est alors que Keelie vit nettement le bout pointu. Elle ressemblait à celles de Sean et à celles de papa. Elle se souvint qu'Elia, comme son père, était un elfe, et qu'elle-même était à demi elfe. Étaient-ils parents ? Quelle pensée répugnante. Et si un demi-elfe avait les pouvoirs qu'avait Keelie, de quoi Elia était-elle capable ?

Pour le moment, Keelie avait des choses plus importantes à faire que de demeurer au milieu du chemin de la Quincaillerie et d'échanger des insultes avec Elia.

— Fais attention, fille à la boue. Tu ne sais jamais quand la partie sauvage de ton faucon reprendra le dessus. Elle pourrait s'envoler et ne jamais revenir, dit Elia.

Keelie sentit un frisson d'appréhension parcourir sa colonne. Elle marcha vers Elia jusqu'à ce qu'elles soient face à face, presque nez à nez.

— Est-ce une menace ?

Ariel battit des ailes comme pour lui dire qu'elle allait s'en charger.

— Non. Juste un avertissement.

— Ne t'avise pas de menacer Ariel.

Le cœur de bois se réchauffa contre sa peau.

— Ou tu feras quoi ?

— Éloignez-vous, Keelie ! cria Sir Davey.

C'est ce qu'elle fit. Elle pouvait sentir de petits tremblements sous ses pieds. Il n'y avait pas de tremblements de terre au Colorado, n'est-ce pas ? La faille de San Andreas ne pouvait l'avoir suivie jusqu'ici.

Avec un sourire démoniaque sur son visage, Sir Davey leva le bras et agita les doigts. Des monticules de terre apparurent pour former un cercle autour d'Elia, des vers de terre se contorsionnant à la surface.

Elia criait tout en contournant sur la pointe des pieds le tas de vers frétillants. Partout où elle posait les pieds, surgissait une nouvelle fontaine dégorgeant des vers. Sir Davey continua à agiter les doigts, émettant en même temps un vilain gloussement.

Elia hurla, leva sa longue robe et se mit à courir. Keelie plaqua ses mains contre ses oreilles. Les cris d'Elia se firent de moins en moins perçants alors qu'elle retournait à son lieu de résidence diurne.

— Je suppose qu'elle s'en va rejoindre les gens de sa sorte, dit Sir Davey.

Keelie se mit à rire.

L'expression joyeuse de Sir Davey redevint rapidement sérieuse.

— Soyez prudente à son sujet et à propos des jouteurs, et supervigilante avec Ariel. Je n'ai pas aimé les paroles ordurières qu'elle a proférées. Cette fille est en train de manigancer quelque chose.

— Ouais ! bien, je peux m'occuper d'elle.

— Je crois que vous avez raison. Vous pouvez être seulement un demi-elfe, mais vous pouvez accomplir des choses dont elle est incapable.

— Comme quoi ?

— La magie des arbres. Ses habiletés sont différentes.

— Et effrayantes. Pouvez-vous m'accompagner vers l'atelier ?

Il fit un salut.

— Milady, c'est un honneur.

La scène dont elle venait tout juste d'être témoin avait piqué la curiosité de Keelie. Pendant qu'elle marchait à côté du nain, elle se demanda s'il serait insulté ou s'il la réprimanderait si elle lui posait des questions. En fin de compte, sa curiosité l'emporta.

— Comment avez-vous fait surgir les vers de la terre ? laissa-t-elle échapper.

Le nain l'examina de ses yeux gris acier.

— Êtes-vous prête à connaître de telles choses ?

Elle l'observa pendant un moment. Il lui faudrait une éternité pour connaître la vérité sur toutes les choses bizarres qui se passaient autour d'elle.

Dans les bois, elle vit un autre bonhomme de brindilles qui se déplaçait parmi les cèdres. Il paraissait plus grand, presque de la taille d'un petit chien. Les gens de la forêt devenaient plus braves.

Comment pourrait-elle vivre avec la vérité lorsqu'elle reviendrait dans le monde réel ? Elle se souvenait d'avoir pourchassé les fées lorsqu'elle était une petite fille. Et maintenant elle les voyait à nouveau.

— Ah ! vous croyez que si vous acceptez de parler de toutes ces choses bizarres que vous avez vues et faites, cela les rendra réelles partout où vous irez, dit Sir Davey.

Keelie cessa de marcher.

— D'accord. Je l'admets.

Elle posa les mains sur ses hanches.

— Parce que là d'où je viens, ces choses ne font pas partie du monde réel.

— Que vous arrive-t-il si vous croyez qu'elles sont réelles ?

Sa poitrine se serra à l'idée de parler de tout cela à voix haute.

— Si je crois que les fées sont réelles, que le chat de mon père porte des bottes et brandit une épée, et si je crois vraiment que je peux sentir et voir l'esprit d'un arbre dans son écorce, cela signifie que je ne peux faire partie de l'univers de ma maman. Croire en ce qui, selon moi, appartenait au monde de l'imaginaire et n'était possible que dans les livres pour enfants risque d'écarter une partie de moi de ma maman, et réciproquement...

— Keelie, vous ne perdrez jamais votre mère, dit Davey. Elle ne fait peut-être plus partie de cette existence. Mais elle vit en vous. Elle vous accompagnera chaque jour de votre vie. Concernant la croyance en la magie, les fées et les chats bottés, et le fait de voir des visages dans les arbres, vous devrez accepter que ces choses fassent partie de votre univers ; c'est tout simplement une partie que vous ne connaissiez pas avant.

Sir Davey prit sa main et la tapota d'un air rassurant.

— Lorsque vous devrez affronter les défis de ce monde, qu'ils soient réels ou prétendument imaginaires, alors fiez-vous à votre cœur. Car tous ceux qui vous aiment sont dans votre cœur. C'est de là que provient la magie qui fait de vous ce que vous êtes.

Keelie prit conscience qu'elle et Sir Davey étaient arrivés à Heartwood. Elle savait que, s'étant ouverte à la magie la nuit de la tempête, elle avait contribué à la vie de la forêt. Elle avait pris un risque. Il y avait de la place dans son cœur pour Ariel, sa maman, et peut-être aussi son papa. Mais Keelie craignait de perdre petit à petit sa maman si elle aimait quelqu'un d'autre autant qu'elle l'avait aimée.

— N'en abusez pas, jeune dame. Il faut de l'énergie pour parler aux arbres.

Keelie se mit à rire.

— Et pour faire surgir des vers de la terre.

— Assez juste. Il est temps pour moi de partir et de me reposer pour la journée.

— Merci, Sir Davey.

— Chaque fois que vous aurez besoin d'aide pour accepter la magie, Keelie, n'hésitez pas à venir en parler avec moi. Surtout si quelqu'un dit ou fait quelque chose qui peut bouleverser votre univers.

Keelie ne pouvait imaginer ce qui pourrait être plus dérangeant que de voir des visages dans les arbres, toucher les arbres et sentir leur esprit, et voir des fées voler dans les airs.

— Je le promets.

Le nain se retourna pour s'éloigner.

— Sir Davey?

Il s'arrêta et regarda Keelie.

— Les dragons sont-ils réels?

— Ceux que je connais sont occupés à poser pour des illustrateurs de contes de fées.

Il la salua en agitant sa main.

Un hibou hulula et Keelie fut distraite.

— Quelle sorte de réponse!

Keelie se retourna. Où était Sir Davey? Elle scruta le chemin. Il avait disparu.

Bizarre. Et elle pensa que plus rien à la foire ne pourrait désormais la surprendre.

■ ■ ■

Keelie se traîna dans l'escalier, vers les chambres au-dessus de l'atelier de son père. Elle était épuisée, empestait la crotte d'oiseaux, et était dégoûtée d'avoir vu Ariel manger son rat. Cameron avait dit qu'elle la surveillerait pendant que Keelie assisterait à sa réunion. Elle ouvrit la porte et une odeur délicieuse de pizza l'accueillit. Papa était assis dans la cuisine à lire un journal. Il leva les yeux vers elle, puis les baissa.

— Tu as faim, Keelie?

Elle hocha la tête.

Il se leva de sa chaise et fit un signe de la main.

— Assieds-toi. Tu parais épuisée.

— Je suis épuisée.

Keelie se laissa tomber sur la chaise. Elle baissa la tête pour voir si Knot était dessous, tapi en embuscade. Il n'était pas là. Contre toute logique, elle était déçue. Elle aimait le faire filer à toute vitesse et l'observer en train de glisser sur le plancher de bois sur son derrière.

— En effet.

Son estomac grondait, lui rappelant qu'elle n'avait pas mangé depuis le petit déjeuner. Elle huma l'air.

— Est-ce que je sens de la pizza?

— Oui. Au fromage. J'ai essayé de la garder chaude jusqu'à ton arrivée à la maison.

— Tu sais, si tu avais un four à micro-ondes, tu aurais pu la réchauffer si elle avait refroidi, dit-elle. C'est rapide! ajouta-t-elle, faisant claquer ses doigts.

— Pas de four à micro-ondes. Cela perturbe les vibrations des arbres. À propos des arbres, quand tu auras fini de manger et avant que nous nous rendions à la réunion, je suggère que nous travaillons sur la berceuse.

En bas, Keelie le regarda travailler, sachant que l'étrange savoir lui était transmis, le même que celui qui s'insinuait en elle chaque fois qu'elle touchait le bois.

Elle tendit le bras pour toucher la planche d'un terne jaune crème que papa lui tendait. Elle sentait un peu la térébenthine. Ses doigts picotèrent alors qu'elle y faisait courir sa main, et dans sa tête apparut l'image d'un bosquet de grands pins qui poussaient sous le soleil ardent. Des abeilles semblaient bourdonner autour d'elle, mais elle savait qu'elles n'étaient pas réelles, que c'était seulement une partie des souvenirs endormis du bois.

— C'est du pin, en provenance d'un littoral. Je peux sentir la mer.

Le visage de papa s'illumina d'un sourire.

— Merveilleux. C'est un pin de Géorgie, issu d'une forêt près de Savannah.

Il tira une large branche de dessous le comptoir et la posa sur le dessus.

— Essaie celle-ci. Que peux-tu m'apprendre à son sujet?

Frottant le bout de son index sur les joints lisses de la branche, Keelie sourit.

— Celle-ci est tombée du faîte d'un chêne durant une tempête, en même temps que du gui. Elle servait de perchoir aux aigles.

Papa sourit.

— Étonnant. Cela te vient comme si tu avais été instruite de ce savoir ta vie durant. Keelie, c'est fantastique.

— Je crois que ça donne la chair de poule.

Il rit.

— Je suppose que c'est ce que les étrangers en penseraient. Tu peux comprendre pourquoi nous gardons cette connaissance pour nous. À une époque ancienne, c'était une raison suffisante pour brûler sur un bûcher.

Keelie se demanda ce que ce serait que de brûler sur un bûcher, en connaissant, au cours de l'agonie, tout du tronc auquel on est attaché et des bûches sur lesquelles reposent nos pieds.

Le commentaire de son père lui plaisait et l'effrayait en même temps. D'une génération à l'autre dans sa famille… Avait-elle hérité autant de lui? L'héritage de sa mère s'atténuerait-il sous son influence?

— Elle te manque, n'est-ce pas...

— Oui. Beaucoup.

Elle n'était pas surprise qu'il devine ses pensées. Tout regard bizarre sur son visage, elle pouvait l'interpréter correctement.

— Je sais.

Papa se retourna pour que Keelie ne puisse voir son visage. S'accroupissant, il fit courir ses mains sur quelques branches et autres pièces de bois sur le plancher.

— Chaque fois que j'ai besoin de réfléchir profondément, je fabrique un objet. Et il émerge du processus quelque chose de vert zen.

— Vraiment. Alors, commençons à travailler, dit Keelie.

Papa passa du papier de verre pour polir le bois de la chaise qu'ils avaient fabriquée ensemble. Grande et étroite, avec un siège légèrement en creux et des pattes solides, elle lui rappelait celle de sa mère. Elle avait la couleur cendre douce des cheveux de maman et était tout aussi mince et gracieuse.

Papa avait résolument refusé de fabriquer les pattes que voulait Keelie — fines comme celles de la chaise de maman, mais celles-ci donnaient de la solidité à la chaise et constituaient une base robuste. Cette chaise rappelait maman, mais c'était une partie de papa et d'elle, Keelie : leur création.

Il leva les yeux de son travail.

— Un peu de sablage pour terminer, puis un fini à l'huile. Qu'en penses-tu ?

— Magnifique.

Il hocha la tête, heureux.

— Nous faisons du bon travail, ma fille.

Le téléphone sonna.

— Allo ? Oui, ici Zekeliel Heartwood... Vous plaisantez ? Vos gens disent que ce sera expédié à New York puis au Colorado. C'est absolument ridicule. Laissez simplement les bagages de ma fille à La Guardia, et j'enverrai un ami les chercher là-bas.

Ces paroles lui oppressèrent le cœur. Où se trouvaient maintenant ses bagages ? Où était son Boo Boo Bunny ? Où étaient les photographies de maman ? Elle les imagina au fond de l'Atlantique à côté des vestiges du *Titanic*.

D'un autre côté, depuis quand son papa chaussé de sandales et friand de grains entiers connaissait-il quelqu'un à New York ? Elle était surprise qu'il connaisse même le mot « La Guardia ».

Papa raccrocha le téléphone.

— Il semble que tes valises ont été dirigées vers le Groenland.

— Le Groenland. Comme dans le cercle arctique ? Comme dans le pôle Nord ?

— Nous finirons par récupérer tes affaires. Ne t'inquiète pas.

— J'essaierai de ne pas m'inquiéter. Je prendrai une douche rapide avant la réunion.

Keelie s'habilla dans sa chambre, utilisant une brosse pour enlever les poils de chat de ses vêtements. Elle n'avait pas eu le temps d'apporter ses vêtements au Miss Chalet suisse. D'une manière ou d'une autre, Knot s'était glissé à l'intérieur de la garde-robe et était endormi sur son sac à main.

Son téléphone cellulaire sonna. Le cœur de Keelie se mit à battre la chamade. Ce devait être Laurie qui appelait pour préciser les plans en vue de la grande évasion. Elle tendit le bras vers le sac. Knot siffla, les oreilles rabattues en arrière, et lui donna un coup de patte.

— Méchant Knot. Redonne-moi mon sac.

Il cingla l'air avec sa queue.

— Je ne t'ai toujours pas pardonné d'avoir empesté mes sous-vêtements.

Il lui lança un regard furieux. Le téléphone cessa de sonner.

— Parfait. Reste ainsi.

Le chat se lécha le derrière.

Keelie tira le sac sous Knot et le chat culbuta sur le plancher. Il atterrit sur ses quatre pattes. Son ronronnement retentit dans toute la pièce.

— Que se passe-t-il avec toi ? Chaque fois que je suis méchante avec toi, tu aimes ça. Chat cinglé.

Le chat se frotta contre sa jambe. Elle le repoussa avec son pied. Il se mit à glisser sur le plancher, sur le ventre.

— Je dois partir. Au fait, quand tu t'accroupis comme ça, tu ressembles à un crapaud à tête poilue.

Les yeux du chat se dilatèrent de sorte qu'ils ressemblaient à deux lunes sombres. Son ronronnement s'intensifia.

— Va-t-en, chat dégoûtant.

Elle ouvrit la porte et Knot sortit comme une flèche devant elle. Il descendit les marches d'un pas lourd, s'arrêta et s'assit sur la dernière comme s'il l'attendait. Elle baissa les yeux vers lui ; il cinglait de nouveau l'air avec sa queue.

Elle descendit les marches en passant devant lui et entra dans l'atelier.

— Papa, fais sortir ton chat. Il me regarde sournoisement.

— Knot. Sois sage.

Knot marcha vers le chêne devant l'atelier et commença à s'aiguiser les griffes.

■ ■ ■

L'Auberge du braconnier fut rapidement remplie de gens de la foire. Keelie s'installa près de papa, s'appuyant contre la clôture de bois. Du cèdre.

Elianard lui lança un regard furieux pendant qu'Elia se pomponnait, l'air ennuyé. Tania était d'une grande loquacité à propos de la menace de l'administration de fermer la foire, de façon permanente, si l'on ne réparait pas les boutiques. Même s'il ne restait que deux semaines avant la fermeture de la foire de la Renaissance de High Mountain, de nombreux marchands et artisans dépendaient du revenu gagné dans ces deux dernières semaines pour pouvoir subsister jusqu'à la prochaine foire.

Keelie s'appuya le dos contre la clôture, surveillant Knot qui s'était perché sur le dessus de l'une des vieilles perches de bois qui ceinturaient le bâtiment. Il tendait le cou exagérément, faisant une imitation de vautour, les yeux braqués sur le nouveau compagnon de Sir Davey, Louie, le vautour à tête rouge. Ce dernier ne se rendait pas compte qu'on riait de lui.

Raven représentait la boutique aux herbes pendant que Janice était en train de nettoyer le désordre chez elle. Raven n'avait aucune idée à quel point elle avait de la chance d'avoir encore sa maman.

Elia s'éventa avec sa main et sourit d'un air méprisant à Keelie. Derrière elle, Elianard semblait marmonner.

Ah! Keelie se souvint que Sir Davey lui avait dit qu'elle était beaucoup plus puissante qu'Elia.

La brise soufflant à travers la véranda de l'Auberge du braconnier apportait une odeur de pourriture. Le pendentif en forme de cœur devint chaud et vibra contre sa peau. Quelque chose pressait contre la semelle de la chaussure de Keelie et elle déplaça son pied, faisant un pas de côté et remontant sa jupe d'un geste vif. Un petit arbre poussait à travers la planche. Keelie observa, éberluée, alors que ses feuilles et ses aiguilles vertes sortaient et se déployaient tout au long et de chaque côté. L'odeur de cèdre frais remplit l'air.

Keelie recouvrit rapidement l'arbre en croissance avec ses jupes et promena ses yeux aux alentours pour voir si quelqu'un avait remarqué quelque chose. Elianard fixait le bout de sa chaussure qui dépassait de sa jupe. Il regardait comme s'il croyait qu'un ours grizzly allait émerger de son jupon. Ou un bonnet rouge.

Son alarme se déclencha.

Quelque chose lui donna un coup dans le dos. Elle sentit le cèdre et grogna, n'osant pas se retourner. Elle tapota le bras de Zeke.

— Papa, nous avons un problème.

Elle écarta ses jupes. Il resta bouche bée à la vue de la branche de cèdre qui poussait dans le plancher.

— Ce n'est pas tout.

Elle déplaça son épaule pour lui montrer la branche qui avait poussé sur la clôture.

— Comment?

Keelie leva les mains dans un geste qui voulait dire *je ne sais pas ce que j'ai fait.*

Raven vint s'installer près de Keelie. Son amie regarda fixement la branche d'arbre, une expression perplexe sur le visage.

— C'est nouveau.

Puis elle agita nonchalamment la main.

— Écoute, tout le monde va parler en long et en large de l'administration. Suis allé là, ai fait cela. Rencontre-moi dans la boutique aux herbes dans environ une heure. Il y a une vente au Shimmy Shack et nous pouvons profiter des aubaines avant que le *populo* ne les rafle toutes ce week-end.

— Cool. Cela me donnera le temps d'aller vérifier si Ariel va bien.

— Ça ne t'ennuie pas si je vais voir Ariel, puis, si je vais avec Raven à la vente au Shimmy Shack? murmura Keelie à son papa.

Papa leva les yeux de la branche et fit un signe de tête distrait.

— Cela semble une bonne idée.

Comme les deux filles s'éloignaient de la véranda, elles pouvaient entendre la voix monotone du prochain intervenant.

— Tu m'as sauvé la vie, Raven. Je crois que je serais morte d'ennui.

— Il y aura beaucoup de monde là-bas. Comme survivante des précédentes réunions de la foire, laisse-moi t'avertir : cours, ne marche pas, la prochaine fois qu'on en annoncera une.

Une fois rendue aux enclos, Keelie dit au revoir à Raven, qui était déjà en route vers la boutique de sa mère pour prendre son argent. Ce matin, Keelie avait mis le sien dans un petit sac ceinturon. Cameron marchait avec Moon sur l'épaule. Elle restait derrière pour surveiller l'avancement des travaux de réparation.

— Hé ! Cameron.

— Hé ! Keelie.

— J'envisage de laisser Ariel voler pendant mon escapade au Shimmy Shack. Je crois qu'elle a un petit ami dans le voisinage parce qu'il y a un autre faucon qui vole tout près.

Cameron s'arrêta et leva les yeux.

— Ça ne me dit rien de bon.

— Pourquoi pas ? Je pense que c'est mignon.

— Keelie, Ariel est à moitié aveugle. Elle ne peut chasser par elle-même, encore moins se défendre contre l'attaque d'un autre faucon.

— Que voulez-vous dire ?

— S'apparier ou tuer. Si ce faucon est territorial, ce n'est pas pour se faire des amis. Il voudra qu'Ariel parte ou meure, Keelie. Ariel ne pourra jamais être libre.

Jamais libre. Keelie regarda le faucon à moitié aveugle et pensa à ses plans de s'enfuir vers la Californie. Elle pourrait apporter Ariel avec elle. Elle pensa au faucon vivant parmi les palmiers et les centres commerciaux, ou dans son ancien quartier, où les buissons fleuris étaient la végétation la plus élevée.

Elle serait misérable, tout comme Keelie l'était ici. Mais l'était-elle vraiment ? Elle s'était fait des amis, elle avait son père, et les arbres comptaient sur elle pour les protéger de la magie noire. Zeke ne pouvait le faire seul.

Quand avait-elle cessé de se sentir misérable ?

Quinze

Déconcertée, Keelie se précipita vers la boutique de Janice pour y trouver Raven et lui parler, elle qui avait aussi un pied dans les deux univers.

Knot la suivit tout le long du trajet. Il passa d'un tronc d'arbre à un autre, puis disparut. Tarl descendait le chemin, les bras remplis d'ailes de fées souillées et trempées. Un autre habitué du show *Muck n'Mire* suivait en transportant une charge similaire.

Tarl sourit.

— Bon matin, Keelie.

— Que faites-vous avec tout ceci ?

Keelie avait entendu dire que la pauvre fille qui tenait la charrette d'ailes de fées était anéantie parce que tout son stock avait été ruiné par la tempête.

— Je les ai toutes achetées pour le show *Muck n'Mire*. Bon marché.

— Bon marché. Oui, belle affaire.

— Nous pourrions vous donner un rôle dans notre nouveau spectacle : *La boue d'une nuit d'été*. Vous pourriez être Slime, la fée à la boue.

— Je passe, mais merci de l'invitation.

— Si vous changez d'idée, vous savez où nous trouver.

Les deux se remirent en marche, pataugeant sur le chemin boueux.

Pour quelqu'un qui aimait la boue, cet endroit était un paradis. Le ciel s'était de nouveau assombri, garantissant encore plus de flaques et de matière gluante.

Raven se tenait à la porte de la boutique aux herbes, partiellement recouverte d'une toile bleue. Elle fit signe à Keelie.

— Hé! Peux-tu m'accorder une minute? Je dois faire une course pour maman.

— Certainement.

Keelie se réjouissait de pouvoir entrer dans la boutique odorante. Elle remarqua une queue orange qui pendait sur une branche d'arbre près de la porte, oscillant comme un pendule. Le reste du chat psychotique était dissimulé dans les feuilles. Elle se rappela le chat Cheshire, d'*Alice au pays des merveilles*, dont le sourire était la dernière chose à disparaître.

L'histoire aurait été plus brève si le chat avait uriné dans les bagages d'Alice.

Keelie l'ignora. Pourquoi ne pouvait-elle pas avoir un chat normal? Non, attendez! Ce n'était pas son chat. C'était celui de papa. Si elle devait avoir un animal favori, ce serait un animal normal. Bien sûr, une bête sauvage serait normale, comparativement à Knot.

La porte de la boutique aux herbes était maintenue ouverte et Keelie pénétra à l'intérieur.

— Janice? C'est moi, Keelie, appela-t-elle.

Elle frotta ses doigts sur sa jupe pour arrêter le picotement. La porte de la boutique était faite de pin. Elle huma profondément l'air, souhaitant s'imprégner de l'arôme et de l'énergie guérissante des herbes. Elle toussa. L'atelier sentait l'eau de Javel et les champignons pourris. La tempête avait détruit l'atmosphère.

Janice apparut avec une grosse bougie allumée incrustée d'herbes. Elle marchait lentement pour ne pas faire vaciller la flamme.

— Quel chaos, hein? Nous avons dû tout sortir et ça sent encore.

Elle déposa la chandelle allumée sur une table.

— Il y a d'autres bougies à l'arrière, apporte-les et nous les allumerons ici.

L'arrière-boutique était toujours pourvue d'un toit. Des sacs de plastique remplis d'herbes et des assiettes de porcelaine contenant de grosses bougies cylindriques étaient alignés sur les étagères. Keelie en empila trois, prit une boîte d'allumettes sur la table tout près des bougies et se dirigea vers l'avant du magasin.

Le geste d'allumer les bougies lui rappelait sa maman, qui adorait manger à la lueur des chandelles. Elle se souvenait du visage de sa mère, brillant de l'autre côté de la table dans la lumière dorée. Elle savait que maman avait eu une journée stressante lorsqu'elle servait le repas sur la petite table pour deux, sous le carillon éolien du patio. Les flammes de la bougie vacillaient et dansaient, comme un écho des lucioles qui voltigeaient autour des fleurs près de la clôture arrière.

Elle se demandait maintenant si ces lucioles étaient vraiment des insectes. Sa mère aurait certainement voulu qu'elle le croie.

Janice interrompit sa rêverie.

— Il semble que Knot t'ait suivie. Il est assis sur ma véranda arrière en train de se laver. Qu'as-tu fait pour mériter une telle escorte?

Keelie se précipita vers la devanture de la boutique et jeta un coup d'œil de l'autre côté de la rue, mais la queue orange avait disparu.

— Je ne sais pas. Je passe mon temps à lui dire qu'il est dégoûtant, mais il ne fait que ronronner et ronronner.

Un grand sourire rayonna sur le visage de Janice.

— C'est parce que tu es une amoureuse des animaux. J'ai entendu dire que tu as aidé à sauver les oiseaux de Cameron.

Le sourire de Keelie s'estompa.

— Oui. Savez-vous comment se portent les types qui ont été hospitalisés?

— Leurs blessures guérissent bien, mais ils sont sous observation psychiatrique. Ils ont dit à leurs médecins qu'ils ont été poursuivis et mordus par le bonnet rouge.

Janice roula des yeux.

Keelie cessa de respirer pour un moment.

— Était-ce vrai?

— Il y avait des marques de morsure sur leurs bras et sur leurs jambes.

Janice soupira.

— Ce sont des employés saisonniers, tu sais. Des étudiants. On ne peut leur reprocher leur ignorance. Mais plus tôt, j'ai dit à ton père que c'est préoccupant parce que le bonnet rouge s'est rendu visible. Les garçons sont tellement chanceux d'être en vie.

— Vous croyez que le bonnet rouge les aurait tués?

Keelie se souvint du rire mauvais et des mains qui la poussaient sous l'eau. Il avait aussi voulu la tuer, mais Knot l'avait arrêté.

— Le bonnet rouge est très dangereux. Et personne ne connaît la raison de sa présence ici. Un autre mystère réside dans le fait qu'il ait choisi de s'attaquer à ma boutique, parmi tous les autres endroits.

— Il est venu ici?

Bien sûr. Les champignons pourris que Raven avait pelletés à l'extérieur en étaient un signe certain.

— Êtes-vous en danger?

Janice se mordit la lèvre.

— Raven retournera à l'école bientôt, et je partirai aussi. Il est impossible que je puisse renouveler mon stock d'herbes ou me débarrasser de l'odeur dans les deux semaines qui restent. Donc je pars dans quelques jours. Je dois m'assurer que la boutique soit réparée et préparée pour l'hiver avant de partir. Mais nous nous reverrons, toutes les deux. Je serai à New York, et toi et ton père y serez dans environ trois semaines.

Le sourire de Janice était maternel. Keelie s'avança vers elle pour se blottir dans ses bras.

Janice sentait les herbes et le réconfort, dissipant les relents d'eau de Javel et de pourriture. Une vague de chaleur submergea Keelie avant que la culpabilité ne la frappe comme une bétonnière. Quelle opinion Janice aurait-elle à son sujet si elle partait? Il n'y aurait pas de New York.

— Hé! j'ai presque oublié. J'ai quelque chose pour toi.

Elle se hâta vers l'arrière de la boutique et revint avec un flacon compte-gouttes bleu cobalt.

— Voici une teinture pour ton empoisonnement à la chlorophylle. Trois gouttes le matin chaque fois que tu redoutes une surdose d'amour des arbres.

Keelie avait des questions à lui poser avant que son cœur ne se dilate davantage et ne chasse maman.

— Janice, vous vous souvenez quand vous avez mentionné que votre mère était morte quand vous étiez jeune? L'avez-vous oubliée avec les années?

Les bracelets de Janice cliquetèrent comme elle tendait le bras pour toucher l'épaule de Keelie.

— Oh! ma belle. Non. Je n'ai jamais, jamais oublié ma mère. J'y pense tous les jours. Elle me manque même si j'ai quarante-cinq ans. Je serai toujours sa fille. Elle sera toujours ma mère. Personne ne pourra la remplacer. Tout comme personne ne peut remplacer ta maman. C'est le temps qui permet de guérir la douleur d'une perte, mais lorsque la douleur s'atténue, les bons souvenirs demeurent.

— Que se passera-t-il si je change? Que se passera-t-il si je deviens tellement différente de la fille que maman aimait? Elle n'aimerait peut-être pas le nouveau moi que je serai devenue?

Janice écarta une boucle du front de Keelie.

— Ta mère te reconnaîtrait si elle entrait ici maintenant. Elle t'aimerait même si tu te permets d'aimer ton père. Même avec tes nouveaux vêtements et ton allure de princesse de contes de fées de la Renaissance, elle t'aimerait.

— M'aimerait-elle même si je devais croire à la magie et voir les bonhommes de brindilles? M'aimerait-elle si je pouvais ressentir l'esprit d'un arbre? M'aimerait-elle si je voyais Knot chaussé de bottes et maniant une épée?

Janice serra Keelie dans ses bras.

— Oh! oui, elle t'aimerait. Elle t'aimerait tout simplement parce que tu es sa fille. Elle a aimé ton père et tu es une partie de ton père. Tu ne peux rien faire pour réprimer cet amour.

Ces paroles brisèrent la serrure de la boîte dans laquelle Keelie gardait sa douleur enfermée. Les mots surgirent sans interruption, comme si elle craignait de ne jamais les dire si elle s'arrêtait.

— J'ai crié après maman le matin où elle est partie. Elle ne voulait pas que je me fasse percer le nombril. Je lui ai dit que je ne l'aimais pas, qu'elle était méchante. Elle était en retard pour son vol, et elle a dit que nous en reparlerions quand elle reviendrait à la maison. Elle m'a dit qu'elle m'aimait, mais je ne lui ai pas répondu.

Janice la serra dans ses bras.

— Lâche prise, ma belle. Lâche prise. Ta mère sait que tu l'aimes. Les mères savent toujours que leurs filles les aiment, même lorsqu'elles se disputent. Comprends ceci : si ta vie devient différente de celle que ta mère voyait pour toi, c'est toujours ta vie, pas la sienne. Ne vis pas sa vie. Le cadeau qu'elle t'a offert et celui de ton père, c'est ta propre vie. Elle voudrait toujours ton bonheur.

Essuyant une larme sur ses joues, Keelie aurait espéré avoir cette conversation avec son père. Comprendrait-il ?

— Comment saviez-vous ce que je pense ?

— Je ne le savais pas. J'ai deviné. Ma mère voulait que je sois médecin à cause de toute mon expérience du cancer. Je ne voulais pas prendre la voie de la médecine occidentale. J'ai un don instinctif pour les herbes. Par conséquent, j'ai suivi mon cœur et je fais ce que ma mère voulait — mais à ma façon à moi.

— Maman était assez sévère à propos des études et de ma future carrière d'avocate.

— Peut-être trouveras-tu un moyen de conjuguer une partie des souhaits de ta maman et tes propres désirs.

Raven se passa la tête dans l'embrasure de porte.

— Prête pour les emplettes au Shimmy ? Êtes-vous en train d'avoir un échange à la Oprah ? Qu'est-ce que j'ai manqué ?

Mal à l'aise, Keelie se mit à rire, et essuya ses larmes.

— J'ai pas l'air très cool, n'est-ce pas ?

Raven sourit.

— Les vêtements *Muck n'Mire* ne sont pas cool. Tu les as largués.

— Tu devrais voir les ailes de fées que Tarl a réussi à obtenir pour sa troupe.

— Pas question, dit Raven en riant.

Elle appliqua une main sur son front.

— Allons faire nos emplettes. Je dois sortir cette image de ma tête.

— Keelie, tu peux revenir me parler n'importe quand de ta maman ou de n'importe quel sujet.

Janice lui tapota le bras.

— Je crois que j'accepterai cette offre.

Sauf que dimanche, elle serait partie...

███

Une odeur d'encens exotique flottait dans l'air autour du Shimmy Shack, et comme Raven ouvrait la porte, une vague de battements de tambour hypnotiques déferla à l'extérieur. Raven fit claquer ses doigts et rouler ses hanches, alors qu'elle entrait dans une pièce animée d'un bourdonnement de voix.

Keelie s'immobilisa net à l'entrée, frappée par les couleurs qui remplissaient la pièce. On aurait dit un arc-en-ciel, comme la cave d'Aladin, comme un autre monde.

Cette unique pièce ouverte était chauffée avec un poêle à bois, qui répandait une chaleur pénétrante et bien sèche. L'encens inondait l'air, s'élevant en minces volutes des cassolettes disséminées dans la grande pièce. Des tapis et d'énormes oreillers recouvraient le plancher, occupé par des filles qui feuilletaient des revues, se peignaient mutuelle-ment des dessins sur les mains, et en général faisaient beau-coup de bruit.

L'espace situé derrière un paravent richement peint, dans un coin, servait de salle d'essayage. Une queue poilue orange sortait par en dessous. Le chat pervers observait les gens en train de se déshabiller. Keelie se fit la réflexion de ne plus jamais s'habiller près de lui.

Les murs étaient garnis de tiges couvertes de foulards de soie aux riches coloris, rassemblés par couleur. Sur un côté du magasin, se trouvaient des jupes parsemées de miroirs et de perles, des soutiens-gorge à paillettes et des costumes à franges, tandis que l'autre côté contenait des costumes ethniques aux tons foncés. Les rouges, les bleus et les verts rehaussaient le noir. Un comptoir exposait des produits au henné pour le maquillage des visages et des mains.

Keelie examina l'ensemble des articles avec fascination.

Une grande femme aux cheveux foncés ondulés, portant un haut orné de pièces de monnaie brillantes et une jupe rouge à taille basse, avança en cliquetant vers elles, les pieds nus.

— Raven, votre voile est arrivé.

— J'espérais.

Raven suivit la femme, qui disparut derrière un comptoir de bois pour en retirer un carré plié. Keelie observa Raven qui déploya le tissu d'un mouvement vif de son poignet, puis le tint des deux mains avec le bout de ses doigts, le faisant tourbillonner gracieusement autour de son corps.

— Oh là là !

Keelie se demanda combien de temps il fallait s'exercer pour arriver à bouger avec autant de perfection.

— Keelie, voici Aviva. Elle est propriétaire de cet endroit fabuleux.

Keelie sourit en se disant qu'une poignée de main ne convenait pas à l'atmosphère de ce magasin.

Aviva lui sourit.

— Donc, vous êtes l'héritière de Heartwood. J'ai entendu de bonnes choses à votre sujet, Keliel.

— Merci.

Tout le monde connaissait-il son nom bizarre ? Aviva. Elle était celle qui avait perdu l'anneau, selon ce que lui avait rapporté Raven. Keelie extirpa le cercle d'argent du petit sac de cuir suspendu à sa taille.

— Est-ce le vôtre ?

Raven fixa l'objet, les yeux écarquillés.

— C'est ton anneau.

— Certainement que ce l'est, dit Aviva.

Elle tendit la main pour le prendre. Keelie le laissa tomber dans sa paume.

— Je l'ai trouvé dans les bois hier.

— Je ne vais jamais dans les bois.

Aviva lui jeta un coup d'œil soupçonneux.

— Vous ne sauriez pas par hasard où se trouve le MP3 de Zak?

— Aviva, ferme-la. Tu as perdu l'anneau au Shire. Keelie n'y est allée qu'une fois, la première nuit où elle est arrivée. Celui ou celle qui l'a trouvé…

— … l'a volé.

— … ou a pu l'échapper dans les bois.

Aviva détacha ses yeux du regard furieux de Raven.

— Tu as raison. Je suis désolée, Keelie. Merci d'avoir retrouvé mon anneau.

— Ouais, c'est la moindre des choses!

— Hé! arrête!

Les têtes se tournèrent au son du cri qui provenait de derrière le paravent. Knot était sorti par en dessous, un gland doré dans sa gueule. Il promena son regard fou aux alentours, puis courut vers la porte, s'y faufilant juste comme elle se fermait vivement derrière la nouvelle arrivante, une femme abasourdie qui échappa le paquet qu'elle transportait.

— Knot, reviens.

Keelie courut vers l'entrée, sautant par-dessus le paquet et écartant la femme dans sa hâte pour rattraper le chat. Elle aperçut sa queue orange qui dépassait des longues herbes de l'autre côté du chemin, comme un drapeau.

— Arrête, crétin de chat. Ce n'est pas à toi.

Elle courut à travers les herbes et s'engagea sur le chemin de l'autre côté du petit pré. Elle passa près de la charrette détruite d'ailes de fées, vidée de ses marchandises ruinées auxquelles on avait redonné une nouvelle vie, près du kiosque de tir à l'arc, de quelques stands de restauration animés du bruit des scies électriques et chargés de l'odeur du bois coupé, puis dépassa plus haut la section des enfants et l'odeur de mouton émanant du zoo d'animaux familiers. Knot bondissait vers l'avant, le gland volant derrière lui alors qu'il filait sur le chemin à toute allure.

Quel plan avait-il en tête? Tout ce qu'il voulait, c'était qu'elle le pourchasse, stupide boule poilue. À leur passage effréné, Sir Davey les regarda fixement, étonné, puis ils dépassèrent la boutique aux herbes, le vendeur de livres et enfilèrent le rang des Bois, vers la clairière.

Elle savait vers où Knot se dirigeait maintenant. Et elle fit un signe à Scott pendant qu'elle courait à travers Heartwood, essayant de barrer le chemin à Knot devant l'escalier. Mais il était trop rapide pour elle, et il était déjà rendu en haut de l'escalier extérieur et il avait disparu à travers la porte pour chats, avant qu'elle n'ait pu poser un pied sur la seconde marche.

Il avait intérêt à ce que le gland ne soit pas endommagé, car elle n'allait certainement pas payer pour le remplacer. Elle claqua la porte derrière elle et se mit à crier après le chat.

— Tu ferais mieux de laisser tomber, espèce de cleptomane! C'est la dernière fois que tu m'embarrasses!

Elle regarda sous son lit et derrière le sofa. Pas dans la salle de bain, pas dans la cuisine. Une tache humide sur le sol attira son regard. Une empreinte de pattes. Puis elle en aperçut d'autres dans la direction de la chambre de son père. Le sol mouillé l'avait trahi.

Elle écarta doucement le rideau, puis elle hurla :

— Non!

Knot était accroupi dans le tiroir ouvert, au bas de la table de nuit de son père, se préparant à commettre le pire.

Seize

— Knot, sors de là !

Keelie parlait d'un ton sévère, imitant la voix d'avocate de sa mère.

— Si tu urines dans le tiroir de papa, tu n'es pas mieux que mort. Et en plus, ce ne sera pas moi qui commettrai l'assassinat.

Il cligna dans sa direction, ses yeux verts à moitié fermés, le gland pendillant aux commissures de sa bouche comme un cigare doré affaissé.

Elle tendit le bras vers lui, et il bondit devant elle, laissant tomber le gland. Elle le ramassa du bout des doigts pour éviter de toucher la bave dont il l'avait enduit.

Le gland semblait en bon état. Elle se retourna pour fermer le tiroir au cas où Knot déciderait d'y retourner, et s'arrêta net. Un livre de photographies reposait sur le dessus d'une couverture blanche pliée. Il ne semblait pas récent, mais son odeur était familière. Tellement familière que des larmes lui vinrent aux yeux. Il exhalait l'odeur de maman.

Keelie s'assit sur le plancher, appuyant son dos sur le côté du lit de son père. Elle posa l'album sur ses genoux et tendit le bras pour prendre la couverture blanche; ce n'était pas une couverture, mais plutôt un châle finement crocheté. Elle s'y enveloppa, le remontant autour de ses épaules et sur ses joues, comme si maman la serrait de nouveau contre elle. Elle ferma les yeux et se laissa aller; elle se permit de pleurer la perte du visage qu'elle ne reverrait plus jamais.

Lorsqu'elle fut de nouveau capable de penser, elle ouvrit l'album au hasard. C'était une chronique photographique de sa vie. Elle tourna les pages, ébahie de voir les photographies. Comment papa avait-il pu toutes les obtenir? Chaque photographie était soigneusement identifiée, de l'écriture typique de sa mère. Maman avait rassemblé cet album. Maman l'avait confectionné pour lui.

Elle revint au début. La première photographie était une version très jeune de maman, avec de longs cheveux dorés tombant dans son dos. Elle portait une robe de mariage de dentelle, de style médiéval, avec une longue ceinture ornée de perles. Oh là là, il y avait une guirlande de fleurs dans les cheveux de maman! Keelie sourit. Maman serait tellement mal à l'aise d'apprendre que Keelie regardait une image d'elle remontant à l'époque de sa jeunesse.

Dans la photographie, papa était debout près d'elle, ses longs cheveux noirs retenus en une queue de cheval. Bizarre, mais il avait la même apparence qu'aujourd'hui. Il n'avait pas vieilli du tout. À la gauche de maman, il y avait grand-maman Joséphine dans un costume noir, avec sa blouse blanche bouffante habituelle, et à côté de papa, se tenait une femme avec de longs cheveux gris, argentés ondulés, qui étaient rassemblés derrière des oreilles pointues, de toute évidence. Ses cheveux étaient retenus par une mince couronne de fils d'argent. Sa magnifique robe verte en mousseline était brodée d'un design argenté en volute. Keelie regarda de plus près. Des feuilles. Quoi d'autre?

Elle examina la photographie, une tranche d'une très lointaine époque. Maman paraissait si heureuse. Ses bras et ceux de papa étaient entrelacés, et elle levait les yeux vers lui, un sourire sur son visage. Il était évident qu'elle l'adorait, du moins dans les premiers temps. Qu'est-ce qui avait changé?

Keelie caressa le papier lisse de la photographie comme si elle pouvait vraiment toucher sa mère. *Maman, pourquoi m'as-tu éloignée de lui? Pourquoi as-tu brisé notre famille?*

Elle ne le saurait jamais. Son papa avait sa version de la vérité, et maman était partie pour toujours.

Sur la deuxième photographie, maman était assise, jambes croisées sur le plancher, à côté d'un bébé à la tête couverte d'une profusion de boucles foncées. Keelie fit courir ses doigts sur les cheveux du bébé en souriant. Bon sang, même à cette époque, ses cheveux étaient tout aussi bouffants et follets que maintenant. De l'autre côté du bébé aux boucles ondulées, papa agitait un chien en peluche, essayant d'attirer son attention, un sourire niais sur son visage. Le bébé était concentré sur ses blocs, ignorant ses deux parents.

Keelie rapprocha la photographie. Ses blocs semblaient faits de bois de cerisier. Elle plaqua sa main sur son front. Le bois commençait à l'obséder. Allait-elle passer le reste de sa vie à identifier le bois partout où elle allait?

Une autre photographie montrait Keelie, un peu plus âgée, assise sur les genoux de papa, une poupée dans les mains. Keelie souriait. La poupée avait les oreilles pointues. D'où provenait-elle? Le sourire de papa était tout aussi niais que sur les autres photographies. C'était la photographie d'un homme amoureux : amoureux de sa femme, amoureux de son bébé.

Il lui vint soudainement qu'il lui arrivait parfois, lorsqu'il croyait qu'elle ne l'observait pas, d'avoir ce même sourire niais sur son visage.

Elle leva les yeux au plafond. Si maman était là-haut dans les nuages avec les autres anges, Keelie voulait qu'elle descende et lui parle. Pour répondre à ses questions. Elle ferma les yeux. Lorsqu'elle les ouvrit, elle était toujours seule dans la chambre de son père.

Elle frissonna, même si la fraîche matinée montagnarde n'était pas plus froide qu'à l'accoutumée. Le châle s'était relâché sur ses épaules pendant qu'elle regardait les photographies, et elle l'enroula plus étroitement. Peut-être n'était-ce que psychologique, mais elle se sentait plus au chaud, plus en sécurité.

Il lui restait encore quelques jours pour décider si elle appartenait au monde de papa ou si elle retournerait à celui que sa mère lui avait légué. Elle pensa à une troisième option. Papa pourrait venir en Californie. Pas Los Angeles, mais peut-être les collines boisées du nord. Ils redeviendraient peut-être une famille et Ariel pourrait vivre avec eux.

Elle était encore proche de ses amis, et de tous les souvenirs qu'elle avait gardés de sa maman et de sa grand-mère Joséphine, mais elle n'était plus certaine d'appartenir à cet endroit. À son arrivée à la foire, elle en était sûre, mais plus maintenant.

Keelie se sentit agitée à cette pensée. Peut-être qu'une promenade lui ferait du bien pour se libérer l'esprit. Elle avait des décisions à prendre à propos de sa vie. Elle voulait en savoir plus sur les coutumes des elfes. Cela avait été pour elle un grand saut de passer de la jeune étudiante d'une école privée de Californie à la réalité de sa nature partiellement humaine, de sa capacité de communiquer avec les arbres et de son combat contre les forces du mal dans la forêt. Cela lui faisait penser au scénario d'un jeu vidéo, mais c'était sa vie à elle.

Si elle devait partir avec Addie pour la Californie, Keelie savait qu'elle briserait le cœur de papa. Ils étaient devenus si proches après toutes ces années de séparation.

Mais pendant tout ce temps, n'avait-il pas laissé Keelie avec maman ? Des lettres sporadiques en provenance de festivals de la Renaissance à travers le pays, des jouets envoyés pour Noël par UPS. Ce n'était pas cela être un parent. Il n'avait pas été là dans les épreuves vraiment difficiles. Par exemple, lorsqu'elle s'était brisé une dent en faisant du patin à roulettes, ou quand le garçon pour lequel elle avait le béguin et qui l'avait invitée à une danse ne s'était jamais présenté pour la chercher. C'est maman qui était là. Elle avait compris.

Une voix lointaine dans sa tête demandait : *Et qu'en est-il du jour où tu avais vu la chose dans la forêt et que maman t'avait dit que cela n'existait pas ?* Mais elle était vraie. Et maman l'avait vue aussi. Et ce n'était pas un cheval blanc non plus, ni celui avec cette corne géante.

Keelie sentit une soudaine urgence de se retrouver à l'extérieur parmi les arbres. Elle enroula le châle encore plus serré autour de ses épaules. Se sentant très différente de la Keelie Heartwood qui avait essayé de rattraper Mme Talbot il y avait à peine une semaine, elle avança sur le palier de l'escalier extérieur.

Qu'est-ce qui l'avait changée ainsi ? Papa ? Ariel ? Certainement pas ce détestable chat. Elle avait aussi développé une obsession pour le bois et avait grand besoin de se retrouver parmi des arbres vivants. Si elle retournait à Los Angeles, elle aurait la plage, mais seulement des plantes exotiques, des palmiers et des buissons à qui parler. Elle se demanda à quoi ressemblaient leurs visages. Peut-être pourrait-elle faire pousser un jardin d'herbes pour satisfaire son besoin de verdure, ou encore acheter un jeune arbre.

Keelie remua ses pieds nus en souriant. Sir Davey avait dit que le fait de travailler dans la boue ferait dévier la magie de son cerveau directement vers son cœur. Peut-être cela produirait-il le même effet de marcher pieds nus dans la boue. Peut-être devrait-elle se rendre au pré pour parler au tremble. Elle se rappela la vibration d'énergie qui l'avait traversée quand elle avait touché Moon.

En ce moment même, Keelie avait bien besoin d'un peu de cette énergie de guérison pour elle-même.

Son téléphone sonna à l'intérieur. Elle suivit le son jusque d'où il provenait, sur le plancher, près de son lit où était son sac et sur lequel bien sûr, Knot avait perdu du poil.

— Allo? répondit-elle.

— Hé! Tous les plans sont en place pour la grande évasion!

Keelie ne voulait pas penser à la grande évasion, pas au moment où elle planifiait un grand compromis!

— Pouvons-nous nous parler demain? Papa m'appelle.

— Papa? Je pensais qu'il était le père, le lutin, le vieux, le donneur de sperme.

— Demain. Nous finaliserons les plans.

— D'accord, Keelie. Demain.

Laurie semblait fâchée contre elle.

Keelie glissa le téléphone sous son oreiller, puis s'enveloppa plus serrée dans son châle, en proie à la culpabilité. Knot était sur le lit, la regardant d'un air furieux avec ses yeux de la couleur verdâtre des gaz des marais. Il siffla.

— La ferme, vieux masochiste. Je ne paie pas pour ce gland non plus. Attends que je le dise à papa.

Zeke l'appela de l'extérieur.

La fourrure de Knot se hérissa en une crinière de lion.

— Relaxe, boule de poil. Je ne vais nulle part.

Knot siffla à nouveau, non apaisé, et recula d'un pas comme s'il se préparait à l'attaque.

— Ferme-la, chat psychotique.

Il ronronna plus fort.

— Hé! tu ne m'as pas entendu t'appeler?

Papa se tenait dans l'interstice des rideaux de sa chambre. Il riva son regard sur le châle.

— Papa, je peux t'expliquer.

— S'il te plaît, fais-le.

Son regard se déplaça vers Knot qui s'était affalé sur le lit et qui faisait semblait de dormir.

— C'est sa faute.

Keelie pointa le chat du doigt.

— Il a volé un gland au Shimmy Shack et je l'ai pourchassé pour le récupérer, et ensuite il s'est réfugié dans ta chambre et j'ai pensé qu'il allait uriner dans ton tiroir, donc je n'ai fait que protéger tes affaires.

— Je vois.

— Et lorsque Knot est parti, j'ai vu l'album de photographies et le châle. Et il sentait tellement comme maman...

La voix de Zeke s'adoucit.

— Je vois.

Il se retourna pendant une seconde, puis la regarda de nouveau. Ses yeux étaient plus brillants, comme s'il retenait ses larmes.

— Garde-le. J'allais te le donner de toute façon.

— Merci. Pourquoi m'appelais-tu?

— Tu as reçu une boîte de ma mère. Ta grand-mère. Ouvrons-la et voyons ce qu'elle t'a envoyé.

Keelie le suivit dans le salon, se rappelant les paroles que papa avait dites à Sir Davey concernant le fait que ça pouvait « être elle ». Et peu importe ce que cela signifiait, sa grand-mère ne l'accepterait pas. Elle pensa à la raillerie d'Elia sur les demi-humains et à Elianard qui l'avait traitée de métisse. Sa grand-mère leur ressemblait-elle?

— Ouvrons la boîte.

Papa coupa le papier d'emballage brun et une forte odeur de cannelle se répandit dans la pièce. Keelie eut un mouvement de recul. C'était l'odeur d'Elianard. Elle prit le papier d'emballage et le défroissa. L'adresse de l'expéditeur se lisait : «Redoutable forêt, Oregon». Habitait-elle vraiment dans un endroit appelé la Redoutable forêt?

Elle observa papa pendant qu'il ouvrait la boîte et regardait à l'intérieur.

— Oh là là! Tu veux voir ce que ta grand-mère t'a envoyé?

— Il n'y a rien là-dedans qui peut mordre? On ne sait jamais dans les parages.

— Non.

Il rit et ébouriffa ses boucles avec sa main, comme si elle était une petite fille. Elle les lissa et se pencha pour examiner la boîte.

— Papa, que dirais-tu si au lieu de vivre dans la Redoutable forêt, nous vivions dans le nord de la Californie, tu sais, où il y a les gros séquoias?

— Notre maison est la Redoutable forêt.

Il la regarda avec curiosité et ajouta :

— Pourquoi poses-tu cette question?

— Si nous habitions en Californie, je serais près de mes amis et nous pourrions encore vivre dans une forêt. Je pourrais même prendre soin d'Ariel. Nous pourrions être une famille.

— Nous sommes déjà une famille, Keelie. Et ta grand-mère vit en Oregon. À vrai dire, nous avons une famille nombreuse là-bas.

— Peut-être que c'est vrai pour toi, mais pas pour moi. Je n'ai pas reçu une seule carte d'anniversaire ni aucun appel téléphonique, ou *merde, tu es toujours vivante* de sa part depuis — hum! laisse-moi réfléchir — oh! oui, de toute ma vie.

Elle hurlait, mais ce n'était pas son intention.

Papa la regardait fixement.

— D'où sors-tu tout cela?

— Tu ne sais rien de rien. Nous ne sommes pas une famille. Maman était ma famille. Nous sommes repartis à zéro toi et moi, mais cela ne veut pas dire que tu peux me déplacer dans ton petit monde de la forêt comme un tamia ou quelque chose du genre. Je ne suis pas un arbre. Tu n'es pas *mon* berger.

— Je n'ai jamais dit cela. Je suis ton père!

Maintenant, il criait lui aussi.

— Arrête de hurler.

— Ce n'est pas moi qui ai commencé, c'est toi.

— Oh! cesse tes enfantillages. Tu ressembles vraiment à Peter Pan avec tes groupies et tes histoires d'elfes. Tous ces trucs de mueslis et de flocons d'avoine, et ces cérémonies avec les arbres. J'ai besoin de sortir d'ici. J'ai besoin de toucher un peu de béton. Je te verrai plus tard.

— Où vas-tu? Reviens ici. Nous n'avons pas terminé.

— Oh! oui, nous avons fini.

En sortant, elle claqua la porte qui ne fit que cliquer; elle l'ouvrit donc à nouveau et la fit claquer plus fort.

Comme elle se précipitait dans l'escalier, elle vit Knot dans sa fenêtre, la gueule béante comme un chat en état de choc. Et cela lui procura une sensation grisante. Elle lui tira la langue et se dirigea vers le Shire.

Elle avait besoin de compagnie humaine. S'il n'y avait pas de fête, elle en commencerait une.

Scott s'apprêtait à lui dire quelque chose, puis il se retourna et marcha dans la direction inverse. Elle jeta un coup d'œil dans le miroir sur le dessus d'une table, dans l'atelier. Barbouillée et les yeux enflés. Fabuleux. Sean tomberait à genoux en la voyant — et vomirait.

Le ciel était à nouveau tourmenté, un parfait reflet de ses sentiments. Elle avait besoin d'un peu de tonnerre, de quelques d'éclairs. En bas de la colline, elle vit le pont et ralentit, se souvenant du bonnet rouge. Peut-être ne devrait-elle pas être seule ici. Et elle aurait dû apporter sa grande cape.

Elle s'engagea sur le pont, espérant entendre la voix provenant d'en dessous, mais elle n'entendit que l'eau qui gargouillait à travers les rochers. Les herbes en contrebas étaient glissantes et boueuses jusqu'au niveau du pont, et des champignons parsemaient les berges.

Keelie frissonna. Le bonnet rouge était passé par ici, probablement après que la tempête eut gonflé le ruisseau. Où était la créature qui l'avait sauvée? Et qui était-elle?

Comme il s'agissait du chemin de la Nymphe des eaux, la conclusion logique était que c'était la nymphe elle-même.

— Allo? Nymphe? Je veux te remercier pour l'autre jour. Tu m'as sauvé la vie.

Pas de réponse.

Elle quitta le chemin et marcha en aval, regardant l'eau qui contournait les arbres penchés sur le petit cours d'eau. La rive était plus large à cet endroit, et plus bas elle pouvait voir des zones sablonneuses, de petites plages qui marquaient la limite des dépôts de sédiments.

Elle aurait aimé jouer ici lorsqu'elle était une petite fille. Au détour suivant du ruisseau, elle perçut un mouvement près de l'eau. Un gros poisson haletait, échoué sur le rivage sablonneux.

— Pauvre petite chose. Je te sauverai.

Peut-être était-il trop tard, mais elle sauta en bas, s'agrippant aux racines en chemin.

Le poisson tourna de grands yeux bruns vers elle et haleta son nom.

Keelie recula, se cognant la tête sur une racine d'arbre. Un tremble. Quelque chose glissa sur son épaule depuis les fougères suspendues au-dessus du rivage. Elle se figea sur place, espérant qu'il ne s'agissait pas d'un serpent ou d'un gros insecte. Le visage moussu qui la regardait à quelques centimètres de là semblait maintenant familier.

— Bhata.

La ramille semblait contente. Un bras ressemblant à des aiguilles de pin gratta doucement sa joue, l'autre pointant vers le poisson.

Keelie s'agenouilla près du poisson aux longs barbillons qui pendaient de chaque bord d'une large gueule sans lèvres. Il cligna des yeux vers elle et leva un minuscule bras osseux auquel était rattachée une petite main se prolongeant en trois doigts palmés.

— Keliel.

— Nymphe?

Le poisson ferma les yeux, puis les rouvrit.

— C'est toi. Es-tu blessée, nymphe? Puis-je te remettre à l'eau? Que puis-je faire pour t'aider?

En bordure de son champ de vision, elle remarqua que d'autres créatures de brindilles s'étaient rassemblées, ainsi que d'autres fées ressemblant à des insectes, celles que son papa avait désignées sous un autre nom. Les rives en étaient remplies.

Elle hésita, puis tendit une main et donna une poussée à la nymphe, grimaçant au contact de sa chair de poisson froide et moite. *Beurk!*

La nymphe poussa un cri, et les petits bras s'enroulèrent autour de son poignet, ses doigts collants cherchant à s'agripper à sa peau. Keelie était déchirée entre hurler, courir ou aider la pauvre chose.

L'empathie l'emporta. Elle regarda autour d'elle pour trouver un objet dont elle pourrait se servir comme planche, et vit le tremble au-dessus d'elle, son mince tronc s'élevant vers la voûte des arbres, ses racines partiellement exposées par l'érosion.

Keelie enleva son pendentif avec le cœur calciné et l'enveloppa autour de la nymphe. Rien ne se produisit. Les yeux fixés sur la nymphe, elle tendit le bras derrière elle et agrippa une racine épaisse.

Le monde prit une coloration verte. Dans le pré au loin, elle vit Hrok, et au-delà, sur le gros rocher, se trouvait Sir Davey, entouré d'instruments scientifiques et occupé à travailler.

Elle baissa les yeux sur la nymphe.

— Guéris.

Rien ne se produisit. Elle pensa à cette nuit dans le pré où elle avait guéri Moon. Fallait-il que ce soit un arbre spécifique ?

Hrok, aidez-moi.

Abandonnez vos défenses, Keliel qui parle aux arbres. Laissez la magie circuler à travers vous. Libérez-vous de votre peur.

Quelle peur ? La nymphe était un peu dégoûtante, mais elle n'en avait pas peur. De quoi avait-elle peur ? Du bonnet rouge ? De la colère de son père ? D'elle-même ? De ses plans ? De son avenir ? De ce qu'elle était devenue ?

Non, de ce qu'elle avait toujours été. C'était la vérité qu'elle craignait. Et qu'était cette vérité ? Qu'elle n'était pas complètement humaine. Mais que ses parents avaient tous les deux agi avec une grande humanité. Ils s'étaient aimés et avaient abandonné cet amour pour elle. Et maintenant elle projetait de quitter son père.

Elle ne pouvait retourner en Californie. Elle n'était plus du tout la même Keelie. Elle était Keliel qui parle aux arbres, la fille du berger des arbres. Elle devait découvrir quel était le sens de tout cela. Ce serait maintenant sa vie.

Un flux d'énergie verte vibra à travers la racine, brûlant ses muscles pendant qu'il se propageait à une vitesse foudroyante dans son autre bras pour redescendre et se répandre dans le corps de la nymphe. Keelie essaya de se dégager, craignant que tant d'énergie blesse le petit être, mais ce dernier la serrait solidement, décuplant ses forces, absorbant la magie comme un nageur privé d'oxygène.

Autour d'elle, le bourdonnement et le cliquettement des fées excitées remplissaient l'air. Finalement, les doigts étranges relâchèrent leur étreinte, et Keelie rompit son contact avec la racine.

La nymphe disparut, laissant le pendentif avec le cœur calciné sur le sable.

Keelie le ramassa et enleva le sable qui y avait adhéré. On ne voyait la nymphe nulle part.

— Ingrate, murmura-t-elle.

Puis les *bhata* l'attaquèrent.

Dix-sept

Keelie grimpa sur les racines, les plis de sa longue robe rassemblés sur ses bras, remerciant le tremble à mesure qu'elle avançait, le visage enfoui dans le creux de son coude pour que les *bhata* ne puissent l'égratigner ou l'attaquer aux yeux.

Lorsque ses pieds furent de nouveau sur le sol, elle courut, jupes relevées, heureuse d'avoir de larges manches empêchant les créatures de brindilles cliquetantes d'atteindre ses bras. Avant qu'elle n'arrive au chemin, un essaim d'insectes surgit du pont, et elle changea de direction pour se diriger vers le pré. Les insectes la rattrapèrent rapidement et s'agglutinèrent sur ses cheveux, s'attaquant à son cuir chevelu et lui pinçant le cou.

Leur magie faisait vibrer sa peau, et la chlorophylle qu'elle avait canalisée pour sauver la nymphe lui donnait la nausée. Elle accéléra le pas, et la nausée se transforma alors en peur au moment où elle atteignait la lisière extrême de la Redoutable. Elle avait la poitrine serrée, et avait l'impression que la forêt se renfermait sur elle.

Les *bhata* cliquetaient et cherchaient à percer à travers ses vêtements. Keelie cria et saisit l'ourlet de sa robe qu'elle remonta brusquement par-dessus sa tête. Les *bhata* qui s'y étaient agglutinés se trouvaient dans les replis de la robe abandonnée, mais d'autres prirent le relais.

— Sir Davey! cria-t-elle. À l'aide.

Il se retourna, bouche bée à la vue de ce qui la poursuivait.

— Par ici, jeune fille. Dépêchez-vous.

Se dépêcher? Était-elle en train de flâner? Elle s'empressa de parcourir les quelques derniers mètres avant de gravir le rocher, ses pieds raclant la surface pour trouver prise sur les flancs incrustés de lichen.

Sir Davey la tira vers le sommet du rocher. Les *bhata* qui la pourchassaient étaient partis, mais les insectes continuaient à voltiger autour d'eux. Davey les regarda fixement.

— Les *feithid daoine*. On ne les voit pas souvent.

— Je préférerais ne jamais les voir du tout. J'ignore ce que j'ai fait pour les faire enrager, mais ils se sont rués sur moi comme si je m'en étais prise à leur miel ou quelque chose de semblable.

— Où?

Keelie lui raconta ce qui s'était passé avec la nymphe et comment elle avait appelé Hrok et le tremble pour la sauver.

— Et la nymphe a disparu, dites-vous?

— Oui.

Le vent s'était élevé, apportant l'odeur de la pluie.

Davey le remarqua lui aussi.

— Ce rocher n'est pas l'endroit le plus sécuritaire pendant un orage électrique. Il est préférable de vous ramener à la maison.

— C'est quoi tous ces trucs?

Le roc était recouvert de boîtes, de gros blocs de cristal auxquels des fils métalliques étaient attachés, et un disque de métal tournoyait au sommet d'un poteau de bois solidement ancré dans un trou creusé dans le roc. On aurait dit une expérience scientifique réalisée à l'école primaire.

— Il y a de la mauvaise magie juste ici quelque part. C'est indéfinissable, et j'essaie de la localiser.

— De la mauvaise magie? Vous avez besoin d'équipement pour repérer la mauvaise magie? Elle m'a pourchassée tout le long depuis le petit ruisseau.

Sir Davey leva les yeux de son équipement, agitant ses sourcils à l'allure de chenilles.

— Ce n'est pas de la mauvaise magie, jeune fille. Ce sont simplement les *feithid daoine*.

— *Feta* quoi? Je ne pourrai jamais m'en souvenir. Les bonhommes de brindilles sont les *bhata*, n'est-ce pas?

— Exact.

— Ce sont eux qui ont commencé. Ils me haïssent.

— Ils essayaient probablement de vous dire quelque chose.

— Ouais, comme de me dire qu'ils me haïssent!

— Message reçu, cinq sur cinq! cria-t-elle à travers le pré.

Le disque de métal au sommet du bâton commença à tournoyer, et les cristaux se mirent à luire. Sir Davey les regarda.

— Euh!... Oh!...

— Qu'est-ce que ça veut dire?

— Ça s'en vient. Baissez-vous.

Keelie entendit le chant maniaque du bonnet rouge.

— Entendez-vous ça?

— Non, quoi?

Sir Davey était en train d'ajuster les cadrans.

— Vous feriez mieux de retourner à la maison, Keelie.

Keelie songea à son père en colère et aux choses terribles qu'elle lui avait dites. Papa ou le bonnet rouge? De toute façon, elle avait de sérieux ennuis. Elle serra fortement le cœur calciné.

L'air prit une coloration verte, mais c'était épais comme un sirop. Elle ferma les yeux, chercha à pénétrer ce sirop en esprit, et sentit la présence de Hrok tout près, mais rien d'autre. Hrok lui lança un avertissement.

Elle ouvrit les yeux et vit qu'un vent violent avait soulevé les débris de la forêt, qui restaient suspendus dans l'air. De la mousse près d'elle ouvrit la bouche pour crier. Les *bhata* étaient emportés dans un tourbillon autour du pré, telle une tornade de brindilles et de feuilles.

Un mouvement au sol attira son regard. C'était Elianard, elle aurait pu le jurer, mais il s'éloignait à vive allure à travers les arbres. Et puis un autre mouvement, plus rapide, vers elle, et cette odeur! Cannelle et champignons, deux odeurs qui la condamnaient à avoir des haut-le-cœur pour le reste de sa vie. L'horrible combinaison obstruait ses narines.

Le bonnet rouge attaqua Sir Davey et ils roulèrent tous deux du rocher pour atterrir au sol. La bouche du bonnet rouge s'ouvrit démesurément, comme celle d'un crapaud géant, mais bordée de dents cruelles. Les yeux fixés sur Keelie, riant, il commença à aspirer l'aura de Sir Davey. Des vrilles brumeuses, couleur de bronze, chatoyèrent pendant que la créature aspirait.

Keelie se glissa en bas du rocher, tout en saisissant un cristal pour asséner un coup au bonnet rouge. Mais celui-ci était devenu plus puissant après s'être repu de la force vitale de Davey. Les *bhata* tombaient du ciel autour d'elle, alors que le bonnet rouge aspirait leur énergie, créant un tourbillon de mort autour de lui.

Elle tomba, et une décharge électrique frappa le sol tout près. Ses cheveux se hérissèrent sous l'effet de l'électricité qui dansait sur sa peau. Des grains de pluie tombèrent à verse sur elle, et le tonnerre gronda, le bruit s'intensifiant jusqu'à devenir assourdissant.

Sa bouche était pleine de terre. Elle cracha, pensant à la magie de la terre, et elle sentit une brûlure sur sa poitrine. Elle leva la main pour retirer ce qui pouvait la brûler, mais ce n'était pas une braise. C'était son collier. Le cœur calciné était d'un vert luisant, et il battait au rythme de la sève de la forêt, lueur brillante de l'été.

Keelie avança en rampant et introduisit le cœur dans la bouche du bonnet rouge. Il hurla, grinça des dents et recula. Elle se traîna vers lui, entourée d'une lueur verte comme elle passait devant les *bhata* réanimés et volant dans les airs.

Elle pouvait sentir les arbres autour d'elle, une compagnie infrangible qui couvrait le pré et les collines. Tous les arbres étaient avec elle, et elle saisit Sir Davey et redirigea l'énergie qui lui restait vers la gent végétale. Peut-être mourrait-il. Peut-être était-il déjà mort.

En dessous d'elle, le sol trembla. Elle le sentit ondoyer sous ses pieds. Qu'avait-elle fait?

Le bonnet rouge claqua des dents et se mit debout, puis les yeux enflammés rivés sur ceux de Keelie, il commença à chanter. Keelie aperçut un reflet argenté entre ses dents. Le collier!

Derrière le bonnet rouge, la terre bouillonna, comme lorsque Sir Davey avait fait appel aux vers pour faire peur à Elia.

Le bouillonnement augmenta, et des racines surgirent de la terre, se tortillant dans l'air comme si quelque chose de profondément enfoui sous terre cherchait à absorber l'énergie de la tempête.

Keelie serrait Sir Davey très fort comme le bonnet rouge se rapprochait. L'une des racines cingla l'air, le faisant tomber au sol. Le cœur calciné roula hors de sa bouche, et Keelie tendit le bras pour l'attraper. Les dents irrégulières du bonnet rouge tentèrent de la mordre, tailladant sa manche et l'égratignant. Le bras brûlant à cause de la morsure de la créature, elle saisit la chaîne et la libéra. Le bonnet rouge était-il venimeux?

Il se retourna, grogna, et s'arrêta au moment où un livre extraordinaire apparaissait à la surface mouvante du sol. De la boue séchée s'effrita de la couverture qui brillait d'une lueur argentée, même dans l'obscurité de la tempête, révélant un motif d'épines cerclées de rayons. Dans sa tête, elle sentit l'énergie de son père qui se joignait aux arbres. Il canalisait encore plus d'énergie, en puisant dans le pouvoir des arbres de la montagne qui les entourait.

Le bonnet rouge hurla et fonça pour s'emparer du livre. Une autre racine le fouetta. Il la mordit, la coupant en deux morceaux.

Derrière elle, Keelie entendit un cri et se retourna pour l'avertir, croyant que son père venait d'arriver. Mais c'était Elianard, dont les yeux étaient fixés sur le livre.

Keelie serra très fort le cœur calciné. Elle n'avait aucun moyen d'atteindre le bonnet rouge avant qu'il ne se saisisse du livre.

Lance-le, Keelie. La voix de son père résonna dans sa tête.

Je ne peux pas. Sir Davey est blessé. Il est en train de mourir, papa.

Tu dois le faire. Lance le cœur. Essaie d'atteindre le livre.

Elle abandonna Sir Davey et s'efforça de se remettre sur pied, chancelante à cause de la Redoutable et de la magie noire. Elle tendit son bras droit vers l'arrière et lança le cœur calciné aussi fort qu'elle en était capable, les yeux fixés sur les brillantes épines de la couverture du livre. Le cœur vert luisant décrivit un arc au-dessus de la tête du bonnet rouge et atterrit dans la poussière près de l'objet visé, puis roula en sens inverse sur lui. La lueur argentée devint verte juste au moment où le bonnet rouge atteignait le livre et le touchait.

Un éclair en zigzag percuta la terre, aveuglant Keelie. Elle hurla de douleur et fut projetée violemment vers l'arrière par l'explosion de la décharge. Les arbres hurlèrent en même temps que leurs racines brûlaient, et Keelie atterrit durement sur le sol. Puis, tout devint noir.

Keelie se réveilla dans la pénombre. Elle ouvrit les yeux. L'obscurité était ponctuée de taches rouges. Des camions d'incendie. Une foule s'était rassemblée. Le visage de papa apparut au-dessus d'elle.

— Tu es réveillée.

Il paraissait à la fois inquiet et fou de joie. Un mélange bizarre.

— Que s'est-il passé?

Elle ne pouvait sentir de fumée, ce qui signifiait que la forêt n'était pas en feu.

— Sir Davey?

— Il a les sourcils roussis, mais il va bien.

— Le bonnet rouge?

Elle aurait aimé pouvoir formuler des phrases complètes, mais la gorge lui faisait tellement mal qu'elle pouvait à peine prononcer les mots d'une voix rauque.

— Parti. Brûlé. Tout ce qui reste, c'est un cratère avec une couverture de livre et un bonnet rouge. Nous, euh!... les avons enlevés avant que le service d'incendie n'arrive ici.

— J'ai mal à la tête.

— Tu t'es frappée assez durement. Comment va ton bras gauche?

Elle le remua.

— Douloureux. Ça va, je crois.

Son papa lui prit le bras et le souleva pour qu'elle puisse voir. De profondes cicatrices entrecroisées couvraient son avant-bras. On aurait dit une blessure guérie depuis long-temps.

— Le bonnet rouge m'a mordue. Mais c'est guéri.

Ébahie, elle regardait fixement son avant-bras.

— Ce sont les arbres qui en sont à l'origine. C'est pourquoi Sir Davey a survécu.

— Le bonnet rouge aspirait sa force vitale. Comme celle de la nymphe.

— Oui, la nymphe. Tu t'es fait pas mal d'amis, ma fille. La nymphe a appelé les *bhata* et les *feithid daoine* pour qu'ils te préviennent.

— Je croyais qu'ils étaient en train de m'attaquer.

— J'ai quelque chose pour toi.

Papa ouvrit sa main et y laissa tomber quelque chose. Quelque chose de dur et de forme arrondie.

Elle regarda dans le creux de sa main. Un petit morceau d'argent — tout ce qui restait de sa chaîne fondue — et le cœur calciné. La reine des trembles les avait tous sauvés.

Dix-huit

Debout en haut de l'escalier de Heartwood, Keelie leva les yeux vers le ciel rempli d'étoiles, pendant que les lucioles dansaient autour d'elle. Elle resserra le châle de sa maman autour de ses épaules. Les feuilles bruissantes des arbres murmuraient un chant de paix. De là-haut, un ronronnement jouait un accompagnement. Keelie leva les yeux vers la forme féline au dos arrondi qui se découpait contre le ciel.

Elle jeta un coup d'œil dans l'appartement où dormait papa sur le sofa, le visage recouvert d'un oreiller vert orné d'arbres argentés. Il avait bu plusieurs bonnes tasses d'hydromel en compagnie de Sir Davey, prétendant que cette boisson calmait ses nerfs paternels durement éprouvés. Et les pirates étaient là eux aussi et avaient bu plus que quiconque à l'Auberge du braconnier.

Une légère brise souleva ses cheveux. L'odeur des fleurs se mêla à la cannelle. Keelie regarda autour d'elle. Une odeur d'elfe. Était-ce Elia? Quelqu'un était debout sous le surplomb de l'atelier de papa; il s'avança jusqu'à ce qu'il soit sous la lueur des lumières intérieures. Sean. Il posa son doigt sur ses lèvres et l'invita à descendre d'un signe de la main. Le cœur de Keelie s'emballa. Que faisait-il ici?

Les ronflements de papa sous l'oreiller demeuraient bien audibles. Elle ne devait pas le réveiller. Il méritait son repos.

Les lucioles lui éclairèrent le chemin. Elle refréna son envie de courir dans les larges marches de bois et descendit plutôt d'un pas lent et précis. Maman lui avait conseillé de ne pas paraître trop pressée lorsqu'elle se rendait à un rendez-vous. *Laisse planer un air de mystère autour de toi*, lui avait-elle dit. Keelie se frotta les paumes contre ses jambes de pantalon, au cas où elles seraient moites.

Sean lui tendit la main, dans laquelle elle posa gracieusement la sienne, comme elle avait vu Elia le faire.

— Qu'est-ce qui vous amène ici?

Par-dessus ses jeans, il portait une chemise brodée, ce qui lui donnait un air d'elfe. Son style vestimentaire mariait le monde des humains et celui des elfes. Tout comme elle.

— Je suis venu vous voir, jolie dame.

Un frisson de joie parcourut sa colonne.

— Marchez avec moi jusqu'au cercle de joute.

Il serra sa main dans la sienne.

Y avait-il une fête à cet endroit?

— D'accord. Nous resterons sur le chemin, n'est-ce pas?

Un sourire entendu illumina son beau et mince visage.

— Bien sûr.

Pendant qu'ils marchaient, aucun d'eux ne parla, mais c'était agréable, et Keelie aimait la sensation de sa peau contre la sienne. Après un moment, le silence était en quelque sorte devenu un bruit. Elle se creusa la tête pour trouver quelque chose d'intelligent à dire. Elle voulait se montrer spirituelle, impressionner Sean par son intelligence, car, après avoir fréquenté Elia, une fille intelligente serait un changement rafraîchissant.

Keelie avait invoqué la puissance des éclairs, elle l'avait emporté sur le bonnet rouge et avait sauvé la foire, mais elle était incapable de trouver quelque chose à dire.

— Tout le monde parle de ce que vous avez fait aujourd'hui. Vous avez été très courageuse. Vous avez sauvé beaucoup de vies.

Elle sourit, en partie à cause de son compliment, en partie parce qu'il avait été le premier à parler.

— Merci.

Elle voulait qu'il l'embrasse. Elle l'aimait vraiment beaucoup, et elle n'aurait peut-être jamais une autre chance. Et puis, bien sûr, si Elia découvrait que Sean avait embrassé Keelie, la nouvelle emporterait sûrement cette râleuse de fille-elfe dans une chute en vrille vertigineuse.

Toujours le silence. Les lucioles volaient et le vent dansait à travers les arbres. Keelie pouvait sentir leur bourdonnement vert alors qu'ils se réjouissaient de la disparition de la magie noire. Elle ne pouvait les voir, mais elle savait que les *bhata* et les *feithid daoine* étaient aussi en train de célébrer dans les bois. Sa peau vibra en accord avec leur magie.

Ils passèrent devant la forge. Tout était maintenant sombre et calme, pas comme durant les week-ends où le marteau du forgeron cognait contre l'acier pour fabriquer des épées, souvenirs dispendieux destinés au *populo*.

Sean s'arrêta et se tourna vers elle. Il faisait noir, mais la faible lueur d'une lampe de sécurité en haut d'un poteau illuminait son visage.

Quelque chose de chaud et de poilu effleura la jambe de Keelie. Knot les avait suivis. Sean frotta le bout de son doigt contre sa joue. Elle se pencha vers l'avant, attendant le baiser qui suivrait certainement. Il était excitant d'être si près de lui.

Elle se rappela la soirée au Shire, quand le capitaine Randy était assis aussi près d'elle, touchant sa poitrine, et qu'elle n'avait pas souhaité l'arrêter. C'était si bon de sentir son corps pressé contre le sien, et Keelie voulait ressentir la même chose avec Sean. Et bien plus même, parce que Sean était en fait quelqu'un qu'elle aimerait bien fréquenter.

Il baissa son visage vers le sien. Il allait vraiment l'embrasser. Elle leva la tête, anticipant la sensation de ses lèvres sur les siennes.

Knot planta ses griffes sur sa jambe de pantalon, lui arrachant un cri et la faisant reculer. Une petite pointe aiguë de chat égratigna sa peau. Elle s'efforça d'ignorer la douleur. Elle voulait éterniser ce moment avec Sean. Elle remua la jambe dans une tentative de déloger le félin démoniaque. Il ne bougea pas.

— Est-ce que ça va ?

Sean paraissait inquiet.

Une chaleur était montée à ses joues, à cause de l'embarras. Elle pointa le doigt vers le sol.

— Knot.

Le chat leva des yeux furieux et brillants vers Sean.

— Tu vas devenir un manchon de poil de chat.

Knot arqua le dos et siffla, mais il s'éloigna.

Sean sourit et se pencha plus près d'elle, puis ses lèvres se pressèrent doucement contre les siennes. Un frisson courut dans son dos et son cœur battit plus vite. Lorsque Sean recula, il avait le front plissé et un sourire forcé au visage. Keelie eut l'impression que les papillons dans son estomac se transformaient en nausée. Il était déçu de son baiser. Elle avait fait quelque chose de mal.

Déconfite, Keelie recula contre la traverse de la barrière pour y trouver appui. Du chêne du Dakota du Nord.

— Ça ne va pas ?

Il souleva son genou pour montrer Knot accroché à sa jambe. La queue de Knot fouettait l'air, et il faisait un bizarre grognement de chat psychotique. Keelie le frappa à la tête.

— Descends!

Il ronronna.

— C'était le gardien de votre mère, dit Sean, comme s'il voulait expliquer son comportement bizarre. C'est vous qu'il protège maintenant.

— Quelle sorte de gardien?

Sean secoua sa jambe dans une tentative de déloger le chat complètement dingue.

— Je me souviens de l'époque où il attaquait toute personne qu'il considérait comme une menace pour elle. Il s'est plutôt assagi depuis.

— Oh là là! dit Keelie. Vous deviez avoir cinq ans lorsque maman a épousé papa. Quelle mémoire!

— Non, cela fait seulement quinze ans.

Sean lui sourit, les yeux baissés vers elle.

— J'avais soixante-dix ans, ajouta-t-il, sur un ton désinvolte.

Keelie chancela et fut heureuse d'être appuyée contre la barrière. Autrement, le choc l'aurait fait tomber par terre. Elle additionna mentalement soixante-dix et quinze, et laissa échapper la réponse.

— Vous avez quatre-vingt-cinq ans!

L'image d'un vieil homme rabougri et ridé se forma dans son cerveau.

Sean hocha la tête. Knot relâcha de lui-même la jambe du pantalon de Sean, et s'éloigna d'un pas nonchalant, la queue dressée comme un mât. Sean parut soulagé.

— Je suis l'un des plus jeunes elfes à qui l'on a permis de travailler avec les chevaux. Et je crois que lorsque je demanderai à votre père la permission de vous courtiser, il sera impressionné.

Il remarqua son expression et fronça les sourcils.

— J'ai dit quelque chose de mal?

— Non. Tout va bien.

Keelie se demanda s'il plaisantait, mais il n'était pas le type de personne à jouer de tels tours.

Un silence embarrassant était suspendu entre eux, comme un rideau invisible.

— Puis-je toujours vous courtiser?

— Je n'ai aucune idée de ce que cela signifie. Je suis si désorientée.

Elle se frotta le front de la main. Sean n'avait pas l'air d'avoir quatre-vingt-cinq ans. Il paraissait super bien et on aurait dit qu'il avait dix-neuf ans, et sa vue provoquait dans le corps de Keelie une délicieuse sensation de fourmillement, mais ce nombre de quatre-vingt-cinq lui traversait l'esprit de façon intermittente. Elle imagina des mains ridées couvertes de taches brunes, des cheveux clairsemés, une démarche hésitante. Sean n'avait rien de tout cela. Qu'est-ce que cela laissait entendre à propos de son propre processus de vieillissement? Elle était une métisse, moitié humaine, moitié elfe. Vivrait-elle la moitié d'une vie d'elfe? Une vie humaine normale? Est-ce que quelqu'un était au courant?

Papa aurait à répondre à beaucoup de questions.

— Sean, pourriez-vous me reconduire à Heartwood? Je dois parler à mon père.

— Votre père ne vous l'a pas dit.

Ce n'était pas une question. Les yeux de Sean s'écarquillèrent comme il lisait la réponse sur son visage.

— Je crois qu'il a une longue nuit devant lui.

Ils reprirent le chemin en sens inverse et les doigts de Sean touchèrent sa main, comme s'il demandait la permission d'aller plus loin. Elle permit à ses doigts de s'enrouler autour des siens, puis elle lui pressa légèrement la main.

Une curieuse pensée surgit dans l'esprit de Keelie, et elle sentit qu'elle devait la poser.

— Sean, si vous avez quatre-vingt-cinq ans, quel âge a Elia ?

Il fit un large sourire comme s'il s'attendait à la question.

— Elle n'a que soixante ans. Mais faites attention à elle. Je crois qu'elle projette de vous faire du tort. Elle n'apprécie pas beaucoup le fait que certains des elfes vous témoignent maintenant un grand respect.

— Qu'est-ce que cela veut dire ?

Il soupira.

— Il y en a qui considèrent que vous êtes une abomination à cause de votre sang humain, mais d'autres ont changé d'avis.

— Comme c'est généreux de leur part, dit Keelie, stupéfaite.

Une abomination ? Elle détestait de plus en plus la famille du côté de son père. Il n'était pas étonnant que maman se soit enfuie à toutes jambes de la forêt. De sa main libre, Keelie resserra le châle autour d'elle.

Pendant que Sean et Keelie marchaient en se tenant la main, le seul bruit aux alentours était le crissement de leurs pieds sur le sable graveleux. Des lucioles dansaient autour d'eux, et Keelie se demandait maintenant si c'était vraiment des insectes.

La révélation de Sean sur son âge ne l'avait pas autant dérangée que la pensée que les elfes ne l'aimaient pas, et tout cela à cause de son héritage. Elle voulait retrouver son calme et apprécier le moment avec Sean. Il lui avait été assez difficile d'accepter le fait qu'il était un elfe, et elle supposa que la question de l'âge faisait partie du lot. Elle se demanda quelles autres surprises l'attendaient. Par exemple, si Sean avait quatre-vingt-cinq ans, quel âge avait son père ?

Si c'était la nouvelle réalité de Keelie, elle voulait connaître tous les faits. Le pouvoir de parler aux arbres — d'accord. Être le point de mire de gnomes mesquins à bonnet rouge — d'accord. Pas tout à fait humaine — d'accord. Qu'est-ce qu'on ne lui avait pas dit ? À l'école, on lui avait appris que le pouvoir résidait dans l'information, et maintenant elle avait besoin d'être informée.

Ils s'arrêtèrent en bas de l'escalier, et Knot courut entre eux. Il s'interrompit à mi-chemin dans l'escalier, sa queue cinglant l'air, comme pour leur dire de se dépêcher. Fantastique, elle était en train d'apprendre le langage de la queue du chat.

Elle était toute petite à côté de Sean. Elle se demanda s'il allait l'embrasser de nouveau et monta la première marche pour lui faciliter les choses. Juste au cas. Jusqu'ici, cela avait peut-être été la meilleure soirée de sa vie. Elle avait hâte de tout raconter à Laurie. Tout, sauf la partie liée aux elfes.

Sean lui tint le menton légèrement avec ses doigts pour qu'elle ne détourne pas les yeux.

— Lorsque nous nous sommes rencontrés pour la première fois, j'ai essayé de me convaincre que les sentiments que j'éprouvais pour vous étaient fraternels, mais c'était faux. Ça fait un bon moment que ce n'est plus le cas. Je veux être plus qu'un frère pour vous.

Elle frissonna, se demandant pourquoi Knot grognait de façon menaçante.

— Knot, ferme-la !

Le chat rompait le charme du moment. Elle saisit la rampe, cherchant de l'assurance dans le bois familier.

Sean posa sa main sur les siennes.

— Après ce soir, je vous surveillerai de près aussi. Quand la foire se terminera, nos chemins divergeront, mais nous nous rencontrerons à nouveau dans la Redoutable forêt. Je penserai à vous, Keliel Heartwood. Avec un peu de chance, vous me permettrez de vous voler d'autres baisers avant la clôture de la foire.

Knot siffla.

Keelie mit une main derrière son dos, qu'elle referma en un poing et qu'elle agita vers lui.

— Vous n'aurez pas à les voler. Ils sont à vous, Sean.

Elle retira sa main de la sienne et la posa sur sa poitrine, se penchant pour l'embrasser.

Sean entoura Keelie de ses bras, et elle ferma les yeux, sentant la douce chaleur de ses lèvres sur les siennes, la force de ses bras autour d'elle. Elle n'avait aucune expérience, mais elle était certaine que lui en avait. Une expérience de quatre-vingt-cinq années. La pensée dut la faire reculer, car il l'embrassa sur la joue.

— Bonne nuit, Keelie.

Elle ouvrit les yeux pour voir Sean qui s'éloignait dans l'obscurité. Quatre-vingt-cinq ans. Dans quoi s'embarquait-elle?

Une tache orange le suivait. Les choses ne seraient plus aussi redoutables dans la Redoutable forêt. Elle n'avait qu'à faire fi de cette question de l'âge.

En haut, Keelie souleva l'oreiller vert sur le visage de son père et le plaqua contre ses jambes. Il se redressa brusquement.

— Quoi? Keelie, est-ce que tu vas bien?

Elle posa les mains sur ses hanches.

— Il faut que nous parlions. Maintenant!

Keelie aimait sa nouvelle apparence. Le miroir lui renvoyait le reflet d'une brunette aux cheveux bouclés et à l'allure branchée. Sans doute que maman aurait aimé la façon dont Keelie avait apporté une touche contemporaine au style médiéval.

Sa nouvelle paire de bottes cool avait appartenu à sa mère; papa les avait conservées pendant toutes ces années. Elles lui faisaient parfaitement.

Elle songea qu'elle paraissait bien sauf en ce qui concernait la boue sous ses ongles. Elle pouvait presque entendre la voix de maman.

— *Keelie, à quoi penses-tu ? Tu as besoin d'une bonne manucure.*

Keelie posa une main sur son cœur.

— *Tu es ici maman ; je t'aimerai toujours.*

Keelie et papa avaient parlé pendant des heures. Il avait répondu à certaines de ses questions, même si elle était toujours perplexe.

— Keelie, attends.

Raven jogga vers elle, vêtue elle aussi de quelques-uns de ses nouveaux vêtements.

— J'ai entendu dire que tu étais sortie avec Sean hier soir. Elia est si en colère qu'elle est incapable de le supporter.

— Ouais !?

Keelie ressentit un mélange de peur et de joie. Elle était effrayée de ce que pouvait faire Elia, mais c'était fantastique d'apprendre qu'elle souffrait. Elle essaya d'éveiller un soupçon de pitié pour la fille, mais rien ne vint.

Keelie était reconnaissante que Raven n'ait pas mentionné son départ abrupt de la boutique de danse du ventre.

— Donc, elle est vraiment fâchée ?

— C'est certain. Jusqu'ici, aujourd'hui, elle a tiré les cheveux de sa meilleure amie, giflé l'un des membres de la cour royale et piqué une crise en face de la Charmille de roses.

Raven riait.

— Tout le monde en tire un malin plaisir. Nous ne l'avions jamais vue aussi fâchée auparavant.

— Je me demande comment elle a pu le découvrir.

Soit qu'elle avait un espion dans les bois ou que Sean le lui avait dit. Ou Elia elle-même les avait suivis. La dernière supposition n'était pas très vraisemblable.

Elle pensa à Elia qui avait soixante ans. Elle ignorait ce qu'Elia savait exactement, mais elle était pas mal sûre que certains aspects de la vie des elfes, comme peut-être la vérité concernant leur véritable identité, n'étaient pas connus des humains. Zeke lui avait dit qu'elle vieillirait passablement plus lentement que la plupart des humains, mais qu'elle ne vivrait pas cinq cents ans, comme sa grand-mère.

Son père n'avait certainement pas l'air âgé de trois cent vingt-sept ans. Il paraissait bien. Et papa avait dit que l'aspect avantageux était que le vieillissement de Keelie n'entraînerait pas l'apparition de rides. Donc elle n'aurait jamais un visage refait au Botox.

Raven se dirigea vers la boutique de sa maman, et Keelie se rendit aux enclos, pensant toujours aux elfes. Maintenant que leurs problèmes étaient résolus, les arbres ne parlaient plus. Peut-être savaient-ils ce qu'elle pouvait faire pour aider Ariel. Peut-être que le chêne dans le pré l'en informerait, même si l'idée de retourner à cet endroit ne l'excitait pas.

Aux enclos, Keelie glissa sa main dans le gantelet de cuir et ouvrit la cage d'Ariel. Celle-ci poussa un cri et battit des ailes. Keelie ne pouvait pas accepter que la liberté lui soit à jamais inaccessible. S'il n'existait pas de moyen médical pour la guérir, peut-être qu'une certaine forme de magie le pourrait.

Ariel bondit sur le poignet de Keelie.

Cameron surgit de derrière les cages.

— Hé! Je suis simplement en train de nettoyer les cages.

Elle sourit lorsqu'elle vit le faucon sur le poignet de Keelie.

— Tu fais des merveilles avec elle. Elle sait quand tu arrives.

Ariel frotta sa tête duveteuse contre la joue de Keelie. Son œil doré brilla et sa tête tangua, comme si elle sentait quelque chose de différent au sujet de sa meilleure amie humaine. Keelie aurait aussi aimé pouvoir parler aux faucons.

Cameron continua son bavardage.

— Et qui aurait pu croire que Sir Davey et Louie se seraient liés comme ils l'ont fait.

— Je rendrai visite à Sir Davey. Je vérifierai aussi l'état de Louie, dit Keelie.

— Merci.

À l'extérieur des enclos, Keelie libéra Ariel, qui s'envola vers les trembles près de la boutique de la Horde du dragon. Son aile droite frappa un arbre et elle plongea vers le sol, pour ensuite rétablir son équilibre et s'envoler de nouveau afin de se poser sur une branche.

Des bras pressèrent ses épaules. Keelie ne se retourna pas. Ses yeux remplis de larmes étaient fixés sur le faucon.

— Nous devrons bientôt prendre une décision, Keelie. Est-ce juste de la garder dans une cage pour le reste de sa vie?

Keelie ne voulait pas entendre les paroles empathiques de Cameron.

— Il doit y avoir une façon de l'aider.

Elle ferma les yeux et contacta les arbres.

— Surveillez-la.

En réponse, les feuilles des arbres frémirent.

Ariel la suivit, volant d'arbre en arbre jusqu'à ce qu'elle atteigne la Horde du dragon.

— Ne t'éloigne pas trop, la prévint-elle.

Des cristaux brillaient dans les fenêtres de la boutique. Elle flaira l'air. Du café. Sir Davey avait préparé son mélange qui chassait les maux de tête. Elle entendit une plainte de l'arrière de la boutique et s'empressa de se rendre à l'endroit d'où provenait le bruit.

Sir Davey était assis sur son petit sofa, un énorme morceau d'hématite pressé sur son front. Louie était perché sur le bout du sofa, ses yeux perlés fixés sur Sir Davey.

Il ouvrit les yeux.

— Je suis en train de mourir, jeune fille. Ma tête ne cesse de me marteler, et chaque fois que je lève les yeux, je vois l'ange de la mort qui rôde au-dessus de moi. Il attend que je meure.

— Il faut que vous vous leviez et que vous bougiez, dit Keelie. Activez votre circulation sanguine. Cela a fonctionné pour moi.

Sir Davey gémit.

— Vous avez été touchée par la magie. Je suis l'artisan de mon état.

Elle se rendit à la cuisine. Elle versa du café, épais et fort, dans une tasse de terre cuite et la lui apporta.

Louis étendit ses ailes alors que Sir Davey s'assoyait et l'acceptait.

— La pièce n'arrête pas de tourner.

— Buvez votre café. Cela aidera. Faites-moi confiance, je le sais.

— Je suppose que vous le savez, jeune fille. Pas d'effets secondaires de la dernière nuit?

— Non. Je vais très bien.

— Vous paraissez différente. Je crois que ce sont vos yeux. Ils semblent davantage ceux d'elfes que d'êtres humains. Comme si vous saviez des choses que les autres ignorent.

— J'ai eu une longue conversation avec mon papa. Au fait, quel âge avez-vous?

Sir Davey fit un petit rire au-dessus de sa tasse de café juste au moment où il allait prendre une gorgée. Il grimaça en l'avalant.

— Aïe, vous êtes maintenant au courant de l'histoire de l'âge?

— Oui. Donc, quel âge avez-vous?

— Assez âgé pour faire preuve de prévoyance et assez jeune pour me montrer audacieux.

Il plaça un doigt en l'air comme s'il testait le vent.

— Vous ne me le direz pas.

— Non. Je dois conserver certains secrets. Me garder un air de mystère. Les dames aiment cela.

Il remua de haut en bas ses sourcils gris acier en forme de chenilles, puis il grimaça de nouveau.

Keelie se leva.

— Vous n'êtes pas encore tiré d'affaire, mais dormez un peu.

Louie se réinstalla sur le bout du sofa. Sir Davey ferma les yeux et tira la couverture jusqu'à son menton.

— Vous avez bien fait les choses, Keelie.

Elle ferma la lumière.

— Je sais.

À l'extérieur, le soleil du début de l'après-midi était brillant, et l'air était vif et pur. Elle leva son visage, permettant à la chaleur apaisante de l'envelopper. C'était le même réconfort qu'apportait un bain chaud, contrairement à la sensation des lèvres de Sean sur les siennes.

Sean lui avait dit qu'il voulait plus que de l'amitié, et elle était aussi prête à explorer cette avenue, peu importe l'âge de Sean.

Keelie monta le chemin de la Quincaillerie jusqu'à la boutique aux herbes, où elle remarqua que la toile bleue avait été remplacée par une toute nouvelle porte. Une odeur de lavande se dégageait de la boutique.

Aviva marchait autour du bâtiment. Elle rougit lorsqu'elle vit Keelie et s'empressa de la dépasser. On fait preuve de gentillesse, pensa Keelie, et certaines personnes répondent avec mesquinerie.

Elle frappa à la porte avant.

— Les filles, votre commerce est déjà ouvert ?

Raven ouvrit la porte. Elle n'était pas verrouillée.

— Comment va Sir Davey ?

— Il a la gueule de bois. Il survivra. Tu veux venir avec moi à Heartwood ?

— Impossible. Nous avons encore du nettoyage à faire. Et maman continue à faire brûler des bougies. La boutique va bientôt violer les lois antifumée. Je me propose d'aller au Shimmy Shack plus tard si tu veux m'accompagner.

Keelie fouilla dans sa poche et tira un billet de cinq dollars.

— Veux-tu payer pour le gland de Knot ? Je me sens vraiment mal à ce sujet. Et j'espère qu'Aviva ne croit pas que j'ai pris son anneau. Je viens tout juste de la voir, et elle ne paraît pas exactement amicale.

Raven agita la main.

— Oublie-la. J'étais tellement fâchée contre elle, et je lui ai laissé savoir en termes clairs que ce n'est pas une façon de traiter une très bonne amie à moi. À part cela, tu lui as rendu l'anneau. Sur quelle planète vit-elle ?

— Elle pourrait être comme Elia, une fille-el...

— Une fille-elfe comme Elia ? Non. Aviva a trop fumé et fait la fête au Shire, et je sais tout sur les histoires d'elfes, ma belle.

Keelie sourit.

— Raven, tu sais tout.

— Attends. J'ai quelque chose pour toi.

Raven courut à l'arrière de la boutique et en revint avec une petite boîte.

— Ouvre-la.

— Qu'est-ce que c'est ?

— C'est un présent, idiote.

Keelie retira le couvercle et sortit une chaîne de glands dorés. Elle rit.

— Merci beaucoup.

Raven haussa les épaules.

— Il ne m'a pas semblé juste que Knot en ait une, particulièrement après que tu l'aies pourchassé. J'ai imaginé que tu voulais vraiment ce gland.

— Knot aussi.

Keelie essaya de garder son sérieux.

Raven lui donna une tape sur le bras.

— Arrête ça ou je devrai te tuer. Hé! il y a une vraie grosse fête au Shire ce soir. On dit que les pirates ont installé leur propre tente pour fêter le capitaine Dandy Randy. Il semble que notre Don Satterfield ait vendu à l'une des grosses compagnies un jeu informatique qu'il a créé.

— Donc, tout le temps qu'il a passé dans le sous-sol de sa mère à s'amuser à des jeux vidéo a fini par être payant? Tant mieux pour lui.

— Tu veux y aller? Je serai ton garde de sécurité personnel si tu y vas. Les pirates ne te feront pas de problèmes. Si tu le désires, bien sûr.

— J'adorerais y aller. Je savais qu'il y avait plus chez le capitaine Donald que son joli popotin.

Raven roula ses yeux.

— Lorsque nous irons à la foire de New York, je te ferai faire un tour. Ils savent vraiment comment faire une fête à *Rivendell*.

— *Rivendell*? Est-ce le nom de la ville?

— Ça vient du *Seigneur des anneaux*, fille de Californie.

Tout semblait venir du *Seigneur des anneaux*. Elle devrait lire ce livre.

— Je te vois ce soir autour de vingt et une heures.

— J'y serai.

Ariel effleura la tête de Keelie pendant qu'elle marchait sur le chemin du Roi. La boutique de vitrail était fermée et Ariel atterrit dans les cèdres entre la boutique et la barrière avant. Les poils à l'arrière du cou de Keelie se hérissèrent. Elle regarda autour d'elle, mais ne vit rien d'inhabituel. Elle avait eu la même sensation en présence du bonnet rouge, mais il était parti de manière définitive.

Ariel se percha sur une branche d'un grand cèdre et la surveilla.

Keelie fixa les téléphones publics. Il fallait qu'elle le fasse. Laurie devrait savoir que la grande évasion était chose du passé. Il n'y aurait pas de retour en Californie pour Keelie maintenant. Sa vie était avec papa et Ariel. Elle n'était plus la même personne qui avait franchi les portes, même si la fille de maman était encore là, à l'intérieur d'elle-même.

Keelie tira quelques pièces de vingt-cinq cents de sa bourse et les laissa tomber dans la fente à pièces de monnaie. Elle composa le numéro de Laurie.

— Allo?

La voix de son amie semblait si normale et ramenait des souvenirs de ce que la normalité avait été pour elle en Californie.

— Laurie, c'est moi, Keelie.

Keelie dut éloigner le téléphone de son oreille pour se protéger l'ouïe du hurlement strident de Laurie.

— Oh! mon Dieu! Je pensais que tu n'allais jamais rappeler. Je veux dire que j'ai essayé de te téléphoner depuis des lunes et des lunes.

— De quoi parles-tu? Je t'ai parlé à plusieurs reprises à propos de la grande évasion. Tu dois rappeler ta cousine Addie et lui dire que c'est annulé pour dimanche.

— Quelle cousine Addie? De quoi parles-tu? Je ne t'ai pas parlé depuis que tu m'as appelée ce soir-là d'un certain téléphone public. Je veux dire, c'est si désespérant. Appeler à frais virés dans un téléphone public.

Les poils dans le cou de Kellie étaient dressés. Elle ressentit un soupçon de la magie noire qu'elle avait expérimentée avec le bonnet rouge.

— Hé! Keelie, es-tu là? demanda la voix de Laurie, mais elle semblait lointaine.

Elia était debout sous les cèdres. Elle mit son pouce et son index contre son oreille et imita un appel téléphonique, puis lui fit un large sourire.

Keelie avala sa salive. Elle avait été bernée. La fille-elfe avait de sérieux ennuis.

— Laurie, je te rappellerai plus tard. Je dois partir.

— D'accord, mais rappelle-moi vraiment bientôt. Je veux te parler du nouveau petit ami de Constance, et de la blouse vraiment cool qu'elle a achetée à La Jolie rouge. Ça me fait craquer!

— Salut, Laurie.

Keelie raccrocha et le récepteur fit un petit bruit sourd lorsqu'elle le remit en place.

Un battement d'ailes avertit Keelie, qui eut juste le temps d'allonger brusquement son bras couvert de cuir dans l'air. Ariel atterrit sur son poignet.

L'énergie verte des arbres fit courir des fourmillements sur la peau de Keelie. *Fais attention.*

Elia se tenait beaucoup plus près, ses yeux petits et plissés, regardant fixement Keelie et Ariel. Comment avait-elle pu faire cela? Keelie ne l'avait pas vu bouger.

— Tu aurais dû partir lorsque tu en as eu la chance, dit Elia.

Keelie rapprocha Ariel plus près. Paraissant inquiet, le faucon changea de position. Elle caressa le dos doux et duveteux de l'oiseau pour le réconforter.

— Je ne pars pas, Elia. Je suis à ma place avec mon père.

— Tu es une erreur. Demi-humaine. Comme ton stupide oiseau. Nous, les elfes, savons quoi faire des erreurs. Nous les réparons.

L'air autour d'elles frémit. Keelie frissonna. C'était une sensation associée à la magie, mais pas la chaude magie des arbres. C'était plutôt comme des ongles qui égratignaient l'intérieur de sa peau.

Ariel poussa un cri et essaya de battre des ailes, puis tomba de côté. Keelie la rattrapa et la ramena contre elle. Le faucon reposait mollement dans ses bras.

— Que lui as-tu fait ? demanda Keelie, effrayée.

— Elle n'est pas morte. Je lui ai jeté un sort, c'est tout.

— De quel sort parles-tu ? Neutralise-le.

— Force-moi à le faire, si tu le peux.

Elia recula en souriant.

— C'est vrai, tu ne le peux pas — humaine. Maintenant ceci prouvera à tous que tu n'es pas si spéciale. Tu es une bâtarde de métisse.

Soudainement, Ariel se réveilla, sa tête piquant à répétition devant elle. Son bec égratigna Keelie, qui se mit à saigner.

Keelie poussa un grand cri, mais pas à cause de la douleur. Comme le faucon tournait la tête, elle avait remarqué la raison de sa détresse. Les deux yeux de l'oiseau étaient maintenant d'un blanc laiteux. Elle était complètement aveugle.

Elia hurla lorsqu'une balle pelucheuse orange miaula, puis bondit du toit à pignon de la boutique de vitrail sur ses boucles dorées ; on aurait dit que Knot avait fondu sur sa tête. Elle courait sur le chemin du Roi, hurlant et cherchant à frapper Knot qui s'accrochait à sa tête comme s'il était un cavalier sur un cheval demi-sauvage de rodéo.

■ ■ ■

Keelie observait Janice qui enlevait le cataplasme de l'œil d'Ariel. Après vingt-quatre heures de soins attentifs de la part de Janice, de Cameron et de Sir Davey, le faucon était toujours aveugle.

Raven était revenue sporadiquement aux côtés de Keelie, l'encourageant à se rendre à la fête des pirates. Mais Keelie était demeurée avec Ariel. Elia allait payer pour ce qu'elle avait fait.

— Ma chérie, nous avons tout essayé, dit Janice. J'ai fabriqué toutes les recettes que je connais pour soigner les blessures à l'œil.

— J'ai utilisé tous les charmes magiques que je connais, jeune fille, dit Sir Davey d'une voix solennelle, mais je ne peux briser un sort d'elfe.

Elle souleva le faucon pour le mettre sur son avant-bras couvert de cuir. Keelie s'appuya sur la clôture de bois de l'enclos. Elle ramena Ariel près de son visage, et le faucon frotta sa tête contre la joue de Keelie. La douceur duveteuse lui rappela les baisers de bonne nuit de maman. La seule chose qui pouvait calmer Ariel, c'était de se trouver près de Keelie ; elle avait même cessé de manger.

Janice sembla sur le point d'ajouter quelque chose, mais elle se ravisa. Keelie leva les yeux. Cameron s'avançait vers elle, accompagnée de son papa. La gorge de Keelie se serra.

Cameron porta son regard sur elle, puis sur Ariel.

— Keelie, il faut que nous parlions.

Keelie ne pouvait répondre. Son cœur battait plus vite. Elle savait où tout cela la conduirait.

Ariel ouvrit ses ailes, et Keelie s'obligea à détendre ses poings serrés.

Zeke tendit le bras pour prendre la main libre de Keelie.

— Papa. C'est Elia qui a fait cela.

— Je sais, dit papa en baissant la voix, et elle devra répondre de ses actes devant le conseil des elfes. Elianard les a rassurés en leur disant qu'il verrait à punir Elia.

Keelie eut envie de vomir.

— Elianard ne va pas la punir. Je crois que je l'ai vu se précipiter sur le bonnet rouge pour s'emparer de ce livre, et lorsque Elia m'a attaquée, j'ai senti un soupçon de magie noire.

— Ce sont toutes de bonnes raisons pour patienter, dit papa. Je crois que la source de tout ceci est au-delà d'Elianard, et pour une raison que j'ignore, ton destin y est rattaché. Nous devons faire attention. Tu dois me promettre que tu ne t'approcheras pas d'Elia pour la confronter à propos d'Ariel. Ce n'est pas la façon de faire des elfes. Le conseil reprendra les discussions à New York. Elianard et Elia seront aussi présents. Lorsque nous irons à New York, nous apporterons Ariel avec nous et nous prendrons soin d'elle. Je te promets que je ferai tout ce que je peux pour trouver un remède afin de redonner la vue au faucon. Il existe des textes anciens dans la Redoutable forêt qui peuvent nous fournir la réponse.

Keelie soupira.

Papa, je me tiendrai loin d'Elia, mais si elle s'approche d'Ariel à New York, alors j'utiliserai toute la magie que je peux exercer pour la protéger. C'est la façon de faire des humains.

Épilogue

Où étaient donc ses bagages? Keelie était debout devant le Miss Chalet suisse. Elle avait accepté le fait que papa soit un elfe doté de pouvoirs magiques et qu'elle-même soit à demi elfe, mais la chic fille californienne en elle abominait la maison de bois décorée de fioritures, à l'arrière de la camionnette rouillée.

Des trucs débordaient de chaque fenêtre et son père grommelait ce qui devait être quelques jurons d'elfe assez affreux alors qu'il s'efforçait de tout ranger.

— Tu devras te procurer une plus grosse fourgonnette, lui cria-t-elle.

Il se pencha par une fenêtre et baissa les yeux vers elle.

— Il est possible de l'agrandir. J'ai simplement à ajouter plus d'espace au-dessus de la cabine.

— Papa. Non. Ça va ressembler à un truc tiré des *Contes de ma mère l'Oye*. Tu sais, la maison croche sur le chemin tortueux ? Sauf que celle-ci sera la maison croche sur roues.

— Je crois que tu devras partager la couchette de Knot.

Elle pensa à son lit de chat décoré de rennes, doublé de laine polaire. Où était donc ce chat ?

Un klaxon retentit, et une camionnette bondée de pirates tous costumés apparut sur le chemin, traînant un panache de poussière. Le camion s'arrêta devant Keelie. Tous les pirates à l'arrière du camion levèrent leurs chopes de bière et saluèrent à l'unisson.

Le capitaine Dandy Randy était au volant. Il la regarda fixement, une lueur vive dans les yeux, puis lui envoya des baisers langoureux. Keelie posa les mains sur ses hanches et lui répondit en lui présentant des lèvres pulpeuses. Elle pouvait jouer le rôle d'une jeune femme de pirate. Il posa son chapeau de pirate sur le dessus de sa tête et ouvrit la porte du camion. Ses pieds bottés crissèrent sur le gravier du parc de stationnement.

Il avança vers Keelie d'un air fanfaron. À l'arrière de la camionnette, les autres pirates poussaient des cris, beuglaient et levaient leurs chopes de bière. Plusieurs fougueux «Salut, les mariniers!» retentirent.

Le capitaine Dandy Randy lui fit un clin d'œil.

— Je vous ramène un frère pirate, comme vous vous apprêtez à prendre la mer.

Il ouvrit la porte du passager. Une boule poilue orange à quatre pattes en sortit. Elle portait un bandeau rouge attaché autour des oreilles et ronronna en passant devant Keelie. Sa queue était droite comme un mât.

— Knot? demanda Keelie.

Le capitaine Dandy Randy hocha la tête.

— Un vrai pirate dans l'âme. Il a bu plusieurs chopes d'hydromel avec moi et l'équipe. Il nous manquera. Nous sommes ici pour vous le remettre.

Knot bondit dans la cabine de la camionnette de papa. Keelie pivota.

— Hé! je voyage sur le siège du passager, boule de poil.

Elle se retourna et sourit au capitaine Randy.

— Félicitations pour votre programme informatique.

— Merci.

Elle vit un jeune homme timide sous le personnage du pirate.

Il leva la tête et lui sourit.

— Allez-vous à New York?

Il hocha la tête.

— Peut-être. Dame Raven travaillera à la commercialisation de mon nouveau programme.

Keelie sourit.

— Cool. Bien, si je ne vous vois pas à New York, je suppose qu'on se verra l'an prochain.

Il salua et se retourna, puis il s'arrêta et jeta un coup d'œil à Keelie de ses yeux vifs de pirate.

— Que diable, dit-il.

Il s'avança vers Keelie, mit ses bras autour d'elle, la renversa vers l'arrière et lui planta un baiser sur les lèvres — un profond baiser avec la langue qui tournoyait et tout. D'autres cris et sifflements jaillirent de la bouche de ses compagnons les pirates.

Il la redressa. Elle demeura immobile, stupéfaite.

— Souvenez-vous de moi, jeune fille.

Et il retourna au camion en plastronnant. Tous les pirates l'applaudirent. Le capitaine Randy fit démarrer son camion et partit dans un nuage de poussière.

— Dingue, dit Keelie.

Papa était à ses côtés.

— Qu'est-ce qui s'est passé?

Elle haussa les épaules.

— Les pirates. On ne sait jamais à quoi s'attendre de leur part.

Elle s'éloigna sans se presser, en fredonnant.

— Oh! oh! oh!

— Bien, reste loin d'eux, lui cria papa.

Dans la cabine de la camionnette, Knot était assis sur le siège du passager près de la fenêtre, comme s'il était prêt à voyager jusqu'à New York. Le foulard pour chat était disparu.

Keelie marcha vers lui.

— Prends la place qui te revient dans la nouvelle chaîne alimentaire, chaton. Je ferai le trajet près de la fenêtre. Sinon, j'aurai le mal de la route, et je peux vomir partout sur ta fourrure.

Le chat se coucha sur le siège, glissa ses pattes avant sous lui et se mit à ronronner. Cela ressemblait à du défi.

Une camionnette de California Airlines roula vers eux et s'arrêta brusquement. Keelie sentit un frisson de jouissance anticipée parcourir sa colonne. Ses bagages. Ce devait être eux. Elle voulut sauter de joie, mais elle s'appuya plutôt contre la cabine de la camionnette. Impossible de prévoir quand Sean risquait d'apparaître.

Le livreur sortit d'un bond, et en voyant sa bouche ouverte, Keelie sut qu'il n'avait jamais vu quelque chose qui ressemblait à la cabine habitable.

Il la regarda, puis examina à nouveau la maison à l'arrière de la camionnette de papa.

— On dirait un chalet sur roues.

— Je sais, dit Keelie. Allez-y et faites des tyroliennes si vous en avez envie.

Si Raven avait été ici, elles auraient entonné une chanson tirée de *La mélodie du bonheur*[1], la comédie musicale qu'elle et Laurie avaient interprétée avec la troupe de théâtre l'année passée.

— J'ai une livraison pour Keelie Heartwood.

— C'est moi, dit Keelie.

---

1. NdT : Film musical américain des années quarante.

Elle aurait voulu crier « Ouais ! » et brandir son poing en signe de victoire. Ses bagages étaient là.

Son papa sortit la tête par la fenêtre.

— Est-ce bien ce que je crois ?

Le livreur déchargea plusieurs grandes boîtes avec des autocollants de différents ports d'escale, puis lui demanda de signer sur l'écran sensitif de son terminal portable.

Keelie signa, mais ses yeux étaient fixés sur son père, qui passait en revue le nombre et la taille des boîtes. Son visage pâlit et prit une teinte terreuse. Ah ! Il pourrait être obligé d'échanger sa maison sur roues pour une autocaravane. Elle en imagina une comme celle dans laquelle voyageaient les étoiles du rock, comprenant une douche et une télévision. Elle se demanda si c'était difficile à conduire.

Le livreur désigna la cabine habitable.

— Mince, c'est une œuvre d'art. Je n'ai jamais vu un tel détail dans du bois.

La couleur de papa revint à la normale. Il se redressa.

— Merci, mon bon monsieur, dit-il, saluant courtoisement.

Le livreur lui fit un air bizarre.

Les visions d'autobus et d'étoiles du rock télévision satellites'évanouirent au moment où son papa entreprit de réquisitionner de l'espace dans d'autres fourgonnettes de camping pour les boîtes.

Après le départ du livreur, Janice, Sir Davey et Scott arrivèrent avec leurs fourgonnettes et leurs roulottes pour ramasser les boîtes avant de prendre la route. Sir Davey conduisait une autocaravane, une toute nouvelle assez jolie. Elle attira l'attention de son papa en la désignant.

— Voilà de quoi je parle. Du confort à la moderne.

Il répondit en soulevant dédaigneusement un sourcil.

Janice conduisait une Jeep Wagoner. Raven affichait une expression de ras-le-bol. En plus, c'était tôt le matin. Elle sortit de la Jeep.

— Qu'est-ce qui ne va pas, toi? demanda Keelie.

— Maman. Nous sommes allées en forêt pour ramasser des herbes sauvages. Bon sang, une semaine dans les bois, courbée, à déterrer des plantes vertes âcres pour faire des teintures puantes.

Keelie réprima une envie de rire. Il était difficile d'imaginer Raven dans les bois.

— Regarde, dit Keelie. Voilà Cameron. Ariel et Louie sont avec elle. Elle a obtenu tous les permis et les trucs pour les transporter à travers les États-Unis.

Cameron conduisait un énorme VR, qui ressemblait un peu à celui de Sir Davey, sauf que, sur les côtés, des rapaces volants étaient peints à l'aérographe. Elle s'arrêta. Keelie se leva sur la pointe des pieds, jetant un coup d'œil à l'intérieur, espérant apercevoir le faucon.

— Comment va Ariel?

— Tu lui manques, mais elle ira bien. Ça va, petite, nous vous reverrons à New York, dit Cameron.

Papa s'approcha de la camionnette.

— Cameron, on se donne rendez-vous au Festival de Wildewood.

— Je vous verrai tous les deux là-bas, dit Cameron.

Keelie et papa reculèrent.

— Salut, Cameron. Salut, Ariel. Salut, Louie, cria Keelie pendant que l'autobus des rapaces disparaissait dans un nuage de poussière.

Keelie essaya de chasser sa tristesse; elle reverrait Ariel dans quelques jours.

Papa avait rapidement chargé la plupart des boîtes, sauf la plus petite qu'il avait déposée dans le Miss Chalet suisse. Keelie avait hâte de fouiller pour retrouver les photographies de maman et Boo Boo Bunny.

Sir Davey contempla l'arrière du Miss Chalet suisse plein à craquer. Il se frotta la barbiche avec son index et son pouce.

— Tu sais, Zeke, quand tu arriveras à New York, peut-être auras-tu envie de parler à cet ami de qui j'ai acheté mon autocaravane. Tu dois te souvenir que Keelie aura besoin de beaucoup d'espace.

Keelie se pencha et serra Sir Davey dans ses bras.

— Oh! merci. Je suis certaine de ne pas vouloir partager une couchette avec Knot. Il perd ses poils. Pire, il bave.

— Certainement. Et personne ne veut rien partager avec Knot.

Sir Davey remua ses sourcils gris de haut en bas.

— Et Knot n'est pas très porté au partage.

Papa roula ses yeux vers le ciel.

— Je peux agrandir la fourgonnette pour augmenter l'espace à l'intérieur.

Janice mit son bras autour de Keelie.

— Zeke. Envisage au moins de parler à l'ami de Dave à New York.

— Nous nous reverrons bientôt, ajouta-t-elle dans un murmure, en serrant Keelie.

Raven regarda vers le ciel.

— Moi et la nature, peux-tu imaginer? Nous irons certainement faire des emplettes lorsque je retournerai dans le vrai monde.

Keelie hocha la tête.

Janice soupira.

— Monte dans la voiture, Raven.

— Je ne veux pas de caverne sur roues, dit papa.

Keelie s'arrêta. Elle devait réfléchir au dernier commentaire. Papa le pensait-il vraiment? Les nains aiment la terre. L'intérieur de l'autocaravane de Sir Davey ressemblait-il à une caverne? Elle regarda la grosse caravane, mourant d'envie de jeter un coup d'œil à l'intérieur.

— Il y a de bonnes aubaines sur les Forest Glades, avec tout le confort moderne, dit Davey.

Papa leva les mains en signe d'abandon, puis se tourna vers Keelie.

— Nous en parlerons en route.

Keelie alla vers lui en sautillant et l'embrassa sur la joue.

— Merci, papa.

Janice klaxonna, et Raven se pencha par la fenêtre et agita la main pendant que sa maman s'éloignait.

Keelie lui rendit son salut.

Sir Davey chargea trois des boîtes de Keelie et elle remarqua qu'il avait les yeux un peu embués.

— Je vous verrai à la foire, dit-elle.

Elle se pencha et lui donna un baiser sur la joue.

Il sourit.

— Prenez soin de vous et de Zeke. Lui aussi doit faire le deuil de votre mère. Il l'aimait et ne laissez personne vous dire autre chose — comme certains elfes à l'âme noble que nous connaissons.

— Sir Davey, est-ce la fourgonnette de camping dans laquelle maman et moi avons vécu quand j'étais bébé?

Il fit signe que oui.

— C'est pourquoi votre papa a tant de difficultés à la laisser aller. Votre maman aimait la moulure au design tarabiscoté.

Il sauta dans son autocaravane, la fit démarrer et s'éloigna.

Keelie regarda la fourgonnette bizarre de papa. Elle observa son papa qui verrouillait la porte arrière, et elle sourit. Elle avait vécu dans cette fourgonnette avec sa maman et son papa, en famille. Elle pourrait y habiter encore un peu plus longtemps.

— Hé! papa, que peux-tu donc faire pour agrandir ce chalet de ski?

Un sourire en guise de réponse et un regard soulagé furent sa récompense. *J'aurais pu avoir cette autocaravane*, pensa-t-elle en l'observant. *J'étais si près*.

Papa s'approcha de Keelie.

— J'ai quelque chose pour toi. Tu te souviens quand tu m'as demandé de le garder?

Il sortit une branche de tremble de l'arrière du chalet de ski.

— Je l'ai trouvée quand Scott était en train d'emballer des affaires. C'est le morceau qui restait après que nous eûmes fabriqué la chaise.

— Merci, dit-elle.

Le mince chicot était sec et sans valeur, mais Keelie avait quelque chose en tête. La branche était parfaite pour l'expérience à laquelle elle songeait.

— Papa, j'ai besoin de quelques minutes.

Il hocha la tête.

— Je t'attends.

Elle se dépêcha de se rendre jusqu'au pré.

L'administration avait fait remplir le cratère creusé par la décharge électrique, ce qui avait laissé une grosse plaque dénudée dans les herbes. Keelie marcha vers le centre de la région brun noirâtre, qui paraissait si étrange au milieu de tout ce vert. Elle sentait les arbres qui l'observaient, et les autres, les gens de la forêt. Elle planta la branche dans le sol, assez profondément pour que son sommet arrive à la hauteur de la cuisse.

— Hrok. Je t'ai apporté un compagnon. Enfin, j'espère.

Elle saisit la branche morte et avec l'autre main tint le cœur calciné, qui était suspendu autour de son cou. Sean lui avait offert une nouvelle chaîne lorsqu'il lui avait dit au revoir. Il l'avait embrassée et lui avait dit de garder son baiser dans son cœur jusqu'à ce qu'ils se rencontrent à nouveau. Elle pensa au sacrifice de la reine des trembles. Avait-elle déclenché la tornade et provoqué une décharge de sorte qu'elle s'abatte sur elle?

Le cœur de l'arbre se réchauffait dans sa main. Elle chercha à diriger l'énergie le long de son bras. Chaque nouvelle tentative devenait plus facile. Elle ressentit des picotements dans la main qui tenait la branche alors que la force vivifiante s'écoulait en grésillant dans la branche puis dans le sol. La terre autour d'elle remua et des centaines de fils arrondis surgirent et se dressèrent avant de se déployer dans les herbes.

Keelie était déçue. Elle aurait voulu que la branche prenne racine et devienne le compagnon de Hrok ; une partie de la reine des trembles serait ainsi revenue à la vie. Au moins, elle avait verdi un peu l'endroit. La plaque de terre ressemblait jadis à de la croûte sur un genou écorché, affreuse et douloureuse à regarder.

Elle s'éloigna, s'arrêta pour faire courir sa main sur l'écorce de Hrok. *Au revoir, mon ami. Je vous verrai l'an prochain.*

Adieu, Keliel qui parle aux arbres. Que se multiplient longuement vos anneaux.

Elle sentit en esprit l'énergie dans sa sève, ses branches dressées vers le soleil, et le frémissement de ses feuilles dans la brise. Et autour de lui, les autres dans la forêt. Et un de plus, un nouveau, même si ce n'était pas un bébé. Elle se tourna, bouche bée. Une feuille unique s'était déployée au bout de la petite branche.

La branche de la reine des trembles avait pris vie.

■ ■ ■

Au moment où ils quittaient le Colorado, Keelie vit la boutique de perçage corporel et de tatouage Chez oncle Harry Mac's, la lumière brillante de son enseigne au néon atténuée par les rayons du soleil.

Elle était peut-être à demi elfe, mais la fille de la Californie qui était aussi la fille de sa mère n'avait pas oublié l'anneau de nombril.

Il devait y avoir une boutique de tatouage et de perçage corporel quelque part près du site de la foire de New York, et elle se ferait un devoir de la trouver.

À propos de Gillian Summers

Habitant une région forestière, Gillian a été élevée par des bohémiens dans une foire de la Renaissance. Elle aime le tricot, les soupes chaudes, les costumes, et elle adore les flocons d'avoine — surtout sous forme de biscuits. Elle déteste le béton, mais le tolère si c'est pour assister à un congrès de science-fiction. C'est une collectionneuse obsessionnelle de perles, de recettes, d'aiguilles à tricoter et de cartes de tarot, et elle admet lire la revue *In Style*. Vous pouvez la trouver sur le site **www.gilliansummers.com**, ainsi que dans son chalet du nord de la Géorgie, où elle habite avec ses gros chiens affectueux et ses chats détestables!

Ne manquez pas le *Livre 2* de
La trilogie des gens de la foire médiévale

Pour obtenir une copie de notre catalogue :

Éditions AdA Inc.
1385, boul. Lionel-Boulet, Varennes, Québec, J3X 1P7
Télécopieur : (450) 929-0220
info@ada-inc.com
www.ada-inc.com

Pour l'Europe :

France : D.G. Diffusion Tél.: 05.61.00.09.99
Belgique : D.G. Diffusion Tél.: 05.61.00.09.99
Suisse : Transat Tél.: 23.42.77.40

AdA inc.

www.AdA-inc.com
info@AdA-inc.com